Альфред КОХ
Игорь СВИНАРЕНКО

ЯЩИК ВОДКИ

3 ТОМ

Москва

«ЭКСМО»

2004

УДК 82
ББК 84(2Рос-Рус)6-4
К 75

Дизайн и оформление художника *С. Ляха*

Фото на переплете *А. Колпакова*

Использованы фотографии из архивов авторов

Кох А., Свинаренко И.
К 75   Ящик водки. — М.: Изд-во Эксмо, 2004. — 272 с.

УДК 82
ББК 84(2Рос-Рус)6-4

ISBN 5-699-07181-4

Валерия Новодворская
Предисловие

ВЫПЬЕМ С ГОРЯ. ГДЕ ЖЕ ЯЩИК?

В России редко пьют на радостях. Даже, как видите, молодой Пушкин, имевший прекрасные виды на будущее, талант и имение, сидя в этом имении, пил с любимой няней именно с горя. Так что имеющий украинские корни журналист Игорь Свинаренко (кликуха Свин, он же Хохол) и дитя двух культур, сумрачного германского гения и рискового русского «авося» (вот она, энергетика русского бизнеса!), знаменитый реформатор чаадаевского толка А.Р. Кох (попросту Алик) не стали исключением. Они допили пятнадцатую бутылку из ящика водки, который оказался для них ящиком (ларчиком, кейсом, барсеткой, кубышкой) Пандоры. И оттуда полезло такое! Даже не пена и не зеленые черти. Оттуда полезла российская история с перезревшего застоя до недозрелой автократии, минуя побитую инеем и молью завязь демократии и либерализма. А где российская история, там крамола. Плохие подданные вышли из двух интеллектуалов, которые даже не лезли на передовую. Они не умещаются в окоп, вот в чем их беда. Ни при Брежневе, ни при Горби, ни при Ельцине, ни при Путине.

Не исключено, что эти томики останутся самым искренним и информативным историческим документом четырех эпох: застоя, перестройки, ельцинской революции и путинской реакции. Сказал же Евтушенко: «Слава богу, есть литература — лучшая история Руси».

Первое предисловие к первой бутылочной пятилетке Свину и Алику писал благополучный талантливый журналист, имеющий (увы, имевший. — *Прим. ред.*) свою престижную программу на еще не до конца придуманном канале, некогда этот журналист «не выбрал свободу».

5

Второе предисловие писали две способные девушки, опять-таки имеющие свою программу на канале, уже благополучно лишенном дыхания. А одна из этих девушек — еще и талантливая писательница, которая даровала нам великий, прямо-таки булгаковский роман «Кысь». Это хорошо, это нормально. Но третье предисловие они (причем на трезвую голову) доверили писать старому, злобному, облезлому диссиденту, признаваться в знакомстве с которым по нынешним временам просто опасно. Поистине у русского человека нет дна. И, как сказал в тон предшествующей мысли А.Н.Толстого М.Волошин: «Нет, не выпить до дна нашей воли, не сковать нас в единую цепь. Глубоко наше Дикое Поле, широка наша скифская степь».

На чем сошлись наши пути? Внук чекиста, внук расстрелянного в чекистских подвалах ни в чем не виноватого немца, внучка старого большевика, комиссара...

Два латентных подпольных «диссидюги» и один открытый карбонарий... Может быть, на том, что мы все трое «жены пера» и «шакалы ротационных машин»? Из капиталистов в писатели, как Алик Кох, — это круто. Прямо по Достоевскому. Ведь и Игорь не пошел в развлекательный жур-

Просто Кох в очках

Свинаренко — начальник отдела преступности «Коммерсанта». Фото Сергея Подлесного

нал зарабатывать «бабки». Как здесь не вспомнить Достоевского, что «русскому человеку мало капитал заработать, ему надо еще и мысль разрешить».

Мы все авторы разных проектов. В проектах, представленных журналистом Свинаренко и реформатором Кохом, Россия, собственно, и живет. Она их приняла! Игорь создавал новую журналистику из старой, но и позавчера, и сегодня она не может обойтись без самоцензуры и Эзопова языка. А вчера осталось в ельцинской эпохе, в этих девяти годах, повторивших февральский восьмимесячный проект Временного правительства 1917 года. От Керенского до большевиков. Алик построил вместе с Демиургами Гайдаром и Чубайсом капитализм. Для нас и для себя. Честно нажил деньги. Я люблю капитализм и капиталистов, хотя любовь не взаимна. Я люблю деньги (тоже без взаимности), банки, валютный обмен, биржи, социальное неравенство. Иномарки тоже люблю (а они меня нет). Уже четверть россиян живут по проекту Алика, и остальным тоже место найдется. А журналисты все живут «по Свинаренко», ведь он стоял у истоков «Коммерсанта». У меня тоже был свой проект: капитализм, но плюс к этому свобода, западные ценности, добрая, раскаявшаяся страна, которая никому бы не причинила зла и отпустила бы чеченцев с приданым.

Этот проект был отвергнут. Но для авторов книги он был надеждой и упованием, и в точке пересечения трех проектов есть место для надежды на то, что для России не все кончено. Я читала эти книги с захватывающим интересом: нормальная человеческая жизнь была мне мало знакома. И это знакомство наполнило мне душу печалью. Конечно, у меня была совсем уж страшная, нечеловеческая жизнь, но и эта, благополучная, человеческая, была не слаще. Может быть, труднее было оставаться порядочным человеком, чем сразу со всем порвать и хлопнуть дверью камеры. Этот бедный Игорь, не ставший стукачом, но который не мог сразу послать гэбульщиков к черту. Его тщетные попытки проникнуть сквозь партийный заслон в Венгрию или еще подальше. Бедный Алик, родившийся в ссылке, подрабатывавший дворником и мечтавший о квартире и «Жигулях». И главное — эта невозможность врезать «им всем» то, что хотелось врезать. Полуподполье. Сумерки богов. Необходимость приспосабливаться, выживать, кормить семью, добывать мясо и масло. Я бы с ними не поменялась. Игорь хотя бы приплыл к тихой журналистской пристани. А Алика будут долго и больно бить по голове уже в новые времена. За спасительные для страны залоговые аукционы. За правдивое чаадаевское интервью. За то, что не ночевал на вокзале, а получил жалкую казенную квартиру. За немецкие корни. За нормальный средний гонорар за книгу о приватизации. За честно заработанные деньги. Его будут травить в следующей главе (бутылке ящика), и тогда ударит он: сплеча несправедливо. По НТВ. А Игорь Свинаренко в этом ящике не заметит чеченскую войну. И самое страшное: советская действительность навсегда научила авторов выживать, а не бросаться на амбразуры. Не желать невозможного. Не бегать по волнам. Уступать дорогу неизбежности. Я хорошо отношусь к авторам, и мне их безумно жалко. А им, похоже, жалко меня. И в этой взаимной жалости капиталиста, журналиста и облезлого злого диссидента — надежда не только для нас...

Истина — в ящике.

Третьим, четвертым, пятым — будете?

БУТЫЛКА
ОДИННАДЦАТАЯ

1992

Весь 92-й год Кох «Занимался любимой работой — продавал Гос-
собственность». Свинаренко — тоже любимой: работал в газете,
командовал отделом преступности. В этой главе также науч-
но разъясняется, отчего развалилась Российская империя. Главной
ее сверхзадачей, как известно, было создание великого Славянско-
го государства со столицей в Константинополе. В 1917 году ста-
ло ясно: к проливам нас Европа никогда не пустит. И Стамбул мы не полу-
чим ни за что. Когда наступила ясность, империя и развалилась — а на кой
она тогда, в самом деле? После, когда мы проиграли «холодную войну», разва-
лился и Советский Союз. Зачем кормить огромную армию, если она не побе-
ждает? А без армии — какая ж империя...
Зато теперь, когда нас никто не заставляет решать мировые проблемы,
можно заняться собой, домом и семьей.

Бутылка одиннадцатая
1992 год

К о х: 1992-й — это первый год России.

— Да, первый год чисто России. СССР уже ж не было.

— Горбач в декабре отдал чемодан — и был таков.

— Смешно: я нашел в Интернете постановление ЦК КПСС «О подготовке к празднованию 80-летия создания СССР». Это у нас на декабрь 92-го намечалось. Неплохо!

— Да.

— Итак, самое начало года: 2 января — либерализация цен, начало проведения реформ. А десятого числа — отмена фиксированных цен на хлеб и молоко. То есть сначала оставили на хлеб и молоко твердые цены...

— А потом быстро сообразили, что херня это все. И освободили вообще все цены.

— Мне в 96-м Немцов, когда был губернатором в Нижнем, по тогда еще довольно свежим следам рассказывал, что он именно в том январе договаривался с командованием военного округа — завезти в город полевые кухни. Тогда реально боялись, что народ с голода начнет пухнуть, бить витрины и грабить склады. Но, в общем, как-то обошлось без полевых кухонь.

— А мне Немцов рассказывал, что полевые кухни он таки выкатил...

— Это он тебе, может, как частному лицу говорил. Для прессы же он более ответственно высказывался. А ты сам помнишь это все? Ты где вот был тогда? Это ты, кстати, цены освободил?

— Это не я. Это Егор Тимурович.

— А ты был кто тогда?

— Я в Питере был заместителем председателя городского комитета Госкомимущества.

— А тебе заранее сказали, что цены освободят?

— Это и так ясно было. Они еще

в ноябре об этом предупредили и даже цифры назвали... Это ни для кого не было неожиданностью.

— Это для тебя не было.

— И для тебя не было. Просто ты уже забыл. Там же история такая, что люди кинулись снимать с книжек деньги, а им не выдают, потому что Павлов заморозил счета.

— Да... Я помню, что колбаса была три рубля, что ли, — а стала десять.

— Но стала. Стала! В том-то же и дело, что она появилась!

— Да, все лежало-продавалось. Это, значит, и было конкретно началом реформ.

— Да.

— Все. Сказали — хватит шутить.

— Да. Хватит шутить! И прива-

тизация началась. Мы разработали за январь-февраль городскую программу приватизации. Потом в марте ее затвердили в совете. И в апреле уже первые аукционы пошли. Так же, как в Нижнем. Магазины мы начали продавать. На аукционах. Пригласили опытных аукционщиков, которые еще в «Союзпушнине» в советские времена мех продавали западникам. И с их помощью вместо соболиных шкурок магазины продавали. Много продали! Почти все. Народ сначала бухтел, а потом начал покупать. Там важно было разъяснить трудовым коллективам, какие у них льготы. Они участвовали в этих аукционах и выигрывали. Было весело! А потом ваучерная началась. Вот тут уже нам крови попили, конечно, с ваучерами.

Комментарий `Коха`

Большой комментарий про приватизацию я напишу позже, когда про 1994 год будем говорить, а сейчас можно привести отрывок из нашумевшей в связи с «делом писателей» книги «Приватизация по-российски»[1]. И хотя этот текст писался мной в 1997 году, в конце лета, тем не менее он, на мой взгляд, лучше передает ту атмосферу, которая тогда, в 1992 году, царила в нашей команде, чем если бы я взялся воспроизводить это настроение сейчас.

ПЕРВЫЕ АУКЦИОНЫ

Уже в феврале 1992 года мы провели через горсовет городскую программу приватизации с конкретным адресным перечнем магазинов, которые нужно было выставлять на аукционы. Первые аукционы прошли в начале мая того же года...

Помню, на самом первом аукционе продавали парикмахерскую на Нев-

---

[1] См. об этой книге: А. Кох, И. Свинаренко. Ящик водки. Т. 1. М., 2003.

ском. Парикмахерская дохода не приносила, а ведь Невский проспект — центральная улица города, и помещения должны там стоить очень дорого. Было понятно, что в ходе приватизации такие малорентабельные предприятия, каким была, в частности, и эта парикмахерская, будут вытесняться, перепрофилироваться. Сколько же шуму тогда поднялось! От нас стали требовать непременного закрепления профиля приватизируемых объектов. Почти за каждый магазин, парикмахерскую, прачечную приходилось бороться. В конце концов, ту свою первую парикмахерскую мы продали за довольно приличные деньги: 20 с лишним миллионов рублей. Сейчас на том месте располагается магазин по продаже импортных кухонь — предприятие наверняка гораздо более прибыльное, чем бывшая парикмахерская, способное окупить свое существование в центре города.

Вообще-то стоит, видимо, внести некоторую ясность в вопрос о первенстве питерцев в проведении аукционов. Дело в том, что первый аукцион по продаже магазина состоялся все-таки в Нижнем Новгороде в апреле 1991 года. Мы свою парикмахерскую в «Союзпушнине» продавали уже в мае. Однако питерцы еще раньше нижегородцев проводили аукционы не по продаже, а по сдаче магазинов в аренду. Вот здесь мы были действительно первыми во всех отношениях.

Когда малая приватизация только раскручивалась, было немало казусов. Помню, например, одним из первых мы продавали огромный универсам в новостройках: большой оборот, гигантские площади. Это был чуть ли не второй или третий аукцион, а столь крупный объект вообще продавался впервые. И никто не верил, что можно будет просто так прийти и купить его в открытой борьбе на аукционе. В итоге на торги пришли два покупателя, да и те, насколько я понимаю, были в сговоре: трудовой коллектив магазина и «заряженная» им вторая компания. И они купили универсам за смехотворную цену: два миллиона 100 тысяч рублей (сравните: первую «свою» парикмахерскую мы продали за 20 с лишним миллионов). Народ просто обалдел: а мы-то что ж не участвовали?! Больше ничего подобного, конечно, не случалось.

ВОЗЬМИТЕ АПЕЛЬСИНЧИКОВ

Еще запомнилось, как продавали на Невском один овощной магазин. Это был самый известный из всех овощных магазинов в городе, и директор его, соответственно, был патриархом всей овощной торгашеской «мафии». Фамилии его уже не помню, помню только, что это был старый человек, ему за семьдесят перевалило. Когда дело дошло до продажи его магазина, мне все стали советовать: «Ты к нему обязательно съезди!» — «Зачем, — говорю, — мне к нему ехать? Пусть он сам ко мне едет, если ему надо». — «Нет, — твердят мне, — езжай! Это такой человек. Он в свое время пинком любые двери открывал». — «Теперь, — говорю, — открывать не будет». — «А ты все равно поезжай. Он ведь старый человек, он не понимает всего, что происходит; прежними понятиями живет. Ты уважь его». Короче, я поехал.

Только зашел к нему, он мне тут же стал наборчик в пакетик укладывать. Я говорю: «Мне этого ничего не надо». — «Как — не надо?! А у нас вот тут апельсинчики». — «Да не надо мне ваших апельсинчиков!» — «Как же, а вот винограднику». Когда он понял, что со мной торговаться бесполезно, он и говорит: «Ладно, давайте так. Мне уже семьдесят с лишним лет, я скоро умру. Вот когда умру, тогда продавайте этот магазин, делайте с ним что хотите. А пока дайте мне спокойно умереть». На том и разошлись. Через год этот директор умер, и магазин мы продали.

Вообще приватизация торговли была делом достаточно сложным и нервным. Существовавшие в тот период локальные монополисты — то́рги — отчаянно сопротивлялись. Им было за что цепляться руками и зубами. Фактические хозяева всей торговой сети, они были очень влиятельны в эпоху тотального дефицита. Приватизация же положила конец их всевластию: приватизируемый магазин обретал юридическое лицо и, таким образом, становился независимой хозяйствующей единицей — и юридически, и экономически, и финансово. Торги ожесточенно отстаивали свои интересы и находили поддержку даже у Анатолия Собчака, который требовал сохранения региональных районных торговых монополий.

Это уже потом, много позже, Собчак гордо рассказывал на Западе, что у него в городе быстро идет приватизация. А тогда можно было прочесть и такие резолюции мэра: «Приведите Коха в чувство, иначе я это сделаю сам!» Произошло это, когда я пытался продать магазин «Диета» на Невском проспекте, директриса которого, как и любой торговый начальник в ранний постсоветский период, была весьма влиятельным лицом. Помню, это была такая представительная дама в два обхвата, как полагается, — волосы в химии, руки и шея в золоте, и она все кричала, что Кох питерских диабетиков оставит без диетпитания. Однако, несмотря ни на что, магазин был продан. Сейчас он спокойно работает, и диетических продуктов там значительно больше, чем раньше.

Надо признать, что серьезных доходов в городской бюджет малая приватизация не успела дать: началась ваучерная программа, и малая приватизация продолжалась уже не за деньги, а за ваучеры. Да, собственно, в то время никто и не ставил фискальных целей. Главными нашими задачами были — создание конкурентной среды в торговой системе, ликвидация локальной монополии, обеспечение притока товаров. И этих целей мы достигли. Угроза тотального товарного дефицита, ставшая реальностью в конце 1991 года, была ликвидирована. Как.мне представляется, теперь уже навсегда, благодаря либерализации цен и разрушению локальных монополий в лице торгов. Российские прилавки теперь мало чем отличаются от западных, и наши бабушки, выезжающие за границу по туристическим путевкам, уже не падают в обморок при виде западных магазинов. А такое бывало раньше, только мы быстро об этом забыли.

Это было интересное время — на старте приватизации, на старте реформ. Мы не играли в политику, а делали конкретное дело. Когда ты начинаешь искать сдержки и противовесы, выстраивать интриги, то сразу попадаешь в зависимость от какой-нибудь политической группы. А эта группа в обмен на поддержку требует для себя эксклюзивных прав. Мы же были в этом смысле эдакие «лопухи» — просто тупо проводили аукционы на основании законов, постановлений, указов, чем и снискали себе нелюбовь всех политических сил Петербурга.

Однако Чубайс уже тогда был достаточно влиятелен, и мы имели возможность отсылать недовольных в Москву. Помогало и то обстоятельство, что советская система еще не до конца разболталась, существовала кое-какая дисциплина, и весьма эффективно действовала такая аргументация: «Президент подписал указ, велел приватизировать столько-то предприятий. Мы будем выполнять указ или не будем?» Хороший, плохой ли указ — это дело десятое, а исполнять надо. И подобная аргументация действительно работала. Сейчас в регионах ведут себя иначе: «Подумаешь, президент указ подписал. У нас Конституция защищает права субъектов Федерации, поэтому мы указ выполнять не будем». В начале 90-х приказ из Москвы выполнялся беспрекословно.

КАПИТАЛИСТИЧЕСКАЯ МИНИ-РЕВОЛЮЦИЯ

Все это дало нам возможность к 1993 году продать порядка 40 процентов магазинов. Мы продавали по 30—40 магазинов за одну торговую сессию, то есть за один день. Аукционы шли беспрерывно.

Параллельно с малой приватизацией к концу 1992 года стала раскручиваться и приватизация чековая. В августе вышел указ № 721 о поголовном акционировании всех предприятий, вскоре появились все необходимые нормативные документы, и уже в декабре мы провели первый специализированный чековый аукцион. При этом Комитет по управлению имуществом тесно сотрудничал с петербургским Фондом имущества, где была неплохая команда специалистов — Эдуард Буре, Петр Пансков, Александр Тишков. Работа шла сверхинтенсивно, круглые сутки. К примеру, когда в феврале 1992 года мы писали городскую программу приватизации, просидев за этой работой всю ночь, уже наутро нам пришлось ехать в горсовет ее защищать.

Я вспоминаю один замечательный эпизод, связанный с началом программы приватизации крупных предприятий. Мы собрали директоров всех крупных заводов в актовом зале Смольного, где Ленин объявлял Советскую власть. В президиуме сидели Беляев, Маневич, Собчак, а я с трибуны разъяснял указ президента об акционировании предприятий. Эта капиталистическая мини-революция происходила под огромным портретом Владимира Ильича, в гробовой тишине, под настороженно-насмешливые взгляды директоров. Было видно, что воспринимают они все происходящее примерно так: дети наиграются, натешатся, на том все и кончится...

Впрочем, программы акционирования вскоре пошли довольно дружно. Директора очень боялись, что их могут обойти чужаки, поэтому торопились предложить свои планы, свои инвестиционные программы, выгодную им очередность в проведении аукционов — дабы суметь сконцентрировать деньги для покупки предприятий. С основной массой руководителей мы работали спокойно. Все-таки директора в Питере — люди, как правило, достаточно продвинутые. Вспомнить хотя бы Турчака, директора «Ленинца», или директора Балтийского завода Шуляковского, или Илью Колебанова с ЛОМО. Были, конечно, и такие, которые ничего не хотели, ничего не признавали. Их и не приватизировали. Как правило, все эти предприятия сейчас в полном упадке: конкурентоспособной продукции нет, покупателей нет.

Конечно, я не буду утверждать, что все приватизированные предприятия сегодня процветают. В Питере вообще очень тяжелая для рыночных преобразований структура промышленности: оборонка, судостроение, электроника, энергомашиностроение. Поэтому сейчас им, конечно, тяжело, и больших успехов нет. Хотя по сравнению с общим состоянием в своих отраслях питерская оборонка и все, что с ней связано, чувствуют себя более-менее нормально. А вот легкая, пищевая промышленность, безусловно, растут. Наши пивные заводы сейчас всю страну пивом залили. Те же «Вена» или «Балтика» ничем не хуже импортных. Да и машиностроительные, и судостроительные заводы постепенно с колен поднимаются. Вообще я думаю, что в Питере ситуация не такая уж и плохая.

Петербург всегда считался бесспорным лидером приватизации. Но сейчас, задним числом, я понимаю, что мы были всего лишь одними из лидеров. Борис Немцов организационно нас опередил, начав в Нижнем аукционы на две-три недели раньше Петербурга. По объемам приватизации нас опережал Челябинск. Но там было легче, потому что основным способом приватизации была аренда с выкупом, а она документально оформляется очень просто. Неплохо шли дела в Самаре, Екатеринбурге. Иными словами, Петербург не был абсолютным лидером по всем показателям. Но мы, питерские, всегда ощущали себя лидерами реформ, ее первопроходцами и изо всех сил старались не ударить лицом в грязь.

Однако при всем при том вот что мне кажется принципиально важным: в Петербурге всегда старались придерживаться федеральных нормативных документов. И по приватизации в том числе. У нас и близко не было ничего похожего на московско-лужковскую фронду.

Впрочем, сейчас, с высоты 1998 года, становится понятным, что особого значения сами способы отчуждения от государственной собственности не имели. Теперь все частные магазины — что питерские, что московские, что тамбовские — работают почти в одинаковом режиме. Наши споры 1992 года о том, как приватизировать — с аукциона или просто дарить трудовому коллективу (как это было в Москве), в 1998 году кажутся несущественными. Важно, что торговые точки попали в руки разных хозяев, между ними началась реальная конкуренция. Правда, в Москве эти процессы проходили более болезненно. В августе 1993 года, когда я перешел на работу в Москву, в столице еще были полностью принадлежащие трудовому коллективу или государству магазины с пустыми прилавками, с хамами продавцами, с традиционным продуктовым набором — трехлитровые банки соленых огурцов и «Завтрак туриста» — на прилавках. Петербургский способ перехода к эффективной системе городской торговли оказался более быстрым, нежели московский.

Свинаренко: Вот я смотрю свои записи... Ленин, помнишь, принимал декреты о земле, о мире и еще там о чем-то. А у нас такой рейтинг, такие приоритеты: первым делом — освобождение цен, после — раздел Черноморского флота и далее, 26 января, — заявление Ельцина о том, что Россия уже не нацеливает ядерные ракеты на Штаты.

— Угу.

— Понимаешь, да? По убывающей. Ну вот откуда такая важность скромного Черноморского флота? С косой Тузла Россия чуть в войну с Украиной не ввязалась. Почему Украина для России важней Америки? Странно... Что за этим стоит, как ты думаешь?

— А я никак не думаю. Почему я должен как-то думать?

— Думай, не думай, а без Украины, как видишь, никуда.

— Ну, просто это твоя родина, для тебя это близко, и ты все время хочешь обсуждать эту тему. А для меня — это всего лишь кусок российской истории. Поэтому я не готов прочувствованно и со слезой в голосе говорить про Украину. Для меня это редкая для посещений страна. Кстати, в общем с более-менее понятной ментальностью. Я один раз был во Львове, один раз — в Одессе, три раза в Киеве, один раз в Керчи, один раз в Ялте. И все.

— Одесса — русский город, Львов — польский.

— Ялта с Керчью — тоже русские.

— Русские. В общем, ни хера ты на Украине не был.

— А три раза в Киеве?

— Ну, Киев — это серьезно. Киев — матерь городов русских.

— Русских, да. Кстати говоря, параллельно замечу, что Российская империя довольно забавно устроена. Если говорить о сегодняшней России, то это империя без метрополии. Метрополия не входит в состав империи. Потому что матерь городов русских — Киев — отколота, а все остальное-то славяне колонизировали. Все остальное, строго говоря, колонии. И Владимирская Русь, и чудь, и мордва, и все эти финно-угры — это все колонизировано.

— Давай лучше серьезно ситуацию с Украиной разберем. Вопросы с ней вроде такие незначительные, а раздуваются со страшной силой. Почему?

— Нет, старик, я с тобой не соглашаюсь. Вот насколько я понимаю, русская ментальность и русское самосознание уходят в глубь российской истории на триста лет. Дальше ее не хватает. Мы понимаем, что был Алексей Михалыч, были Рюриковичи. Умом мы это понимаем, но сердцем Россия начинается как бы с Петра Первого. Таково русское самосознание. Мы сейчас говорим не о реальной истории — но об образе русской истории, который сложился в русском национальном характере.

— Князья, значит, разборки, наезды...

— ...татарское иго, потом кровавый Иван Грозный, далее какая-то смута, а потом — ничего. Потом Петр Первый.

— Так. Допустим. А почему так, интересно?

— Не знаю. Петр Первый решительно зачеркнул все, что было до него.

— Да... А что до него было? Какие образы возникают? Дремучие леса, гуси-лебеди, с луком и стрелами бубновый валет, похожий на Касьянова — как на иллюстрациях к сказкам. Что-то не очень внятное рисуется.

— Да. Что-то такое — смутное время, Борис Годунов, Василий Тишайший...

— Аленушка на волке скачет... Или Иван-царевич.

— И персонажи в татарских халатах — будто бы русские... Вот этой истории, получается, как бы и не было, все началось с Петра Первого — вот так устроено русское самосознание. Или, во всяком случае, я его так понимаю. В нем ничего не осталось из допетровской Руси!

— В самом деле, что такое Алексей Михалыч? Не очень это понятно.

— Нет, ну более-менее продвинутые люди расскажут. Но даже они сердцем этого не чувствуют. Начиная с Петра — вот эти ботфорты, преображенский мундир, треуголка, эта шпага — от этого все началось.

— То есть это Россия, которая че-

го-то захватывает и создает из себя империю?

— На самом деле, все основные захваты до Петра осуществились. Петр прирастил от силы десять процентов территории. Все остальное уже было захвачено — вплоть до мыса Дежнева. Даже договор о разделении границы с Китаем был.

— То есть ты утверждаешь, что Россия началась с Петра Первого. А до этого как бы ничего не было, — таков русский менталитет?

— Да. Ментальность русская, она такая... Строго говоря, Петр Первый считается основателем Российского государства. Потому что тогда мы от царства перешли к империи. И поскольку Российская империя слишком долго влияла на русскую ментальность и в значительной степени ее сформировала, то имперское сознание начинается с момента возникновения империи. Но никак не раньше.

— А что, логично...

— Так вот, получается, что русская история в русской ментальности укладывается в триста лет. И из них сто пятьдесят лет мы воевали это северное Причерноморье! Мы завоевывали этот е...ный Крым, эту Одессу, Николаев, Новороссийск. Это началось с борьбы Петра Первого за Азов — и тянулось вплоть до Крымской войны. Которую мы проиграли. Половина истории угроблена на то, что в результате досталось хохлам! На халяву! Они же палец о палец не ударили! Ведь эти казаки запорожские, которые с польскими панами дрались, — они ведь не помогали Потемкину Причерноморье отвоевывать. Они сидели на Хортице, а когда к ним Потемкин пришел, убежали за Дунай — к османскому паше — и приняли турецкое подданство.

Комментарий **Свинаренко**

КСТАТИ, ПРО ЧЕРНОМОРЬЕ И КРЫМ

Летом 1992 года я нечаянно совершил экскурсию по местам, типа, боевой славы. А именно — съездил с семьей в отпуск в тот самый Форос. В санаторий ЦК или чего-то там такого — в непосредственной близости от места заключения Горбачева. Море, кипарисы, а главное даже, может, воздух — это все очень хорошо. Я помню, как радовался. Что вот отдыхаю в таком месте, куда мне при прошлом режиме ни в жизнь бы не попасть. А на коммерческой основе — бери и отдыхай. За — крутится такая цифра в голове — 140 долларов. Столько или нет, но точно было недешево. Ну, смущали какие-то мелочи — так, слегка, по краю сознания. Теперь же ясно, что это все представляло собой жалкое зрелище. Обои поотклеивались, плитка поотлетала, мебель советская, общежитская, какие-то хамские, воровские, наглые кастелянши... А самое главное — кормили очень маленькими и очень бедными обедами. Скупой блин каши, суп с картошкой, детская подозрительная котлетка... Компот... Было в этом что-то армейское, что-то даже и зоновское, то есть натурально коммунистическое, обобществленное. Современный человек, будучи в здравом уме, хихикнет тут и скажет, что надо было в ресторане питаться. Но этот ЦК там в округе придушил всех частников, и единственное, на что те, бедные, отваживались, была торговля черешней на базарчике у ворот. Еще — вот знак новых времен, убедительное доказательство реформ и перемен — по соседству было так называемое казино. Но и там вместо икры на тостах — как в «Шангри Ла», или харчо с цыплятами табака — как в подвальных игровых залах «Националя» — подавали только отвратный кофе по три доллара за чашку. В общем, все было у цековцев, как у всех прочих... Бедные! То-то они особенно не надрывались на защите своего режима в 91-м. Ну его, думали, к такой-то матери... Глядя с высокого берега на бухту, в которой когда-то стоял охранявший генсека военный беспомощный кораблик, я себе представил, как годом раньше, буквально

Свинаренко с дочерью Александрой и женой Лидией

ровно за год до меня, в этих благословенных местах в своем легендарном заточении томился Горбачев. Давился холодной манной кашей, питался разваренными в кашу же советскими макаронами и думал: «Как же это все надоело... Кормят какой-то дрянью, выпить нечего из-за этого ебаного сухого закона... Ничего сделать не дают, чуть что не так — вот, арестовывают... Живу, ну буквально как весь советский народ! Да пропади оно все пропадом...»

С в и н а р е н к о: Черноморье — как вход в причинное место. Ну, так поелозил чуть у входа, потеряся, а дальше-то надо всадить — то есть в Босфор и Дарданеллы войти, грубо, по-мужски. Вместо этого мы долго дрочили на входе — но так и не вошли.

— Ты не е...лся давно, что ли? Что это за образы?

— **При чем тут е...ся? Я просто поэт в глубине души и мыслю образами. А смысл всего какой был — Средиземное море!**

— Да. Уже Николай в Синопе разгромил турецкий флот — заходи в Босфор, все, он твой. И тут, бл..., эти англичане с французами нарисовались: не допустим, говорят! Представляешь, какая обида: 150 лет корячились, вот оно, лежит на блюдечке с голубой каемочкой, бери — не хочу! Все! Но Европа заступилась за турок. Который раз она нас швырнула! Первый раз они Византию кинули и дали туркам взять Константинополь. Они же не защитили его, помнишь? Второй раз — русским не дали взять Константинополь и отбить его, поставить крест на Святую Софию. И сегодняшний Стамбул с полумесяцем на древнем православном храме —

дело рук англичан с французами. Что такое — захват турками Константинополя? Это как если бы сарацины завоевали Италию. И тогда прочая Европа развивалась бы в отсутствие культурной прародины — Италии. Какой была бы тогда Европа? Без Италии откуда пришло бы просвещение? Пока существовали и Византия, и Рим — мы развивались одинаково. А потом у нас отняли прародину.

— **Ты помнишь, еще же была одна возможность, чтобы сарацины и мусульмане завоевали Европу?**

— Нет.

— **Это же Кампанелла.**

— А, Томмазо Кампанелла. «Город Солнца».

— **Ну. Социалист. Он решил построить идеальный город любви и равенства. Город, стало быть, Солнца. Но для этого надо было ему получить под эту стройку землеотвод. На что тогдашние законные власти не пошли бы. А единственным способом свержения папской власти на тот момент было объединение сил с турецким султаном.**

— Турки — это не сарацины. Сарацины — это арабы.

— **Я шире смотрю на вопрос: это ж все братья-мусульмане. И, зна-**

чит, социалист Кампанелла входит в сношения с врагом. Он при помощи турецкого султана собирается свергнуть антинародный режим. И на осколках самовластья, типа, они свой новый мир построят. Короче, значит, заговорщики договорились, что как только флот султана приближается к итальянскому берегу, они режут береговую охрану и встречают турок хлебом-солью. Ну, как Ленин с немцами договорился, что они вместе нейтрализуют Россию в Первой мировой. И вот уже флот подходит... Султан ждет, что вот ему сейчас хлеб-соль поднесут. И тут кто-то из заговорщиков, которые желали построить светлое будущее, вдруг опомнился: е... твою мать! Да точно ли турки будут строить город Солнца? А вдруг они вместо этого сомнительного проекта сожгут все, вырежут и вые...ут? Чего-то как-то у нас х...ня какая-то с городом Солнца... Своими сомнениями этот заговорщик поделился с инквизицией.

— Ха-ха!

— Короче, заговорщиков приняли, флот на х... отогнали. И дальше вот этот Кампанелла, которого рисуют на знаменах у нас как одного из первоисточников...

— Утопист. Социалист-утопист.

— Ну. Так, оказывается, его не сожгли на костре, не отрубили голову, не дали ему десять лет без права переписки. Его просто отпи...дили, потом держали там где-то в СИЗО, какие-то кости сломали, но в итоге-то — его выпустили! Он вышел на волю и ему даже дали место библиотекаря чуть ли не в Ватикане. Вот такой бесчеловечный режим был.

— Грамотных было немного, их жалели. А ты знаешь, что сарацины завоевали фактически всю Испанию — и даже Южную Францию? Остановили их только под Пуатье, в ходе знаменитой битвы, в которой франки их победили.

— А ты это все знал от рождения или вычитал из книжек?

— Конечно, из книжек.

— Из книжек и дурак может вычитать.

— Ха-ха! Это хорошая фраза.

— Я думал, ты умный, эрудированный, а ты, оказывается, все вычитываешь из книжек.

— Ха-ха! Так вот после Пуатье уже началась Реконкиста — освобождение Испании.

— А сейчас опять... Каждый второй школьник во Франции — кто? Угадай.

— Араб?

— Да, да! Мусульманин. То есть взрослых арабов пока меньше, но на детском уровне все уже решено. Судьба Франции определена.

— Ну, понятно: они рожают больше. А потому что многоженство у них разрешено!

— Да. Возможно. Что касается того, что Константинополь нам не достался по объективным причинам, — так хорошему танцору всегда яйца мешают.

— Да нет, ну, старик, это очевидно. Ну, вспомни, Лев Толстой, «Севастопольские рассказы».

— Да, да, понятно, что всегда можно найти какие-то оправдания. Но факт остается фактом: кто-то вышел на Средиземное море, а кто-то не смог. Мешали, не мешали — это уже второй вопрос. Мешали всем. Одни позволяют себе помешать, а другие — нет. Это как если бы ты проспал приватизацию и потом бы обижался, что кто-то чего-то себе хапнул. А ты нет.

— Да, Европа не хотела усиления влияния России в Средиземном море. Представляешь, чего бы было, если бы все Балканы присоединились к России? Ты можешь себе представить? Это была бы мировая держава!

— Так что же выходит? Россия не справилась со своей главной задачей! Не реализовала национальную идею!

— Не справилась. Не смогла стать великим славянским государством.

— У страны было предназначение, был смысл...

— Смысл был такой: Россия — Третий Рим. Третий Рим!

— **Но нам сказали: нет! Этого не будет.**

— Не будет Третьего Рима...

— **Это все равно как если бы в свое время немцам сказали: никогда вы не объедините свои германские княжества в единую Германию. Бу-**

Берлин. 1992 год. Обломки знаменитой стенки, в центре — Кох

дете и дальше барахтаться на уровне Лихтенштейнов и Монако.

— У нас еще хуже получилось. Предназначение Руси было такое: построить Третий Рим, возродить римскую доблесть, римский дух, византийский дух. Россия к этому готовилась пятьсот лет. И когда она, наконец, созрела для этого, ей сказали: нет.

— Самое главное в жизни — оно и не состоялось.

— Логика следующая. Человека тренировали всю жизнь, он должен был стать олимпийским чемпионом. Готовили, готовили... Говорили — ты в этих соревнованиях не будешь участвовать: вдруг ты потянешься, порвешься. Тебе надо готовиться к главному. Он на тренировках такие результаты показывает!

— И тут — бойкот Олимпиады.

— Да! Объявляют: мы не поедем на эту Олимпиаду. Человек в шоке: да через четыре года я уже буду старый! Я не смогу! Все кончено.

— И когда после этого говорят, что надо придумать русскую идею, и делают вид, что такой идеи отродясь не было... Это вяло звучит.

— Россия должна была стать великой славянской православной империей. Вся ее история — подготовка к этому. Петр Первый не случайно начал с Азова — а не с Нарвы. Это уж потом он начал через Балтику пробираться. К Европе. Потому что понял, что через Черное море не пролезть.

— Вот мы сейчас об этом с тобой почему говорим? Потому что это во-все не является общепризнанным фактом. Мы к этому продираемся...

— Нет, ну почему? Милюков-то именно это говорил.

— Господи, где это он говорил? Кому?

— Это было общеизвестно накануне Первой мировой войны.

— Но в учебниках, по которым мы учились, этого не было. Там что-то врали про передел рынков, про империалистических хищников...

— Да, нас этому не учили.

— Значит, у нас забрали это основное видение России, русских задач. И мы должны об этом на старости лет сами догадываться, читая Милюкова!

— Да. Но подсознательно-то мы это чувствуем. Ты, кстати, помнишь, с чего мы вообще начали? С дискуссии о причинах такой неадекватной ревности к хохлам. Вот она откуда!

— А ведь точно!

— Хохлам даром досталось то, что кровью полито, типа, реками русской крови. Мазепе досталось, который продал Петра за бочонок золота и сбежал вместе с короной нации к султану, присягнул ему. Досталось этим пидорасам — Свинаренкам различным.

— Сам ты пидорас! А кровью, кстати, полито русской — а не немецкой.

— И еще какой немецкой!

— Ладно! Откуда — немецкой?

— Ну а кто там офицерами были, в этой армии? Все эти Минихи и прочие всякие Тотлебены...

— Ты забыл, что матрос Кошка — из хохлов.

— Это уж потом. А при матушке Екатерине немцы были. Они участвовали в отвоевании северного Причерноморья у турок. Петр Первый обосрался, не смог отвоевать его — ни Азов, ни Прут. Под Прутом, как ты помнишь, он в плен попал, его жена откупила чуть ли не за ночь с пашой.

— **Но тогда не было немецкой большой политики.**

— Кстати говоря, у Петра жена — немка была. Екатерина Скавронская. Ха-ха! Служанка пастора Глюка из восточнопрусского Мариенбурга.

— **Да. Уж ни того ли, который первый перевод Библии на латышский язык сделал? Ха-ха.**

— Кстати, вполне возможно. Года совпадают. Не так много, наверное, было пасторов Глюков в Ливонии...

— **Да.**

— Она дала турецкому паше, и за это Петрушу выпустили. А так бы сидел бы он в плену у турецкого султана... Она, немка, выручила русского императора.

— **Выручила, да. Слушай, а сколько ж это лет прошло от вмешательства Англии в Крымскую войну до Октябрьской революции? Грубо, навскидку, семьдесят лет прошло? (70 лет — этот срок тебе ничего не напоминает?) То есть фактически случилось следующее. Октябрьская революция произошла не потому, что русские — мудаки или там они резать кого-то хотели. А просто потому, что на хера тогда империя, если миссия — impossible!**

— Последний рывок был как раз незадолго до революции, в Первую мировую. К тому времени Александр Второй промежуточную задачу решил: освободил Балканы, братьев-славян, от турок. И сделал их, по сути, сателлитами России. Нас выпустили в Грецию, и следующим этапом должно было стать окончательное завоевание Балкан и выход к Босфору. Ведь разъезды казачьи при Александре Втором дошли до Стамбула. Но их вернули — потому что Англия и Франция пригрозили нам войной. Потом второй рывок был — Первая мировая война. Когда стало ясно, что задача не будет решена, похоже, уже никогда, — тут империя и развалилась.

— **То есть логика железная во всем этом.**

Комментарий ███████ **Свинаренко**

И снова это случилось через семьдесят лет. Видно, на столько хватает завода. Возможно, это как-то связано с длительностью человеческой жизни. Тот же дед мой, 1901 года рождения, строил империю очень увлеченно. И умер в 1992-м, через год после ее распада. То есть вот когда он, грубо говоря, в 61-м оформил пенсию, и все это железное поколение ушло, их задор пропал, а дальше пошли уже совершенно не железные шестидесятники. Начались буквально шестидесятые годы, все начало сыпаться. Не потому что кто-то умный и кто-то что-то осознал или вычитал из самиздатских книжек, а просто движок заглох. И дальше тридцать лет машина ехала по инерции. И после остановилась. Видно, и в первый раз было так. Люди, которые в начале Первой мировой выходили на улицы демонстрировать за поход на Константинополь, были аналогом наших пенсионеров, которые до сих пор демонстрируют с красными флажками и портретами Сталина. И у сегодняшних, и у их предшественников были, наверно, такие же горящие глаза и такие же гнилые зубы. И та же готовность умереть за идею великой империи. Вообще же это красиво — готовность умереть за идеал.

К о х: А после товарищ Сталин построил новую империю на базе развалившейся. Как бы обновил ее — с другой задачей: завоевать всю Европу. Ликвидировать Англию с Францией — и тогда уже спокойно заняться Босфором. И эта задача не была решена. Потому что вмешалась Америка.

— **Не дают сыграть десятерную — сажают все время без лапы, без двух, без трех.**

— Ха-ха!

— **Обычная игра, простой преф...**

— А казалось бы, на руках прекрасные карты!

— **На руках — да, но игроки переглядываются...**

— И там маленькая дырочка есть... И — мы получаем паровоз...

— **Никакой нет ни дружбы, никакой благодарности...**

— И прухи нет, что обидно! Ну, нету! Вот есть маленькая дырочка. Всем, сука, такая дырочка сходит с рук, а Россия остается без лапы...

— **Проиграно столько, что фактически уже надо сказать: ребята, все,** этому парню нельзя больше садиться играть.

— Ха-ха!

— **Не пускайте его в казино! А то он дальше прое...ет вообще все. И будет ходить с голой жопой. И, кстати, ходит уже.**

— Ну, теперь тебе понятно, почему обидно за Крым? За Одессу? За Николаев? За Херсон?

— **Ну, теперь-то, бл..., да! И не случайно, значит, в числе первейших вопросов — отношения с Украиной! И дальше, впритык, вот ведь забавно, — идет декларация России и Штатов о прекращении холодной войны. Это «прекращение» — как бы последний аккорд во всех этих обсдачах. Последний гвоздь в гроб великой идеи. Все, мы уже никогда не будем бороться за империю, ни в каком виде. Приехали.**

— Но за либеральную-то империю мы еще поборемся! Ха-ха!

— **Ну, либеральная-то уже без войны.**

— Да, без войны. Это уже чисто экспансия — капитала, ментальности, образа жизни, жизненных стандартов, установок.

— Это — сколько угодно! То есть как Штаты — чтобы все жители планеты ходили в бейсболках и жрали бигмаки.

— Да! Великая американская мечта. И американский вестерн перебил французский фильм.

— Значит, что должно получиться? Что иностранцы должны ходить в лаптях? В кирзе? Говорить по-русски, щи хлебать...

— Это значит, что мы должны родить жизненный стандарт, который будет адекватен всему постсоветскому пространству.

— Жизненный стандарт — это что? По бабкам или как?

— Ну, вообще что-то такое — и по бабкам, и моральное, и материальное, все. Ну, ты понимаешь, в чем была великая американская мечта?

— Это образ жизни.

— Да. И мы должны привнести его.

— Хорошо бы его сперва придумать, а после уж привносить.

— Он сам должен сформироваться. Он сейчас и вырабатывается в России.

— Может, и вырабатывается. Тебе как партийному работнику[1] виднее. Я вот еще что хочу сказать про холодную войну. Очень выразительный термин — «прекращение». Когда речь идет о войне. В войне ведь, как известно, либо победа, либо поражение. Если одна из сторон гово-

рит о прекращении войны, то, стало быть, это не она победила. Она, соответственно, войну проиграла! Потерпела поражение. Вот я тут снова вспоминаю Игоря Малашенко. Странно, что он мне так часто приходит на ум, при том что мы с ним всего-то раза три-четыре виделись и разговаривали... И тем не менее. Он рассказывал, что его профессия была — вести холодную войну.

— Ага.

— Он то и дело ездил в Вашингтон, сидел там по полгода, по году, писал какие-то отчеты. Я его спрашивал: «А ты ненавидел их, американцев? Это ж война, даром что холодная. Ты готов был их урыть, разбомбить?» Он отвечал: «Нет, это была игра. И они понимали, и мы, что это игра. Все это сдерживание ядерное — это было как шахматы». И еще. Он считает серьезной политической ошибкой то, что от народа скрыли факт нашего поражения в войне. Об этом следовало объявить торжественно, в президентской речи. Я себе представляю, как публика собралась у радиоприемников и ТВ и отец нации говорит: «Господа! Друзья! Товарищи! Братья и сестры! Война, которую мы вели с империализмом...»

— ...проиграна.

— «Война проиграна. Прошу вас мужественно пережить поражение и не терять присутствия духа. Мы больше не великая держава, мы — побежденная бедная страна. Давай-

[1] Кох в то время руководил избирательным штабом СПС. (*Прим. ред.*)

те потихонечку, ребята, работать. Надо ж как-то жить...»

— Ха-ха!

— **Вот Малашенко считает ошибкой, что это не было объявлено. А ты что думаешь?**

— Конечно, это ошибка. Надо было формировать комплекс побежденной Германии, побежденной Японии — тогда концентрация нации бы произошла. Люди бы поняли, что они скорее ближе друг к другу, чем дальше. А так они начали искать виноватых: этот богатый, этот бедный, а что наворовали — фигня. Не было у нас ощущения поражения, и зря: ведь поражение сплачивает.

— **Да. Вот я недавно у кого-то встретил мысль — чуть ли не у Немцова, он же любит про реформу армии. Мысль такая: армию нельзя реформировать по чуть, постепенно. Если бы в 45-м из вермахта начали постепенно делать бундесвер — ни хера бы не вышло. Это был бы все тот же фашистский вермахт, просто с новой формой и новой болтологией.**

— Ха-ха! Они бы все время рвались в бой.

— **И потому немцы тогда действовали решительно, единственно возможным способом. Они упразднили вермахт, повесили боевых командиров, ни формы, ни флага — ничего не оставили. А наняли иностранных инструкторов, которые подбирали и обучали людей, объясняли им, как себя вести, как жить по новому уставу...**

— Пониженной агрессивности.

— **...Вот и нам надо было признать поражение и точно так же камня на камне не оставить от советской жизни — как от вермахта.**

— На самом деле — да. На самом деле, конечно, после поражения всегда наступает некий ренессанс. И Россия в этом смысле не исключение. Так было после поражения в татаро-монгольском нашествии. Россия была фактически данником Золотой Орды. Орда ведь не держала у нас оккупационную армию! Татары просто периодически проверяли, так сказать, правильность выплаты — ясак, да?

— **Ясак.**

— И Орда поручала это делать русским князьям, кстати говоря.

— **Они сами редко приезжали. Чего мотаться? Дань собирается, князья не бунтуют — чего переться в такую даль?**

— Да и холодно в России.

— **И вот они время от времени говорили: поехали! Надо развеяться, пое...аться.**

— Ха-ха! Они в Россию ездили, как в Таиланд — секс-туризм.

— **Ну. А презервативов у них не было. Вот почему у нас такие азиатские косые скулы. По скулам сразу видно — западный человек или восточный. Западные — они как кукла Барби. У Барби нет скул.**

— Ну хорошо, хорошо. Это общее место. Я о другом хочу сказать. Нельзя собирать двойной налог! В России это делалось. Русские князья и для себя собирали, и для татар. Может быть, поэтому у России всегда классовая борьба немножко острее протекала, чем на Западе, где собирался всего лишь один налог.

— **А, наши валили все на татар.**

— Ну, естественно.

— **На инородцев. Тогда — на татар. Сейчас — на жидов.**

— Да, да. «А что мы можем сделать? Хотите, чтобы татары пришли? Да уж лучше нам отдайте. Татары, они ж тут долго разбираться не будут». И тем не менее, несмотря на такое угнетенное положение, началось экономическое возрождение, нация сплотилась, появился Иван Калита, выступил Сергий Радонежский — а далее Куликовская битва и разгром Мамая. Так?

— **Ну да.**

— Новое поражение — это в Крымской войне. И сразу же — отмена крепостного права, демократические реформы, бурный экономический рост, Александр Второй, Александр Третий, железные дороги — зае...сь! Поражение в Японской войне — тут же тебе Конституция, столыпинские реформы, развал общины, огромная миграция на восток, экономический рост, 13-й год.

— **Так.**

— Поражения полезны для России.

— **Разумеется. Но самое ужасное — это то, что случилось после Второй мировой войны. Россия потерпела поражение...**

— Которое выдали за победу?

— Да, да! Сталин ведь в первые дни войны объявил, что намерен захватить всю Европу. Но вместо всей Европы ему отдали Румынию, Болгарию, Чехословакию, кусочек Германии... Но ни Англии, ни Франции, ни тем более проливов России не досталось.

— А он хотел проливы, кстати.

— **Как не хотеть! Выход в Средиземное море — это такая вещь, про которую в первую очередь думается... В общем, не было победы. Не зря Сталин не стал принимать парад на белом коне и вообще не отмечал День Победы, ты помнишь...**

— Для него это было поражение.

— **День Победы только в 65-м году начали отмечать. Я как раз заканчивал первый класс. Помню эти плакаты кругом — там наши бойцы с автоматами, в пилотках, гордые такие, счастливые... В общем, по итогам Второй мировой Россия получила приз только в одной номинации — «Краткосрочная военная победа». Поскольку в экономике Россия потерпела поражение; куда нам равняться с Германией, якобы побежденной? И территориально нам достались какие-то неудобья, второстепенные участки. Вместо проливов, вместо Парижа и Лондона — Румыния, Чехия... Так... Россия надорвалась — и п...дец.**

— И добровольно отказалась от участия в плане Маршалла — что было полной глупостью. Зачем? Почему отказалась?

— **Да хер его знает. Точно так же, по этой же схеме, она после войны** отказалась, причем дважды, от денег, которые немцы вызвались платить бывшим узникам конц-лагерей. Французы за это время столько денег получили! Которые вовсе не показались лишними людям, тем, что в лагерях подорвали здоровье... То есть Россия потерпела поражение однозначно. Об этом и надо было объявить. Люди бы сказали: да, сука, теперь нам надо, наконец, работать. Хватит бегать размахивать саблей, завоевывать. Так нет! Ни победы, ни пользы, а один обман.

— Давай вернемся к поражению в холодной войне.

— Так вот и в холодной войне — опять скрыли поражение! Якобы победила дружба. И теперь мы с ними типа лучшие друзья.

— Решили помириться. Никто никому не набил морду. Ничья.

— И долгое время народ верил, что так оно и есть, помнишь?

— А вежливые западники решили, так сказать, не напоминать об этом, что проиграли.

— Да. И сказали: давайте вы, забирайте войска...

— И долги все признайте.

— Да. А мы не будем НАТО расширять.

— Не. Они сказали: и НАТО будем расширять, и долги заставим платить, которых вы не делали, и войска ваши под жопу пинком выгоним. Единственное, что мы вам обещаем, — что не будем слишком часто напоминать, что вы просрали холодную войну.

— Н-да.

— «А напоминать мы вам этого не будем, чтобы не трогать ваше самолюбие. Мы же знаем, что, если вы признаете поражение, вы консолидируетесь и сделаете экономический рывок. А нам это невыгодно, поэтому мы будем говорить, что ничья, что мы договорились мириться и сейчас Россия новая, демократическая. Чтобы только вы не консолидировались».

— И тогда вот на этой волне мы просто вывели войска. Потому что мы помирились. А нет бы сказать: «Мы выводим войска хоть завтра — и из Германии, из Прибалтики, — если вы к завтрему построите нам в России такие же базы, с которых мы уходим».

— Не. Западники б сказали: ничего мы вам строить не будем. Более того, мы отрубим вашим военным базам электричество, водопровод и канализацию. Завозите туда дизельное топливо и еду вертолетами, потому что ваши составы с топливом, жратвой, обмундированием мы не пропустим через нашу территорию... И в принципе можете на этих базах оставаться сколько влезет.

— А! То есть ты думаешь, что здесь и обмана не было.

— Конечно! «Какие базы? Когда денег нет, учителя голодные, пенсионеры дохнут. Вы эти базы через два года сами уберете, за свои бабки. Будете на коленях ползать и просить денег, чтоб вывезти солдат, которые бы уже страдали кахексией».

— Кахексия? Это что такое?

Кох и старшая дочь Елена

— Крайняя степень истощения. Когда человек ходить уже не может.

— Как на острове Русский?

— Как на острове Русский.

— Хорошее название у острова...

— Вот мы цеплялись за военные базы во Вьетнаме и на Кубе. Но несмотря на весь милитаристский угар президента Путина, мы эти базы ликвидировали сами. Без какого-либо настояния со стороны Запада.

— Да... Что еще там у нас? В феврале случилось назначение Гайдара Е.Т. министром экономики и финансов. Это что такое? Правильно? В 92-м?

— Нет, он назначен был, на всякий случай, в ноябре 91-го. Седьмого, что ли, числа...

— Может, он был и.о.?

— Он был и.о. Премьером был сам Ельцин. Первым заместителем был Бурбулис. А Гайдар с самого начала был министром экономики и финансов. Потом Ельцин сложил с себя полномочия премьера, и и.о. некоторое время пробыл Бурбулис. Потом его перевели в госсекретари, а и.о. стал Гайдар.

— Так. Значит, потом начинаются бои между Приднестровьем и Молдавией.

— Это все на периферии созна-

Кох и младшая дочь Ольга

ния, вся эта Приднестровская история.

— **Мне тоже она не очень понятна. Лебедь там чего-то как-то...**

— Ну, Лебедь, ну, клоун Смирнов с бородкой с какой-то профессорской... Шовинисты...

— **В Молдавию ездили мои знакомые, патриотические журналисты. Они там какой-то чудный коньяк пили в подвалах.**

— Не будем об этом говорить... Лучше о том, что нам известно точно. Вот я тогда вел приватизацию. Мы с Маневичем хорошо работали. Было очень весело. Мы молоды, счастливы, у меня дочка родилась 1 сентября... Это была уже вторая дочка. А первой к тому времени уже двенадцать лет было. Я был счастливый отец. Квартира была... и я уже по-взрослому ездил по заграницам — в Англию, Данию, Финляндию. Это такие учебные краткосрочные поездки. Мэрия нас отправляла.

— **Это серьезно было — в те годы увидеть капстрану. Впечатлений хватало надолго.**

— Хорошее, да, хорошее впечатление. Англия... Мы жили на севере страны в городе Дарам. Старинный собор, университет XIII века. Потом были в городе Ньюкастл, потом проехали границу с Шотландией...

— **Где шахты реконструировались, реструктуризировались.**

— Да, да, да, совершенно верно. Мы на этих шахтах были, на этих малых бизнесах, которые за счет казны строили и потом отдавали шахтерам. Потом я проехал полграницы с Шотландией, где огромное количество замков, вал, который римляне построили для защиты от шотландцев, когда их называли скоттами. Огромное количество замков, огромное! Еще в Дании был. Мне очень понравилась. И еще на севере, на границе с Норвегией — ее видно было через пролив.

— **Я был только в Осло.**

— Город Ольборг. Там как раз водку эту делают, «Аквавита», датскую. Огромный завод стоит.

— **Из пшеницы гонят?**

— Из картошки.

— **Считается, что картофельная делает человека злым, агрессивным.**

— Видимо, это в них тевтонская ярость просыпается — то, что называется берсеркерство у скандинавов. Скандинавы пьют до скотского состояния, просто в стельку.

— **А вот что еще было в 92-м: «Принять уход Гайдара с поста министра экономики и финансов». Это апрель. Что это такое было?**

— Гайдара убрали и премьером назначили ЧВСа. Помнишь, была такая история?

— **Как-то весьма смутно.**

— Я помню не больше твоего. Был съезд народных депутатов, под давлением депутатов отправили в отставку Гайдара. Потом, значит, депутаты предложили кандидатуры — Каданникова, Черномырдина и так далее. Ельцин посоветовался с Гайдаром и попросил Каданникова сняться. Остался один ЧВС, его и затвердили.

— **Наверно, Гайдар был слишком такой экстремальный для тогдашних условий. Давайте, типа, постепенно, потихоньку — чего гусей дразнить? И Егора убрали.**

— Да.

— **А как так получилось, что Гайдара убрали, а после уже без него программу приватизации все-таки приняли?**

— Это у Чубайса надо спрашивать. Я еще тогда в Питере был и просто это как факт воспринял. В 92-м случился один очень интересный эпизод — по-моему, летом, — который слабо отражен в нашей куцей историографии. А ведь он имел фантастическое значение для дальнейшего хода реформ — и фактически поставил Россию на грань катастрофы.

— **Что же это такое было?**

— Был период, когда цены довольно быстро стали расти, инфляция — много процентов в месяц. Но потом ситуация вышла на точку равновесия, в апреле-мае. При этом предприятия испытывали острый дефицит оборотных средств. Ведь все подорожало, и нужно было закупать сырье по новым высоким ценам... Тогда резко упали объемы производства. А у директоров и у истеблишмента была еще очень сильная советская ментальность. Объемы в натуральной величине — фетиш. Директора говорили: вот, экономика встала,

мы сейчас производим в десять раз меньше, чем обычно... Рабочим нечем платить... И прочее, прочее, прочее. И тогда было принято «гениальное» решение. Поскольку первым вице-премьером назначили Хижу...

— **Поручика Киже.**

— Да, нашего питерского Хижу, который на всех болт положил, потому что он, как всякий директор завода, считал, что он самый умный и во всем разбирается. Он уговорил, по-моему, Матюхина — кажется, тот тогда был руководителем Центрального банка, — и они выступили с совместной инициативой. О том, что ЦБ должен непосредственно предприятиям дать кредиты на пополнение оборотных средств.

— **Так, так...**

— Это кредиты не из тех денег, которые в обороте находятся или в бюджете, а из тех, что просто напечатаны. Ну, Центральный банк других денег и не имеет, кроме напечатанных. Ну вот. И такого рода кредиты были выданы... В колоссальных количествах. То есть фактически неконтролируемая эмиссия. Это так раскрутило инфляцию, что следующий раз ее удалось загнать в какие-то рамки только к осени 94-го. А потом Чубайс придумал план финансовой стабилизации, который начал давать свои плоды где-то к концу 95-го года. То есть три года потом сачками ловили эту инфляцию, и она шагала так, что мало не показалось. Помнишь, что с курсом доллара творилось?

— **Помню. Он был 120 рублей в 92-м, а в 93-м — уже 1200.**

— Да. А когда с 97-го на 98-й год Дубинин провел деноминацию, доллар стоил пять тысяч.

— **Как не помнить.**

— Потом стал пять рублей стоить, как франк. Помнишь? Французский франк стоил столько же долларов, сколько рубль. Было очень удобно во Франции, потому что цены как бы в рублях.

— **Я помню, прилетел как-то в Южную Корею, и там курс их монет, забыл как называются, был семьсот за доллар — в точности как рубль в то время. А после в Италии я как-то попал в ту же ситуацию, там был курс 1200 лир за доллар. И рублей столько же было за доллар. Смешно.**

— Короче, вот это пополнение оборотных средств такой удар нанесло! Если б не это, то финансовая стабилизация, снижение инфляции и выход из кризиса — это все случилось бы года на три раньше. Если бы не эти художества с пополнением оборотных средств.

— **Ну, что ж это такое? Один дилетант херню придумал, а все остальные сделали?**

— А потому что все долбо...бы. Никто не мог... Ельцин, например, ничего не понимал.

— **А Гайдар?**

— Гайдар этого Хижу сам притащил из Питера. Вместе с Чубайсом. И поэтому они сильно против него выступать не могли. Им бы

сказали: «Ребята, вы же его сами притащили!» А тогда вообще уже ЧВС стал премьером и Гайдара не было. Остановить некому было — и получилось то, что получилось! Потом-то его выгнали, естественно, за все эти художества, он же недолго пробыл первым вице-премьером.

— **Ну, то есть это простая русская история — приходит пьяный слесарь и говорит: «Я вам наслесарю».**

— Да, да; и начинает гаечным ключом по телевизору лупить. Потом орет: «Ой, ой, что же это такой дым повалил? Я пошел! Ха-ха!»

— **Парфенов тут показал в «Намедни» — когда мы начали делать уникальную ракету «Тополь-М», которая запускается прямо с железнодорожных путей, то тут же человек купил завод, который сделал корпуса для этой ракеты из стекловолокна, и сказал, что будет там что-нибудь другое делать...**

— Да ну, знаю я. Эти страшилки оборонные все тупые. Они хотели, чтоб он эти самые корпуса из стекловолокна делал им за три копейки. А он заявил, что это стоит столько денег, сколько стоит. Хотите, чтобы я их делал, — заплатите мне цену. Не захотите — я это оборудование демонтирую.

— **А на заводе, где начинка к этой ракете, там отключили отопление и люди растащили золотые детали — все равно ж пропадут без отопления...**

— Вот подумай, что ты сейчас сказал. Вот тебе прекрасный образец журналистского зомбирования: золотые детали все равно пропадут, поскольку в цехах нет отопления. Поэтому рабочие не виноваты, что они эти золотые детали растащили, а виноват тот, кто отключил этот завод от отопления. Тот, кто отключил завод от отопления, должен был бесплатно подарить заводу энергию и тепло, тогда бы он был хороший — из теплого цеха рабочие золотые детали, как правило, не воруют. У них клептомания начинается от низкой температуры. И владелец этого завода был бы хорош, если бы бесплатно для военных произвел необходимые детали. И рабочим, тем самым, что воруют золотые детали, ничего не заплатил за работу. И во всей этой истории, по-твоему (и по-журналистски), хороших двое — военные, которые не платят за сделанную для них работу, и рабочие, которые воруют золотые детали. А плохих тоже двое — энергетики, которые отказываются работать бесплатно, да хозяин завода, чьи золотые детали воруют. Ох, беда мне с тобой... И тем не менее «Тополь-М» делали и делают. Причем сколько нужно, столько и делают, согласно плану.

— **Ну, в Россию и татары приходили, и французы, и немцы — с огнем и мечом. Полстраны, бывало, разрушат, спалят, перережут, и ничего. А ты говоришь — Хижа. Да что ей Хижа! Страна уж про него забыла.**

— Да ну, не надо банальные чер-

ты выдавать за уникальные. Что, какая-то другая страна ведет себя иначе? Вот прошли огнем и мечом через Польшу, Германию, Японию — они что, не восстановились? Прошли огнем и мечом Китай — три раза: туда-сюда, две армии — что, он не восстановился? Восстановился. Всякая страна так себя ведет. И нету ничего уникального в этом — в том, что страна восстанавливается. А куда ей деваться? Конечно, восстановится.

— **Экий у тебя оптимизм.**

— А обратные примеры есть? Вот прошли страну огнем и мечом, а она — х...як! — и не восстановилась. Какую-нибудь страну можешь назвать?

— **Византия.**

— Почему ж? Византия, теперь называясь Турцией, процветает! Там живут те же самые люди, просто их «перекрестили» в мусульманство — и дело с концом. Это же греки! Чего-то я не видел у них раскосых глаз, морд круглых — куда делись турецкие черты? Вот берешь грека, ставишь рядом с ним турка. Если они молчат, как отличить, где грек, где турок?

— **Если молчат и голые. И срам должен быть прикрыт. Греки же не обрезаются. И болгарина я не могу от турка отличить, когда они одеты.**

— Не можешь. Потому что антропологически это один и тот же народ. Один народ! Это все греки, которые тысячелетиями населяли эти места.

— А ты знаешь, какая еще есть тема любопытная?

— Ну?

— Вот буквально тогда, в 92-м, создали МЧС — вместо Гражданской обороны. Это как бы незначительная вещь, но! Мелькали, если ты помнишь, публикации про то, что давно уже кому надо доложили о неизбежном изменении климата, о грядущем затоплении множества территорий, прочих катастрофах. И об этом, типа, давно идут переговоры один на один между русским президентом и американским. Якобы были какие-то записки, кто-то из космонавтов пробалтывался из американских, что были совместные какие-то наблюдения из космоса и оттуда что-то видно — смещения, чего-то еще. Из чего следует, что все начнет валиться и рушиться. А почему ж об этом не объявляется открыто? Законный вопрос. Но есть на него ответ: ну, как объявишь, и так проблем полно в стране? А тут еще мы рассекретим карты земель, которые будут затоплены через десять лет. Если это объявим, то такая паника начнется на Дальнем Востоке! Хватит с них и отключения электричества...

— Ты к чему это рассказываешь? Так длинно и непонятно. Какое отношение это имеет к 92-му году?

— Так в 92-м году образовалось МЧС!

— Ну и что!

— Так я тебе объясняю, в чем смысл. Мы и видим сейчас катастрофы тут и там. Участившиеся, между прочим.

— Да ладно.

— **И изменения климата...**

— Да у меня есть информация по катастрофам на Кубани прошедшим летом.

— Ну?

— Ну чистое раздолбайство местных властей. Чистое.

— **Видишь, к глобальному фактору добавляется еще и раздолбайство.**

— Да этих разливов Кубани было хренова темень! Почему там все эти водохранилища делали? Это же оттуда: «Течет вода Кубань-реки, куда велят большевики». Это же специально, там же огромная ирригационная система. Ты знаешь, какой Краснодарский край был?

— **Болото.**

— Плавни, плавни и плавни. Утки, дичь, все это зверье там водилось. Этими кубанскими плавнями Турция была отгорожена, защищена от России. А потом плавни постепенно начали дренировать, ставить систему водохранилищ. И окончательно всю эту ирригационную систему поставили при товарище Сталине или даже позже. Система работала, накапливалась вода — и потом спускалась. А эти деятели из местной власти систему сломали. Кто-то сказал: я накоплю воды, потому что боюсь, вдруг будет засуха. И поэтому держал полные водохранилища — вместо того чтобы слить. Там, внизу, воды не хватало, а тут он полные держал. Ему говорят: будут дожди, спусти воду. Нет, не спускает. Ну, не спустил, так она, когда дожди таки начались, через верх вся полилась. Вот и все. Ни при чем тут никакие катаклизмы из космоса.

— **А цунами? А торнадо в Штатах?**

— Да не больше, чем в другие времена этих цунами. А эти торнадо Штаты все время посещают. Вспомни сказку... эту... про Элли... Как она называлась-то?

— **«Волшебник Изумрудного города».**

— «Волшебник из страны Оз». Помнишь, как ее унесло из Канзаса-то?

— **Унесло — и правильно; не хера там делать в этом Канзасе, я там бывал, — такая скучища. А глобальное потепление? Тоже его нету, скажешь?**

— Ага, особенно по прошлой зиме — такое потепление, чуть не околели от холода.

— **А летом жара какая?**

— Вот в это лето — сплошной дождь.

— **Послушай! Тебе дают статистические данные: растет температура...**

— Ты посмотри: вот она растет, растет. Три года растет. А потом раз — такая зима, что всю статистику обратно возвращает. Все это ерунда. Если статистику взять за сто лет, то никакая температура не растет.

— **То есть тебя не волнуют эти катастрофы, затопления — вообще ничего.**

— Абсолютно. Эту истерию, может, как раз МЧС и нагнетает. Чтоб им денег больше выделяли.

— **Ну, а я, наоборот, подводил к тому, что, поскольку выяснилось, что будут катастрофы, создали МЧС и начали усиливать финансирование. Технику им дали...**

— Во-во, они сами придумали теорию катастроф, а потом открыли финансирование. Ха-ха! Ну пускай они мне покажут статистику. Статистику цунами, землетрясений, торнадо, наводнений, которые только не мы с вами создали, а которые природа создала.

— **Ну, может быть. Все ж вокруг денег крутится в белой цивилизации. ...Я еще помню, что в 92-м была мода на газовые пистолеты.**

— Да. У меня был. Мне выдали на работе. В Госкомимуществе, когда я уже в Москву приехал, в 93-м году. Нам всем, замам Чубайса, выдали пистолеты, и некоторые их носили. В такой специальной кобуре... Не снимая. Им так нравилось. А я не носил. Он у меня дома валялся.

— **А какой тебе дали? Парабеллум, наверно? Иномарку немецкую?**

— Да, «я дам вам парабеллум»... Не, маленький какой-то. Я его потом обратно сдал, когда увольнялся.

— **А я сам купил. За сто долларов. Многие тогда их носили. Как оказалось, для того только, чтоб где-нибудь там по пьянке пострелять в воздух. Был такой смешной случай. Один мой знакомый выпивал с товарищем в кустах. И вдруг мимо идут какие-то хулиганы, орут... А у одного из этих пьющих в терновнике был пистолет газовый. И вот этот, с пис-**

толетом, говорит: «Тихо, пусть мимо пройдут». Второй удивляется: «А чего ты испугался? Если что — ты ж их из газового пистолета!» Тот отвечает: «Без пистолета я б не боялся, а так — страшно, отнимут оружие, а это ж вещь дорогая...»

— Ха-ха!

— Это был журналист и пиарщик Юра. А я помню, у меня с пистолетом была связана история следующего порядка. На годовой банкет «Коммерсанта» в январе 92-го я с этим пистолетом пришел, он у меня в куртке, в кармане. Куртку повесил на спинку стула. А потом надеваю ее — а она такая легкая! Нету пистолета! Досадно, неприятно, ну да ладно, новый купил. И вот по прошествии десяти лет на какой-то большой пьянке вдруг я оказываюсь рядом с девушкой, которая тогда в «Коммерсанте» работала. И она, значит, с веселым смехом рассказывает мне историю про то, как в 92-м пистолет у меня украла! Ха-ха-ха-ха! Смешно ей. Я говорю: «Ну, ты сейчас-то бумажник не стащишь у меня?» Она опять смеется — типа, удалась шутка. Украла — правда, смешно? Ну хоть сейчас бы сказала: старик, я тебя обокрала, тварь, хочу тебе выставить за это ящик виски. Да. Так вот была такая как бы мода на оружие — не настоящее, а сглаженное, приглушенное. А настоящее оружие, как объясняют нам начальники из МВД и большинство депутатов, русским давать нельзя. Потому что они друг друга перестреляют. Ты бы дал оружие русским?

— Ой, ну сложный вопрос.

— **И очень интересный.**

— Понимаешь, в чем дело... Тут еще нужно посмотреть. Каким русским?

— **Которые не состоят на учете у психиатра.**

— Не, секундочку. Помнишь мое рассуждение об омонимах? Что слово «русский» относится к двум разным народам? Русские, которые до большевиков, — это одна нация. А те, что при советской власти, — другая. Они разные, а название одно. Если говорить о русских в первом понимании, то, строго говоря, у них такое право было. Люди легко покупали пистолеты...

— **И после из этих пистолетов убивали жандармов и армейских офицеров. Октябрьский переворот так устроили. Вот и в Чечне сейчас что-то похожее — доступность оружия и легкость его применения против российской власти.**

— ...русские — это была вооруженная нация. У казаков оружие легально хранилось, у них кавалерийские карабины под кроватью лежали.

— **Так я тебе говорю: и устроили революцию этим оружием.**

— Но ведь до этого они тыщу лет с оружием ходили, никаких ограничений не было! И, обладая такой свободой, построили великую империю.

— **Так ты бы дал оружие или нет? Не пойму.**

— Тому народу, который был, — про него меня никто не спрашивал, ему никогда не запрещалось иметь оружие. А потом товарищ Сталин оружие запретил.

— У Пришвина в рассказах про охоту упоминаются шомпольные ружья, которые со ствола заряжались — очень медленно. Они не антикварные были, их делали на советских заводах. С умыслом: с таким ружьем не пойдешь против продотрядов сражаться. Не побунтуешь против власти.

— ...вот этому новому русскому народу давать оружие или нет? Я бы сто раз подумал. Это же народ безответственный абсолютно. Если он относит свои бабки в «Русский дом Селенга» или в «МММ», а потом идет к депутатам и требует, чтобы ему эти бабки вернули, — то, конечно, у него разрыв сознания. Ну, как же я такому пистолет дам? Если он за своими бабками уследить не может? Более того: он их отдал в одно место, а требует в другом. Различие между двумя этими народами чувствуешь? Старый русский народ не переубивал друг друга, он рос как на дрожжах — население каждые десять лет удваивалось фактически. И единственное, для чего они использовали это оружие, для революции.

— **Этого единственного случая оказалось достаточно. Таки народ этим доступным оружием себя переполовинил. В конечном счете.**

— А вот этот народ, новый, он лезет стрелять без всякой революции.

— **Тот народ точно стрелял, смотри революцию и гражданскую. А этот пока не стреляет особенно. Это про-**сто твое личное мнение, что будет стрелять. А на самом деле любой может купить автоматическое охотничье ружье и из него устроить замечательную стрельбу волчьей картечью по прохожим. Ну и где же репортажи с таких стрельб? Что-то не видно. И вот еще что очень смешно. У нас же пока всеобщая воинская повинность. Всех забирают в армию, там дают кому автомат, кому танк, ракету, напалма на складах полно. В закромах родины припасены особые военные мыши с сибирской язвой...

— К чему ты клонишь-то?

— Вот смотри. Военкоматы при помощи ментов отлавливают молодых бестолковых парней, загоняют их в армию и насильно им всучивают разное оружие. А как только человек подрос, набрался ума, вернулся на гражданку — сдав свой танк и получив отметку в бегунке, — ему говорят: «Найдем у тебя дамский браунинг — опять загремишь на два года, только уже на зону». Он спрашивает у законодателей: «Что у вас с головой, пацаны? Я два года состоял при пушке и ни разу из нее не пальнул по Кремлю»...

— «Самовольно — не пальнул. Когда вы мне приказывали, только тогда я стрелял. И то сильно не хотел. Вы нас долго уговаривали и нашли только троих из тысячи — тех, кто согласился из танковых пушек стрелять по Белому дому. Видите, какие мы мирные?»

— **Так вот разъясни же мне это противоречие.**

— Ну почему я тебе должен чего-то разъяснять? Ну отвали ты от меня, Христа ради. Ну почему я тебе должен объяснять?

— **Потому что ты говоришь, что народ не тот. Ну, может, все-таки дадим ему пистолет?**

— Ну вот у меня нет пистолета, а у охраны есть. Она меня защитит. Тут у меня везде стоит периметр. Лучи всякие. Если кто-нибудь перелезет меня убивать...

— **На зоне, там тоже периметр и сигнализация. Кукушка называется. Если кто полезет, так она кукует. А у тебя тоже кукует?**

— Не, у меня все на мониторы выведено. Там изображение.

— **А у тебя сигнал не подается по тревоге по территории?**

— Может, и подается. Просто еще никто не нарушал.

— **Ну, хорошо, у тебя хоть охрана. А вот у меня есть знакомый, который спит с ружьем под кроватью.**

И патрон уже в патроннике. Иногда стреляет по ночам поверх голов, если лезут. А как сам в отъезде, так жена с ружьем сидит у окна.

— Тут еще и дачная охрана есть — которая весь поселок охраняет. Поэтому я и могу здесь детей оставить спокойно. Да что мы все обо мне да обо мне! Расскажи уж про себя наконец.

— **Ну давай, если интересно. Это был самый ровный у меня год. Я весь год работал на одном месте в одной должности.**

— Вот у меня примерно то же самое в 92-м было. Я работал на одном месте, занимался любимой работой — продавал госсобственность. Все у меня было просто, хорошо, рядом были друзья, я был в любимом Питере, все было замечательно. У меня родилась дочь... Это то, что называется счастьем.

Комментарий ███████ **Коха**

Я сначала хотел написать большой комментарий про приватизацию. Но потом подумал: да, 1992 год, один из ключевых. Но не самый главный. Смотрите — закон о приватизации приняли в 1991 году. Тогда же — закон об именных приватизационных вкладах. Ваучерная приватизация началась лишь в конце 1992, продолжалась весь 1993 и закончилась в середине 1994 года. Да, в 1992 году была принята, Верховным Советом кстати, государственная программа приватизации, но ее реализация началась позже...

Вообще приватизация делится на две части: первый этап — ваучерный и второй — денежный (включающий в себя залоговые аукционы). Первый этап закончился летом 1994 года. Вот когда мы дойдем до этого года, тогда я и напишу большо-о-ой комментарий. Чтобы сразу все про ваучеры. Чтобы не разрывать на куски, а в одном месте.

Да и не была приватизация главным событием 1992 года в моей жизни. Главным было рождение второй дочки.

Дело было так. Когда жена была беременная, она пошла на УЗИ. Мы, естественно, хотели мальчика (девочка-то уже есть). Врач посмотрел, видимо, все понял, и сказал — мальчика там пока (!) не видно, но, может быть, маленький срок, может быть, плод лежит не так... Короче, обнадежил. Это я сейчас понимаю, что нисколько не обнадежил, а тогда казалось, что мне сообщили: «У вас будет мальчик». Так-то. Странно человеческая психика устроена, не правда ли? Тебе говорят — «нет». Та выходишь из кабинета с идиотской улыбочкой на лице, в полной уверенности, что тебе сказали — «да».

Это как в любви. Ты долго готовишься, нервничаешь, ночами не спишь. Рисуешь себе сладостные картины... Объясняешься... Тебе говорят: ты очень хороший, давай останемся друзьями... Ну вот что подумает сторонний наблюдатель? Правильно: послали подальше. А что адресат? Адресат думает: все идет прекрасно! Я любим!

Так и в моем случае. Поздним вечером я отвез жену в роддом. Как сейчас помню — угол Чернышевского (экстремист и бунтовщик) и Чайковского (гламурный композитор и гомосексуалист). Утром приезжаю. Мальчик? Нет. Девочка! Нет, не было этих хрестоматийных «а кто» или «посмотрите получше». Как-то сразу стало понятно, что это правда. Девочка... Ну и пусть.

Назвать мы ее решили в честь моей тетки, отцовой сестры. Она была старше отца, и поэтому в 1941 году, когда немцев депортировали, ее от-

Кох у отца

правили в трудармию. Это во время войны такое название было у лагерей, куда людей отправляли вообще без даже высосанного из пальца приговора. Просто так. В данном случае — за то, что немка. Она всю войну пробыла на лесоповале, где-то в среднем течении Оби. После войны вернулась в казахский колхоз, где работали за палочки (трудодни) сосланные старики и дети. Там она вместе с моим десятилетним отцом и их матерью (моей бабкой Августиной Рудольфовной, дед-то, Давыд Карлович, аккурат в 1945 году помер) проработала до тех пор, пока Хрущев не выдал паспорта. Где-то в середине шестидесятых было разрешено возвращаться в те места, откуда их выслали. Тетка засобиралась и уехала обратно в Краснодарский край. Там я потом всю школу, каждое лето у нее гостил.

Она была необыкновенно добрая женщина. Всю жизнь угнетенная, унижаемая, второсортная. Но не озлобилась. Все пела какие-то немецкие песенки, стишки. Стряпала, варила, за скотиной ухаживала, в огороде копалась. Еще ведь и в совхозе работала. Кухня, скотина, огород — это в свободное, оторванное от сна время.

Жена со старшей дочкой часто у нее гостили. Каждый раз, помню, встречал их в аэропорту: ведро смальца с ливерной колбасой, огромные, сколоченные из реек ящики с ручками, полные южных фруктов, компоты, варенья, мешки грецких орехов. Перли на себе под сто килограмм. Все заботливо собрано, уложено. Любимому племянничку — Альфред-ле. Эгоизм молодости? Или мы, ее родственники, вообще все привыкли, что вот есть такая тетя Оля, которая рада нам сделать приятное, и в этом ее функция. Свинство с нашей стороны, конечно.

Померла она, и решили мы с женой назвать дочку ее именем — Ольга. Так что снова живет на белом свете Ольга Кох. Хорошо мне на душе.

Дети... Только когда появляется второй ребенок, начинаешь понимать, что такое — дети. Внимательно следишь, как они растут. Как начинают соображать... Изнутри поднимается какое-то животное чувство. Тяжелое, страшное, дикое. Защита потомства, детенышей. Инстинкт. Вот не партия с комсомолом, не милый вождь, не умные книжки, не конъюнктура проклятая, а инстинкт заставляет нас любить своих детей. Инстинкт, приобретенный нами не в каменных пещерах при отблесках первых костров, не тогда, когда вместе научились на мамонтов охотиться, а раньше, намного раньше. Когда мы были рыбами, моллюсками, когда только разделились на мужчин и женщин, когда познали сладость соития.

Честность и чистота любви к своим детям настолько не испорчена цивилизацией, что человек невольно хочет спрятаться за это чувство тогда, когда совершает какую-нибудь гадость, когда очень плохо, когда сильно болеет. Кажется, Довлатов назвал своего ребенка «маленьким аккумулятором счастья».

Дочка родилась 1 сентября, в 8 часов утра (довольно забавно: родилась — и в школу). С этой датой связана одна история, которую я уже где-то описывал. Летом этого года вышел знаменитый указ Ельцина про ваучеры. Так вот в нем было написано, что приватизационные чеки (в простонародье — ваучеры) выдаются всем гражданам России, которые родились по 31 августа 1992 года включительно. Соответственно, Ольге ваучер был не положен. Ну я и думать про него забыл.

Ну, родилась, то-се, сидим с Маневичем, Сержем Беляевым, с другими ребятами — выпиваем. Телефон звонит, поздравления идут, все нормально. Позвонил и Чубайс из Москвы, тоже поздравил. А назавтра, в рассылке, приходит указ Президента — внести изменения... пункт такой-то, раздел такой-то, вместо слов «31 августа» — читать слова «1 сентября»! Так я до сих пор не знаю — специально это было или совпадение. Чубайс молчит, как скала, хихикает. На прямой вопрос говорит: «Да ты что? Точно, что ли? А я — не помню!» Вот такая история.

Не получается у меня прочувствованного комментария. Человек научился точно передавать довольно сложные переживания. Будь то жадность, желание лидерства, ревность, предательство. Люди хорошо изучили изнанку своей души и легко разбираются со всякими эксгибиционизмами с вуайеризмом. Описывают клецки из женских грудей, погружение в алкоголь и морфин. Также получается описание переживаний полководца, только что отправившего на смерть эскадрон гродненских гусар.

А вот про любовь к детям как-то скупо. Любовь, да и все. Действительно, а что описывать простое, сильное, звериное чувство? Может быть, в этом и есть приближение к Богу? В этой простоте? Кстати, вот поскольку Господь, в милости своей, не дал нам здесь выбора (любить или не любить), то, может быть, хоть любовь к детям есть основа для общечеловеческого консенсуса? Или опять социализмом, жадностью, завистью и копрофилией заболтаем то, что только есть главное на свете?

К о х: Ну, так расскажи же про себя, наконец.

— Я был начальником отдела преступности все это время. Меня как-то смущало, что я ничего не писал. Только командовал. Администрировал, ходил на редколлегии, принимал на работу, увольнял, договаривался с ментами. Тянул лямку. Но, как в 91-м я вырывался на события — в Латвию там или в Армению, — так и в 92-м я все бросил и полетел в Грузию. Случайно. Выпивал как-то с Володей Крючковым, который когда-то у меня в отделе корреспондентом работал, а потом ушел в депутаты. И выяснилось, что он летит в Тбилиси — везет полный самолет гуманитарной помощи. Помнишь, была такая тема в те времена? Раздавали в ЖЭКах какие-то бэушные вещи там детские и тушенку... Помнишь?

— Да помню, помню!

ФОН МОЕГО ВИЗИТА В ГРУЗИЮ

«Бои между сторонниками и противниками президента Гамсахурдиа окончились в центре Тбилиси и грозят перекинуться в окружающие город леса. В ночь с 5 на 6 января президент с ближайшим окружением и охраной бежал из полуразрушенного Дома правительства и покинул пределы Грузии. Победившая оппозиция пытается на обломках самовластья написать то ли новые, то ли хорошо забытые старые имена».

«Грузинская оппозиция сдержала свое обещание: Звиад Гамсахурдиа действительно не встретил Рождество в кресле президента. В первые же минуты штурма от резиденции грузинского президента отъехало несколько легковых автомобилей и бронетранспортеров, в одном из которых находился беглый лидер...»

«...Грузия далека от стабильности. На западе республики мингрелы — земляки президента — горячо митингуют в его пользу и обещают, объединившись в повстанческие отряды, совершить рейд через тианетские леса на Тбилиси. В самой столице сторонники Гамсахурдиа ежедневно собираются на привокзальной площади. По крайней мере один из запрещенных военными властями митингов окончился трагически: обеспечивающие приказ о военном положении национальные гвардейцы открыли огонь из автоматов по колонне демонстрантов».

«...возобновление перестрелок вокруг Цхинвали. Напряженной остается ситуация со снабжением Тбилиси продуктами питания, крайнее беспокойство вызывает и криминогенная обстановка на улицах города.

Между тем в грузинских mass media обсуждается величина суммы в рублях, золоте и СКВ, которую прихватили бежавший из Грузии президент и его ближайшие помощники, а также перспективы возвращения Эдуарда Шеварднадзе на родину. Сам экс-министр такую возможность сегодня вовсе не исключает».

(Из газет)

Свинаренко: И я, короче, полетел в Тбилиси. А это был самолет «ИЛ-76», грузовой, из Витебской дивизии — помнишь, нам рассказывал режиссер Балабанов, что он как раз из Витебска летал в Африку, оружие возил? А в Грузии тогда как раз свергли Гамсахурдиа. Какие-то бои были уличные, типа революции. Стало быть, разруха, пустота, холод. Ни тебе шашлыков, ни вина — приехали, называется, на Кавказ. Неизвестно, как бы все повернулось, если б нас не приютил Патриарх всея Грузии Илия II. Там, при дворе, мы ночевали и столовались. И я вот понял многое, когда обедал у Илии II — ну, это не торжественный обед был, а просто свои сели в рабочий полдень перекусить, человек двадцать, за большой стол такой, как в монастыре.

— И что же Бог послал на обед?

— Ты не поверишь: кормили нас голландским колбасным фаршем, который мы же и привезли на самолете... Представляешь? И это — в Грузии! Революция, будь она неладна... Это как мой дед говорил: «Дохазяйнувалысь». По-русски это как-то коряво звучит — дохозяйствовались. Но там было и кое-что местное, слава тебе Господи: моченые закуски, чача, вино. Хорошо, что нас не поили еще голландским джином или французским вином, прости господи. Вот это хоть спасло немножко ситуацию, разрядило.

— А может, это была гуманитарная граппа? А вам ее выдали за чачу?

— О, красивая версия! Но — вряд ли... А вот что у меня осталось на память от той поездки: Илия II мне тогда подарил иконку с Георгием Победоносцем. А еще я в 92-м очень хотел съездить в Америку. Не знаю, насколько ты это поймешь, но я очень переживал оттого, что на тот момент не бывал в США. Индейцы, холодная война, американская литература, политика, второй фронт...

— Который не имел решающего значения, как нас убеждали.

— ...атомная бомба, Вьетнам, полеты на Луну... Это все складывалось в такую яркую картину, что мне казалось: не бывши в Штатах, невозможно понять чего-то главного, нельзя получить полную, цельную картину мира. И образование свое нельзя считать законченным. Мне досаждал этот пробел, он меня просто мучил, изводил. Я изо всех сил пытался съездить туда. Вариантов много вроде выпадало — экскурсия в Вашингтон, поездка по стране, курсы журналистов там... Я какие-то анкеты заполнял все время. Но меня так никуда и не взяли. А народ со всех сторон едет, едет, едет туда, по два раза, по три... Я проанализировал ситуацию — и понял, что едут-то одни евреи! А хохлов они почему-то не брали.

— А хохлы пускай едут в Канаду. В Торонто есть музей Украины, самый главный, всемирный. Центральный как бы.

— Ну, может быть. Но я даже не знаю... Если мою украинскость сравнить с твоей немецкостью...

— ...то они еще посоревнуются. Ха-ха!

— Да, наверно, они посоревнуются! Если ты можешь сосисок намять с пивом и ездить на «БМВ» на немецком, — то и я могу сала с горилкой принять и погонять на «Запорожце».

— Нет, ну я немецкие буквы знаю.

— А анекдот еще был про группу антисемитских языков. Туда, кроме немецкого и украинского, еще арабский входит. Но если серьезно, я так даже одну заметку написал на украинском. Ты вот не сможешь на немецком написать заметку.

— Со словарем.

— Значит, я на украинском — сел и написал. Без словаря причем. В журнал «Столица», Мостовщикову. Для стеба. Так и напечатали на украинском. Я что-то там такое смешное написал: «Ну, Киев — матерь городов русских. А що ж Москва, ця ледаща дочка?» Я там еще акцент пытался передать, как на Украине насмехаются над москальским акцентом. И вот думаю: почему ж американцы только евреев брали? Они, понятно, хотели как можно больше людей прогнать через США, воспитать в них какую-то симпатию к Америке.

— Агенты влияния.

— Если человеку симпатична чужая страна — то он уже хотя бы отчасти агент влияния. А на эту роль лучше подходят космополиты, которыми чаще оказываются евреи. Простая, понятная логика. Людям же трудно понять, что возможен украинский космополитизм! Как у меня. Ну вот. Некоторые поехали туда — и там остались, семьи перевезли. Если б я там остался тогда, то давно б, думаю, спился от скуки. Там же жизнь ровная такая... Живешь как в зоопарке. А мы тут — как дикие звери на воле. Комфорт не тот, конечно, — но есть и свои плюсы. Хотя к тому времени я, кажется, уже остыл от мыслей насчет свалить, и меня в

Штаты тянуло, просто как Филипка в школу. А ты не думал тогда свалить?

— Нет, к тому времени уже не думал. В начале перестройки еще как-то... Но мысли покинуть нашу родину меня окончательно покинули тогда, когда я избрался предисполкома в Сестрорецке.

— То есть что у тебя изменилось-то? Началось что? Как этот процесс ты можешь описать?

— Не, ну мне стало интересно, что здесь. У меня вторая волна желания на ПМЖ куда-нибудь съе...аться возникла после отставки, когда вот уголовка началась.

— В 97-м?

— Да. 97—98-й.

— Именно с целью избавиться от уголовки? Или ты подумал: зачем мне здесь все?

— Ну, может быть, конечно, катализатором уголовка была, но в целом депрессуха такая очень сильная.

— К которой мы вернемся в 97-м, да?

— Естественно.

— В общем, Америка на 92-й стала у меня таким зудящим местом. Думаю: ну, что же я не был там, мудак?

...Что еще было? «Коммерсант» переехал в новое здание. Значит, сначала мы базировались на Хорошевке в жилых квартирах на первом этаже, объединенных в одну. А в 92-м Яковлев школу сперва как-то в аренду взял и после приватизировал. Три этажа, а после он еще один надстроил. Там офис — и спортзал, и сауна, все как у людей. А когда мы туда, на Врубеля, переехали, то, между прочим, батюшка здание освящал. Метро «Сокол», где поселок художников дачный. Значит, батюшка освящал, окроплял святой водой. Стоим мы, смотрим на это дело, а Яковлев говорит: «Не позволю в своей газете употреблять убогий термин «РФ»! Запомните, нету никакой РФ! Наша страна называется Россия!» Неплохо это прозвучало, красиво. Иные даже прослезились. А еще ушла тогда Ксения Пономарева. Она была, кажется, главным редактором тогда? Вроде так... Она поругалась тогда с... ну, это неважно уже теперь. В новом здании мы продолжали еще выходить еженедельником, а осенью перешли на ежедневный режим. Прекратили выпуск еженедельника и делали такие внутренние номера ежедневной газеты — каждый день. В продажу никуда они не поступали, но спрашивали за них по-взрослому, такая учеба боевая. Это как если на учениях боевыми патронами стрелять. Вася (он же Андрей Васильев), кстати, к тому времени ушел. Сказал, что ему концепция не нравится. А другой-то не было, вот он и ушел. Такая его версия. Он на ОРТ работал тогда, кажется, и Пономарева тоже. Как-то они скорешилась. И вот начали мы делать эту Daily. Дико интересно это было на тот момент — толстая жизненная газета. Но работали действительно просто,

сука, без выходных. В субботу выпускали последний номер за неделю, а в воскресенье с утра — пожалуйте на разбор номера.

— Когда-когда вы начали ежедневную?

— В октябре 92-го, говорю ж тебе. Нас как будто мобилизовали. Домой приедешь в ночи, поспишь там, и с раня обратно. Чтоб не соврать, 7 октября начали мы выходить. А у моей дочки как раз день рождения надвигался. И дочка, у меня тогда еще одна была, звонит мне на работу: «Ты знаешь, у меня день рождения будет в субботу, мне три года, так вот я тебя приглашаю». Я думаю: «А че меня приглашать, куда я денусь-то?» И потом вдруг сообразил, как ребенок это воспринимает. Она утром спит — я ухожу, ночью прихожу — она опять спит. И так проходит неделя, две, три, выходных же нет. И она, видно, решила, что я — такой приходящий пассажир. Который появляется раз в месяц.

— Ха-ха!

— И его надо специально звать, чтобы он пришел. Если ребенок меня не видит три недели, он же не может догадаться, что я живу дома, что я каждую ночь прихожу поночевать быстро.

— Анекдот такой был: «Яичница в холодильнике, суп на столе, е...ать будешь — не буди». Помнишь? Ха-ха!

— Ха-ха-ха! «Нравится, не нравится — спи, моя красавица». Ну вот. А газета поначалу была вялая и непонятная. Первые номера любого издания — всегда такие.

— Надо стиль поймать, конечно.

— И было смешно — людей набирали с улицы. По объявлению. Чуть ли не на заборе их расклеивали. И вот люди приходили с улицы, мы перед ними выступали, слушали, какие они вопросы задают. Набрали с улицы людей — и ничего! До сих пор многие из них работают.

— Видимо, талантливый менеджер — Яковлев.

— Ну, тут двух мнений быть не может. Чудес же не бывает. Раз человек с нуля такую империю построил...

— И, видимо, он очень быстро сгорел. Запал кончился. И он понял, что нужно сворачиваться, не то он собственными руками погубит свое детище. Он продал и уехал в Лос-Анджелес. Это же огромное количество энергии надо отдавать — а она же ведь ниоткуда не берется! Я так это понимаю...

— Ну, Алик, ты, как капиталист, может, лучше понимаешь Яковлева. Я после думал — если у меня там год за три шел, то какой же у него был коэффициент (или, иначе, мультипликатор)? Я столько там всего увидел, прожил — а он-то всяко побольше моего.

— Вот я про себя знаю, что меня хватает на какие-то короткие проекты. А потом я должен период релаксации переживать. Я отдаю энергию, а потом должен пополнить ее запасы. Я не могу, как Чубайс, работать — из года в год... Он на плутонии, что ли?

— Вот, я и говорю, что олигархов — Гуся с Березой, а теперь еще и Ходора — надо беречь. Мало таких людей... И еще Яковлев придумал институт рерайтеров. Люди сидят и переписывают чужие заметки. Причем они не из репортеров, а из структурных там лингвистов разных.

— А, фирменный стиль создают!

— Не, просто добавляют ясности. Проясняют, кто что хотел сказать. Без эмоций. Фильтруют базар. Добавляют цинизма.

— И софт, наверно, свой был?

— Да, софт придумывал человек по фамилии Калашников. А еще тогда в моде было видео.

— Нет, я эту тему раньше прошел. У меня появился первый видик в 89-м году. Помнишь, «Электроника»? Завода «Позитрон»?

— А, да, у меня тоже такая была. Серебристая.

— Я же устроился работать в политехе, и мы преподавали на курсах повышения квалификации руководящих работников НПО «Позитрон». По психологии менеджмента, как сейчас помню. И с нами расплатились этими видиками — тогда же царство бартера стало опускаться на нас... И у меня появился видик, который я подсоединял к нашему телевизору. Декодера в нем не было, так что все фильмы получались черно-белые.

— А я декодер впаял.

— Нет, я не впаивал. Просто купил русский ТВ с декодером. Вот тогда-то, в 89-м, я все и посмотрел. К 92-му для меня это был пройденный этап.

— **Быстрый ты. А я смотрел еще в 92-м. Берешь пару-тройку кассет, бутылку-другую коньяка, закусок — и сидишь всю ночь, смотришь... И я еще деда похоронил в 92-м.**

— А, это который чекист?

— **Ну. И бабка говорила — что ж он помер не вовремя, нет бы на два года раньше!**

— Типа — не знал бы, что Советский Союз развалился?

— **Да нет, она переживала, что мы его хороним как частное лицо. А при советской власти были б речи, знамена, салют...**

— Ордена на подушке...

— **Типа...**

В декабре 92-го помер мой дед Иван Митрич Свинаренко. Царствие ему небесное. Я очень его уважал с младых ногтей — и это уважение только крепло со временем. Мало я видел настолько прямых людей, которые не сворачивают с выбранной дороги и выполняют задуманное, не поддаваясь искушениям и не отвлекаясь на личное обогащение.

Конечно, мне было бы приятнее, если б мой дед служил у белых и исповедывал либеральные ценности, — но из песни слова не выкинешь. Дед мой в ранней юности вступил сперва в комсомол, а там и в ЧК. Ему казалось, что так он сделает этот мир лучше... С другой стороны, если уж даже граф Алексей Николаевич Толстой пошел служить к красным и считал себя при этом приличным человеком, то какие ж вопросы к крестьянскому юноше?

Я помню этот небогатый домик на окраине Макеевки, в котором часто бывал. Три комнатки, беленые стены, много — по тогдашним моим понятиям — книг. Полный шкаф. Один, правда, шкаф. В числе книг было собрание сочинений Сталина. И его пресловутый «Краткий курс». И его же портретик, размером с книжку, на стене. В рамке, под стеклом.

Дед обладал весьма редким качеством. Он жил в полном соответствии со своими словами и убеждениями. Вот решил когда-то, что социальная революция необходима, — и стал ее делать лично. После пришел к выводу, что надо бить белых, — и отправился воевать в Красную армию. Никого не посылал вместо себя... Подумал, что надо бить внутреннего врага, — пошел служить в ЧК. После долго вкалывал в шахте. Учился, почти уж стал инженером — это было круто для крестьянского парня, по теперешним меркам это никак не ниже Оксфорда. Что твой МВА. А тут война. Он,

Свинаренко и его дед Иван. 1992 год.
Фото Николая Свинаренко

московский студент, записался в ополчение и уж ожидал отправки на фронт. Но его по партийной линии завернули и послали на Урал — какая ж война без угля, на тот момент стратегического энергоносителя. И только оттуда, с Урала, ему удалось дезертировать с трудового фронта — на фронт простой, под Ленинград. После, уже старый и хромой, с войны, еле ходил — и бесконечно проверял торговлю как общественник, в рядах так называемой парткомиссии. Видно, ему не давала покоя мысль, что рано он ушел из ЧК, не добил контру в свое время. Дед учил меня, что если человек торгует мясом, то он легко и другого человека продаст. Он то и дело цитировал Суворова: интендантов можно сажать без суда и следствия на 5 лет, а после судить — и выяснится, что им еще добавить придется.

(И ты, Алик, еще удивляешься, что я не в восторге от русского капитализма! Что буржуи не вызывают моего восхищения! Видишь, какую я школу прошел у красного пулеметчика, харьковского чекиста, макеевского шахтера... Скажи спасибо, что я к Зюганову не пошел, — при таком-то раскладе.)

И вот еще что трогательно. Когда в Перестройку начали печатать все про все, дед это читал, читал... И нашел в себе мужество признать, что взгляд его на мир был не тот. Не стал брызгать слюной и бегать с красным флагом по городу. А признал. Гвозди бы делать из этих людей.

Он прожил долгую жизнь: 91 год. И счастливую. Две войны прошел — а отделался «разве только» тяжелым ранением и инвалидностью, которая, впрочем, позволяла ходить на работу. Пусть даже с палкой ковылять, но ведь на работу же. Дети, внуки, правнуки... Совесть его была абсолютно спокойна! Он всю жизнь делал то, что считал нужным, часто — в условиях реального смертельного риска. Уверенности в своей правоте, как мне кажется, прибавлял ему и его весьма скромный достаток: вот, не воровал же. Ордена, почет и уважение, свой сад, в котором он посадил тонкие саженцы ореховых деревьев — и дождался от них урожая, мешками его собирал. Посмертное поругание любимого им Сталина, распад империи, которую он строил и защищал в самые драматические ее моменты, распад идеалов — все это пришлось на самый закат его жизни. Нам повезло, что мы свободу увидели в весьма еще молодом возрасте. А ему точно так же повезло, что крушение своих идеалов он увидел уже холодными старческими глазами, стоя на краю могилы. Помнишь, Алик, у тебя был какой-то преподаватель в институте, и ты сказал, что если б все коммунисты были, как он, то и ты б к ним попросился? Та же картина была и с моим дедом. Если б все были в КПСС, как мой дед, я б тоже туда подался.

...Да. Так вот. Я поехал во Внуково, чтоб вылететь на похороны. Но выяснилось, что аэропорт в Донецке закрыт — нету керосина, чтоб отправлять самолеты обратно. Ах да, Союз ведь развалился, настала разруха... Я взял билет до ближайшего аэропорта — до Днепропетровска. Оттуда, думал я, домчусь в момент. Наивность! В пути выяснилось, что Днепропетровск не принимает — метель. Посадили нас в Кривом Роге. Выходим из самолета... А аэропорт пустой! Ни души! Что так? Нашел я там только одного мента и с него снял показания. Та же причина — керосина нет. А ну, поехали в город! Автобусы не ходят, бензина тоже нет. Вызывай такси, мент! Телефоны отключены. А по рации? Вам же говорят, нету бензина в городе. А ты ментовскую вызывай машину, говорю, я тебе денег дам! (Я думал, что уж как-то решу вопрос, я ж не только отделом преступности тогда командовал, но имел более богатый и глубокий опыт. Когда-то я с одноклассниками попал в неприятную ситуацию. Чтоб решить вопрос, мы скинулись. Честь произвести эту выплату из общака братва доверила мне. Я пошел в отделение милиции и выкупил вещдоки. В общем, я сперва вошел в товарно-денежные отношения с правоохранительными органами, а уж после получил паспорт и начал бриться.) Но я зря уговаривал и размахивал деньгами — милицейским машинам давали на сутки по 5 литров бензина, на обратный путь бы не хватило.

В задумчивости оглядел я зал аэропорта, в котором нам, возможно, предстояло перезимовать... И увидел странного человека, весь вид которого говорил об одном: этот пассажир в полном отчаянии. Причем вид у него был до того иностранный, что аж смешно. Подхожу к чудаку... Оказалось, это немец, который ни слова не знает по-русски. Что делает его горе еще более безутешным. Пунктом его назначения был как раз этот Кривой Рог! Там его дружки строили дома для наших офицеров, изгнанных из Германии. Немец оказался, в общем, золотой. Я по милицейской рации таки вызвал ему подкрепление с их базы в городе. На этой их машине мы умчались из аэропорта, отбиваясь от десятков желающих отнять у нас дефицитное транспортное средство...

Но это было еще не все. Оказалось, что и поезда с местного вокзала никуда не ходили! Как будто вернулась молодость дорогого мне покойника, со всей той разрухой и с мерзостью запустения... Там, на холодном вокзале, в городке, из которого поди еще выберись, да к тому ж он еще и иностранным стал, я начал понимать, что Москва — не самая выигрышная точка для наблюдения за трагедией — развалом великой империи... Из Москвы этого всего не видно было, этой красоты. Я нанял машину, и двое крайне подозрительных типов в ночи повезли меня в заснеженную степь... Самое смешное, что с нами увязалась симпатичная пара — парень-кооперативщик с красавицей-женой. «Ты уверен, что хочешь путешествовать в таком составе?» — пытался отговорить его я. Но ему надо было скорей к своим ларькам... Я понимал, что шанс добраться до какого-нибудь места, в котором жизнь не угасла окончательно, — такой шанс, хоть он и невелик, у меня есть... И вот в три часа ночи посреди этой снежной степи прогремел как бы одиночный выстрел из «калашникова». Этот лопнула камера переднего колеса. Запаску мои бандиты обменяли на пять кило сала еще осенью... Мы грелись, наслаждаясь напоследок теплом — бензина у нас оставалось всего-то литров десять. Поскольку мы знали, что у других его не было вообще, помощи ждать не приходилось. А на дворе было минус 25.

Но помощь таки пришла — в виде фуры с гуманитарной помощью (слово «помощь» тут ключевое). Фура, вы будете смеяться, остановилась. В глухой степи, среди которой стояли четверо в высшей степени подозрительных мужчин. Дама, которая была с ними, делала картину еще более жуткой. Я уехал с семьей отмороженных кооператоров. А наши бандиты остались. Они долго нам махали вслед. Ржавый «жигуль» — это все, что было в их жизни ценного. Как же его бросить...

Гроб уже опустили в могилу, когда я прибыл на место. Успел я, не успел? Как посмотреть...

Еще из той поездки я запомнил, что рублей в украинских магазинах не брали, обменников не было. Выпить было просто не на что. Я страстно уговаривал соседку продать мне четверть самогона по доллару за поллитру, что по тем временам было страшной щедростью. Соседка слушала меня с подозрением — типа, кому нужны эти странные зеленые бумажки? Но таки сдалась — скорей потому, что помнила меня мальчиком и просто пожалела. Ладно, подумала, не обеднеет она от одной четверти первача...

Далекие, наивные времена... Как будто 92-й год был пятьдесят лет назад. А не только что.

БУТЫЛКА ДВЕНАДЦАТАЯ

1993

Кох переезжает из Питера в Москву помогать Чубайсу делать приватизацию. Он вспоминает: «Пахали мы тогда круглосуточно, с короткими перерывами на сон, на чае и пирожках». Свинаренко уходит из криминального репортерства в глянцевую журналистику, то есть из отдела преступности «Коммерсанта» — в журнал «Домовой».

В стране происходит скоротечный бунт, как это иногда у нас бывает, в октябре. Кох бегает по Москве под пулями, слушает «музыку революции» и клеймит борцов с приватизацией, которые все время норовят что-нибудь стащить. Свинаренко в горячие октябрьские деньки как ни в чем не бывало сочиняет заметки про красивую буржуазную жизнь и вместо бдений на московских баррикадах под нашим хмурым дождливым небом — прогуливается по безмятежному солнечному Парижу. А после летит в Нью-Йорк, Сидней, далее везде. И все это — по делу, срочно.

Бутылка двенадцатая
1993 год

— Ты знаешь, Алик, вот 92-й год, который мы с тобой за прошлой бутылкой обсуждали, мне задним числом показался каким-то вялым, ненастоящим. Люди как будто еще не опомнились после 91-го, не отваживались поверить, что все это всерьез, что можно делать что хочешь.

— Да...

— Было непонятно — что, чего, как. И вот наконец настал 93-й...

— И мы ворвались в крепость на плечах противника.

— Наконец мы ворвались и сказали: о как! И это все наше! И то тоже наше! Оказывается, здесь все можно сделать!

— Да, да, да!

— Вот это именно стало понятно в 93-м.

— В том числе и Хасбулатов с Руцким в 93-м подумали, что могут все, и решили, что Ельцин им мешает. А по Конституции у нас Съезд народных депутатов — это высший орган страны, и все ему подотчетны, они могут президента отрешить. Они подумали: на хрен он, этот всенародный избранник. Мы вдвоем сейчас все быстро смастырим.

— А что за публика собралась в ВС? Казалось бы, у нас огромная страна, с большим населением. Отчего ж не набрать по всей России хотя бы тысячу умных, красивых, порядочных, образованных людей? Тысячу-то можно набрать на 150-то миллионов? Почему бы не расставить их на все ключевые посты — этих прекрасных людей? Пусть бы сидели в Верховном Совете и командовали страной! В этом была бы прекрасная, великая логика. Но почему какие-то скучные люди все время у нас избираются? Как ты думаешь?

— Это во всем мире так.

— Да ладно!

— Во всем мире так — ну не уникальны мы! Ну почему вы все время ищете уникальность в каком-то дерьме?

— Да кто его знает...

— У меня были дебаты в «Принципе домино» — давно, год или два назад. С Борисом Резником с Дальнего Востока. Он председатель комиссии по борьбе с коррупцией, по-моему. Вот он выступает и говорит: «Россия занимает первое место по коррупции, по объему, значит, взяток». Говорит, говорит... Потом очередь дошла до меня. Я сказал: «Знаете, я много бываю за границей, особенно в Америке, и в Европе тоже бываю, читаю газеты. А там — то уголовное дело на Коля, то уголовное дело на Ширака, уж про Берлускони, наверно, и говорить не надо. И так далее. А уж скандалы корпоративные в Соединенных Штатах зае...али всех. Их государственные структуры десять лет сквозь пальцы на это смотрели. А ведь наверняка же там можно было затребовать проспект эмиссии, финансовые отчеты. Комиссия Соединенных Штатов по ценным бумагам, которой нас все время пугают, про которую говорят, что через нее муха не пролетит... Так десять лет мухи летали, вот такие вот, бл..., величиной с орла — и все по х... Миллиарды долларов туда-сюда! Люди банкротились, дома закладывали — все по х... Сотни людей, тысячи, миллионы людей потеряли деньги. А в Китае какая коррупция! Они там пачками расстреливают! Там тридцать миллиардов транша международного валютного фонда на поддержку сельского хозяйства — пропало. Миллиардов долларов! Тридцать! У нас такие деньги не пропадают. А в Китае — пропали, и они даже найти не могут, куда деньги подевались. А у всех чиновников, которые заведовали этим траншем, спутниковые антенны дома, машины «Мерседес»... Все как надо».

— А где же транш?

— А транша нету, не дошел он до простого крестьянина.

— Да что им тридцать миллиардов — это ж по пятнадцать долларов на брата всего-то. Не деньги.

— Ну вот, мысль моя в том, что мы не первое место по коррупции занимаем. Ай, как Резник обиделся! Нет, говорит, первое... Опять этот Кох говорит, что Россия не самое первое место занимает.

— Значит, не удастся нам собрать лучших людей, чтобы они командовали страной?

— Нет.

— Ею будут командовать кто ни попадя.

— Да. Мы ж с тобой обсуждали принцип кибернетики. Нравится не тот, кто умный, а тот, кто такой же, как большинство.

— Вот я не знаю кибернетики, но я понимал, что Борис Николаич такой же, как мы.

— А он еще и старался сильней быть таким. В трамвае ездил.

— Только перед выборами.

— Да, потом, когда не надо стало, перестал ездить. Вот он последние десять лет не ездил на трамвае.

— Точно. Что у нас было важного в году? В январе был договор с Соединенными Штатами об ОСВ.

— Слушай, отстань со своим ОСВ. Вот я тебе могу сказать — у меня 93-й год состоит из трех вещей. Нет, четырех. Четыре вещи для меня важные были в 93-м. Первое — я съездил в Соединенные Штаты Америки.

— **И я съездил.**

— Я — первый раз.

— **И я первый раз! Более того. В 93-м я и в Париж съездил в первый раз.**

— Нет, со мной это случилось существенно позже. А вот в Соединенные Штаты Америки я съездил, причем надолго — на целый месяц. Я посетил Вашингтон, Нью-Йорк, Чикаго, Сиэтл, Миннеаполис, Сен-Пол.

— **А что это была за поездка такая?**

— Это USID делал такую программу по изучению американского рынка ценных бумаг. Секьюрити-маркет.

— **Что это такое — USID?**

— USID — это американское

Кох в Вашингтоне (их Белый Дом). 1993 год

агентство по международному развитию. Я был очень доволен поездкой — я тогда очень много узнал. Мы были на Нью-йоркской фондовой бирже... Ну, это отдельная песня — про Америку. Напишу как-нибудь про это комментарий.

— Я был неделю всего. Я ездил в командировку — писать репортаж с Хэллоуина. От журнала «Домовой». Я туда был сдернут с отдела преступности, брошен на отстающий участок. Уже первый номер журнала делался, а я еще лихорадочно сдавал дела по отделу преступности...

— Потом второе событие, очень важное. Про него сейчас все забыли, но оно на самом деле послужило основой для последующих событий не только этого года, но и вообще всей нашей жизни. Так называемый референдум «да, да, нет, да».

—Так, так! Помню. У меня есть любительская видеопленка: мы на кухне выпиваем, дети бегают — и я пьяный сижу. И вдруг по телевизору объявляют про референдум, Ельцин, «да, да, нет, да», доверяете ли вы президенту... И на видео — моя реплика. Я, пьяный, просто так ляпнул: «Президент у нас м..., но мы ему доверяем». Вот такую я фразу произнес тогда историческую.

— ...и президент его выиграл, этот референдум. Когда кричат, что Ельцин к 93-му году полностью лишился кредита доверия, это ложь. Был кредит доверия! Ельцин же выиграл тот референдум.

А Верховный Совет — проиграл. Ты же помнишь, там было четыре вопроса. Доверяете ли вы президенту Ельцину? Одобряете ли вы политику, проводимую президентом Ельциным? Доверяете ли Верховному Совету? И еще какой-то вопрос был. Короче, мы хотели, чтобы «да, да, нет, да» был. И так оно и случилось — большинство сказало «да, да, нет, да». По условиям референдума, тот, кому не доверяют, уходит в отставку. То есть Верховному Совету нужно было распускаться. Но эти красавцы депутаты проявили свою, так сказать, хитровые...анность: Ельцину, чтобы пройти, достаточно простого большинства, а чтобы их отправить в отставку — нужны две трети голосов. И вот хотя доверия к ним не было, они не самораспустились. Но, по сути, с весны уже практически не было легитимности Верховного Совета! Их еще тогда надо было распустить. Потому что большинство нации сказало, что депутатам не доверяет. Понимаешь?

— Что, это так подтасовал Ельцин?

— Нет. У него на самом деле был кредит доверия. И вот этой паузой шестимесячной с апреля по октябрь он-то как раз кредиты сильно растерял. Потому что, понимаешь, они же шесть месяцев тратили ровно на то, чтобы обосрать его с ног до головы. Безумный Руцкой с этими чемоданами...

— Сбитый летчик.

— Да, сбитый летчик.

— Его же вроде сбивали там в Афгане периодически.

— Да-да. А помнишь, у него был такой помощник — Мирошник? Который, когда узнал, что Руцкого сняли, не вернулся из поездки в Испанию. Этот жулик все ходил по кабинетам, бабки со всех брал. Он ко мне без конца ходил и чего-то ныл. И Руцкой теперь рассказывает нам всем, какой он ох...ительный честный борец с коррупцией, и так далее. Потом третье событие важное — то, что я переехал из Питера в Москву. Меня в Госкомимущество Чубайс забрал замом. И четвертое событие, наконец, это путч — или как там он назывался, мятеж? — 3—4 октября.

— Великая Октябрьская Социалистическая революция? Как обычно? И я причем знаю, почему это всегда в октябре происходит. Ну такая погода мерзкая, отвратная, кругом грязища говенной такой консистенции — жить не хочется. Неба нету, вместо него серая мокрая тряпка — выражение Ильфа и Петрова. В запой уйти, убить ли кого? О! Революцию давайте устроим!

— Да-да. Обсерон такой великий октябрьский социалистический. Ну вот четыре события. Ну что там — рядом ничего не стояло по сравнению с этими четырьмя событиями. И каждое из них достойно комментария. Америчка...

— А учреждение РАО «Газпром»?

— Да ну!

— А избрание Зюганова вождем КПРФ?

— Это было событие твоей жизни? Этим тебе 93-й год запомнился? Вот как мы с тобой будем вслух задним числом переживать избрание господина Зюганова?

— Очень даже хорошо мы будем рассуждать. Смотри! Мне Толстая говорит, Татьяна, в интервью: «Если увижу Зюганова, брошусь на него, как волк, и горло ему перегрызу. Он же отвечает за террор, за Колыму, за все убийства...» Подожди, говорю, Зюганова надо беречь, потому что его специально брали такого противного, понимаешь? А могли бы найти молодого парня, такой Гагарин, знаешь, с улыбкой приятной...

— Как Квасневский в Польше. Молодой, энергичный, вполне западный — и в то же время левый.

— Я думаю, там сидит какой-то разводчик — Глеб ли Павловский, не знаю, или Волошин... И думает: зачем нам красавец-Гагарин-2 во главе коммунистов? Заберет все голоса. И говорит: нет, такой не годится, идите найдите нормального кандидата.

— С бородавкой.

— С бородавкой, противного.

— Из деревни Мымрино.

— Противный чтоб был, такой вот, похожий на ощипанного волка, которого палкой отлупили, и вот он вроде и волк, но немножечко так шугается. Разводчик доволен: «Вот видите, нашли же хорошего генсека...»

— Электоральный.

— Ну, найдутся какие-то странные люди, пойдут голосовать за него, хоть он и противный. Это очень тонко. Я это объяснил Толстой, и она признала свою ошибку. А вот еще у нас было начало слушаний военной коллегии Верховного Суда по делу ГКЧП — измена родине.

— Только начали слушать? А до этого расследование шло?

— **Видимо. Судили старика Варенникова, фронтовика... Была измена родине-то или нет? Ты бы родине с большой буквы написал — измена Родине?**

— Так их же всех амнистировали, а старик Варенников отказался принимать амнистию, потребовал суда, его судили — и оправдали.

— **Молодец! Крепкий парень!**

— Черт его знает. Я могу тебе сказать, что в 91-м году я их ненавидел.

— **И я. Ненавидел. Тогда. Само собой.**

— Ну а чего тогда мы сейчас, задним числом, начинаем их жалеть? Они бы нас не пожалели, можешь не сомневаться.

— **Да чего уж тут сомневаться. Уж не пожалели бы. В таком они не замечены. Хорошо. Поехали дальше. «О прекращении хождения ден-знаков, выпущенных с 61-го по 92-й годы включительно».**

— И что, я должен переживать по этому поводу?

— **Так. Завершение вывода войск из Литвы. Тоже тебя не волнует?**

— Ха-ха!

— **Соглашение со Штатами об объединении космических программ.**

— **Так. Ну. Хорошо.**

— **Опять не колышет.**

— И тебя, самое главное, тоже.

— **Умер Юлиан Семенов.**

— О! Вот это, кстати, очень пригодившаяся бы сейчас фигура. Вот помнишь мое рассуждение о ссученых эстрадных деятелях, то есть которые и блатным нравятся, и ментам одновременно?

— **А он всем нравился?**

— Да, да, да, да, да.

— **Есть же версия, что его убили.**

— О!

— **Он был парализованный, лечился на Западе, где от его имени с использованием ранее им подписанных бланков переводили бабки... Так. Дальше. Майкл Джексон приехал в Москву.**

— Но не выступал.

— **И столицу твоей родины перенесли в Астану.**

— Сейчас, говорят, красивый город.

— **Красивый, говорят, и богатый. Тебя это не цепляет?**

— Нет.

— **Ну что, собственно, у нас из списка больших событий осталось разве только основание НТВ. И возвращение двуглавого орла.**

— О! О!

— **Ну, хоть что-то тебя волновало.**

— Волновало. Мне было приятно.

— **Мне тоже было приятно, но как-то это все-таки было странно. Все-таки.**

— Триколор, двуглавый орел. Старик Йордан, Борин отец, он бы порадовался. А вернее, он и порадовался — он же помер только в прошлом году.

— Да. Это дико было интересно, но как-то все-таки неестественно.

— А? Символика белого движения.

— Белого, да. И все равно — ненатурально как-то. Приятно — да. Вот когда вернули красный флаг — было неприятно. И гимн коммунистический восстановили — очень было неприятно. Но, увы, естественно. Странное чувство...

— Не, ну, строго говоря, как раз возвращение триколора и двуглавого орла было естественно.

— А как тебе это нравится: у нас вроде республика, а на гербе — корона Российской империи?

— Кстати сказать, по-моему, у нашего двуглавого орла, который сегодня в официальной символике, нет короны.

— Ну вот видишь, до чего мы договорились. В каком мы состоянии. Некоторые уже свой герб не могут вспомнить.

— Ну-ка, ну-ка, мы сейчас посмотрим на свой герб! Где он должен быть — на бабках? *(Кох роется в карманах. Достает оттуда ключи, платок, какую-то книжечку.)*

— Это что у тебя за ксива?

— Администрации президента. Что я являюсь кандидатом в депутаты Государственной думы...

— Где орел-то? Должен быть в такой ксиве-то, а?

— Сейчас, подожди, сейчас я

деньги найду. На деньгах-то он точно есть, как я понимаю.

— Да вот же на обложке у тебя орел! С короной!

— О-о-о... Да это не просто корона. Это три короны. По одной над каждой головой. И еще одна большая, одна на всех.

— Это что же такое? Это как же? А почему три?

— Малыя и белыя Руси... Ха-ха! Это тебе не фунт изюму...

— Раз у нас орел в короне, тогда я тебе так скажу: у нас должен президент тоже в короне ходить.

— Ну, конечно. И короноваться.

— Ну, а почему нет?

— О чем и речь. И называть его надо не президентом, а королем, как в Польше. Знаешь, там короля же избирали каждый раз. Там же не было наследования.

— Ну а вот Азербайджан же республика? Но там ввели передачу власти по наследству.

— Короче, оказалось, что с короной мы оба не правы.

— Да, я сказал: одна корона, а ты — нет ни одной. Но ты зря говоришь, что мы одинаково не правы. Это в тебе тяга к бизнесовым разводкам. А на самом деле я-то по-любому ближе к истине. Одна корона ближе к трем коронам, чем непокрытая голова. Но действительность, как это часто бывает в России, превзошла самые смелые ожидания!

— Ха-ха! Их три. А вообще надо было сделать 140 миллионов корон. Тогда бы это была настоящая республика. Демократия, власть народа.

— Нет, ну все-таки президент должен ходить с короной. Я тебе рассказывал уже, как мы обсуждали с сельским трактористом, что слово «преемник» он слышит, как «племянник». И когда Ельцин в прямом эфире представил народу своего «племянника» Путина, в колхозе это восприняли как хороший знак. Типа наконец-то Боря взялся за ум! То пил все, куролесил, уж не ждали от него умных поступков, — а тут на тебе, вон как ответственно к делу подошел. Крестьяне еще обсуждали, что лучше б сыну хозяйство передать, но сына ж не было у Бориса Николаича. Что ж, чужому дядьке, что ль, отдавать? Ну, пусть племянник будет. Он тем более серьезный, непьющий.

— И я согласен, поддерживаю.

— Так о чем мы говорим? В чем проблема, отчего ж президенту корону не носить? Яйцеголовые б и это схавали, ухмыляясь. А простые люди сказали бы: ну и хорошо, ну и слава Богу. А то, действительно, как раньше говорили: без царя в голове.

— А то — выборы какие-то...

— Зачем тогда выборы? Теперь у нас — царь. Вот! Это бы работало на стабильность. Ведь царя-то тяжелее убить, чем президента.

— Ну это уже да. Это некий сакральный смысл имеет. Там же целая процедура, миропомазание...

— Да. И можно легко объяснить, почему командует не какой-то там дежурный аппаратчик, а именно

царь. Да потому, что в этой стране всегда командует царь! Вот у этого, который сейчас и отец, и дед, и прадед — все были цари. Триста лет монархии. Триста лет уж так заведено, что сперва зима, а после весна, лето, осень, все это под руководством царя — и никак иначе. Все понятно. А если некто приходит и убивает царя и говорит: а теперь я буду вместо него, — то любой может сказать: а отчего ж именно ты, почему не я, мы с тобой имеем одинаковую легитимность. Это, конечно, ошибка страшная была. В дикой стране, где титульная нация почти сплошь состоит из внуков крепостных рабов, которые свободу понимают только как возможность вешать помещиков и трахать их дочек — взять да убить царя. В Англии, во Франции казнили монархов — но там народ все ж не такой простодушный... Народ там царей казнил без отрыва от производства. С утра отрубили голову, вечером обмыли это дело, а утром — на работу. Такого ж не было, как у нас, чтоб четыре года полстраны в составе банд грабило награбленное... А что ж мы про Мирошника забыли! У него, кстати, дом такой же, как у тебя... Участок, может, поменьше твоего. Но зато у него это был Беверли-Хиллз.

— Ну, у нас здесь подороже земля.

— У вас подороже, да. А в чем тут дело? Мне совершенно непонятна эта их в сравнении с нами дешевизна! Ну, вот чем она может объясняться? Одна версия. Там этих элитных дачных кооперативов — как грязи. Кроme Beverly Hills, еще Malibou, Venice Beach, Santa Monica… Это я назвал только то, что в двадцати минутах езды… И еще же полно такого, да не только по Калифорнии, а и по всей стране. А у нас столпились на трассе поближе к царю и давятся, и взвинчивают цену сотки… Да постройте что-то новое в удобных местах! Ни хера не строят у нас, не развивают новых районов. Толпятся же поближе к даче первого лица не столько даже из низкопоклонства, сколько из жадности — трассу же ФСБ так и так будет охранять, вот вам и экономия. И потом, это сидение на голо-

вах — от неуверенности в будущем. Зачем же строить, когда никто не знает, чем все кончится? Вон Гусь с Ходором настроили всего… И дальше. У вас тут, конечно, дороже, но зато там — океан рядом, и климат, извини, получше, настоящий климат, а не как у некоторых. А тут — то мороз, то грязища, то жарища с комарами.

— У нас летом тоже хорошо, когда дождей нет.

— Летом, может, и хорошо, когда действительно дождей нет. А зима — да сколько там той зимы…

Комментарий ▬ **Свинаренко**

ИЗ МОЕЙ СТАРОЙ ЗАМЕТКИ

«…поначалу Гарик предстал провинциальным интеллигентом, хотя и со странностями, простым шестидесятником с, как говорят, идеалами. Но шестидесятником, ушедшим в удачный бизнес, — что не сбывается без колоссальных запасов энергии, всегда притягательных. То есть с одной стороны, он вполне приспособлен к жизни, к бизнесу, к политике, к своему «Роллс-Ройсу», к своему же Беверли-Хиллз. А с другой стороны — любит порассужать, особенно за столом, о судьбах страны, путях России, грязи политики, — ну и ностальгия, разумеется. Он мне показывал в Беверли-Хиллз типичный для того квартала дом в один-единственный, ввиду опасностей знаменитых калифорнийских землетрясений, этаж, с несчетным количеством комнат и совершенно сочинской, с блестящими жирными листьями, растительностью на участке; как у всех там.

«— Тут вон кузен Клинтона у меня сосед, а там дальше — Рейган, Форд. …Я был помощником Руцкого… Меня раньше знаешь как звали? Георгий Михайлович Мирошник», — открылся наконец он. Я отвел глаза в сторону с внезапной страшной грустью оттого, что из копеечных казенных денег вон у нас какие в сиротской России вырастают миллионеры… И еще вспомнились газетные заметки 92-го года, на страницах для криминала…

Мы встречались с Гариком иногда по вечерам и выпивали — то у него дома в Беверли-Хиллз, то в городе, то в приморском простеньком кафе. Он, например, любил мне назначить встречу в баре богатого отеля «Regency».

— Я тут жил несколько месяцев, пока не купил дом. Ну и привык...

И точно, обслуга его знала вся. И смотрела на него с понятным обожанием, как цыганский хор на Никиту Михалкова в кинофильме «Жестокий романс»; сходство ситуаций было просто поразительное. Кстати, о кино: Гарик мне напомнил, что это именно тут снимали знаменитый и успешный по деньгам фильм «Pretty woman», где Гир и Робертс.

«...В Дубаи я продал через фирму «Техника» целый пароход противогазов. Сидел там в Джидде, этой вонючей помойке. Я там заработал тыщ 60—70. Потом была программа «Урожай-90». «Исток», АНТ, моя фирма «Формула-7» и другие. Крестьянам тогда раздали талоны, и нам надо было талоны отоварить по твердым ценам. А потери государство обещало компенсировать квотами на нефть, которую нам разрешили продать на Западе. Поехал я в ГСВГ и говорю нашим генералам: при выводе войск все товары из военторга разворуют. Лучше продайте нам. Мы в России отдадим по талонам, на талоны возьмем нефть и т.д. Вам перечислим деньги рублями в Россию. Нет, говорят, в рублях не будем, только в марках. Хорошо! А в это время выходит указ Ельцина о запрещении расчета валютой между российскими организациями. Это был конец 1991 года. Я вынужден был платить рублями... По официальному курсу. Ну не мог же я в официальных расчетах с госструктурами использовать курс черного рынка!

— Ты небось заранее про все знал!

— Да даже если б и знал, где тут преступление? Где? Я же настаивал, я сам им предлагал рассчитаться в рублях! Но они не хотели. Потому что рубли пошли б сразу в Россию, в бюджет, и все. А валюта — в Германию... Военные обиделись, говорят — украл. Но что конкретно украл и у кого? Я взял у генералов государственный товар, честно заплатил за него столько, сколько сказало государство, в валюте этого же государства, привез товар в Россию и обменял на талоны «Урожая-90». Талонов у меня собралось полторы тонны. А кто мне за них что дал? Хоть тонну нефти, хоть баллон газа?»

К о х: Не, ну по понятиям-то Мирошник генералов швырнул... Но, с другой стороны, генералы бизнесом заниматься не должны — и по закону, и по понятиям. И то, что он их отделал, — это правильно.

— А как было у тебя с Мирошником?

— Руцкой звонил в Минфин, или нам, или еще кому-нибудь. Звонил, значит, Руцкой и очень просил — сейчас Мирошник придет, он хороший парень, помогите решить вопрос... Прибегал Мирошник, и ему что-нибудь подписывали. А потом этот же Руцкой тебя бы и спросил за коррупцию. Понимаешь? Кстати говоря, как только Руцкой начал людей за коррупцию х...ячить, он подумал, что люди будут еще резвей выполнять его поручения. Но ребята, как только он начал, сразу перестали подписывать. И все. Он еще сильней наезжает...

— **Чего подписывали-то?**

— Ну всякие там бумаги. Как тебе объяснить? Какие-то там помещения в аренду каким-то фирмам... В Госкомимуществе у нас на волю чиновников какие-то мелочи отдавались, и это все Руцкой греб под себя.

— **Да?**

— Да! Там муха не пролетала. Руцкой и еще Хасбулатов. Они дербанили по полной... Это была тактика, которую сначала не уловили. Я вот в августе 93-го пришел в правительство, когда там была уже такая переломная обстановка. А до этого с 91-го года правительство пыталось наладить отношения с Руцким и Хасбулатовым, и что-то у них получалось. Например, летом 92-го года Чубайсу удалось принять программу приватизации. Верховный Совет проголосовал «за». Но потом это все пошло не в коня корм.

— **Как интересно!**

— Что ты смеешься?

— **Интересно! Такие подробности трогательные!**

— Так, значит, осень 93-го. Они уже референдум просрали — Руцкой-то с Хасбулатовым. И поэтому неизбежно приближался путч. И когда стало уже совершенно ясно, что он будет, тогда Борис Николаич издал этот знаменитый указ, как он — № 1400? И распустил их. А они спровоцировали эти волнения, когда от Октябрьской площади огромная толпа пошла по Садовому кольцу, через Крымский мост, на Смоленскую площадь и вышла к мэрии и там ментов пи...дила, автоматы у них отняла, подожгла мэрию... Это 3-го как раз было. Ужасно! А я как раз жил там рядом, в гостинице управделами президента в Плотниковом переулке, — буквально за МИДом. И я вышел на Смоленскую площадь, а там толпа идет, машины переворачивает, магазины громит...

— **То есть ты живьем посмотрел на революцию.**

— О-о-о! Да, посмотрел. Там такой был Илья Константинов, он во главе шел.

— **А сейчас где он?**

— Не знаю. Мудак такой. И вот толпа прорвала оцепление и от мэрии на Белый дом пошла. У-ух! А потом Лужок туда прислал ментов, и они сомкнули это кольцо и уже не выпускали никого из Белого дома. И они еще раз ночью смели оцепление и вышли к Останкину. А та толпа, которая осталась за ограждением у Белого дома, поехала на грузовиках брать Останкино. А потом это все — штурм, стрельба, «Витязь» их разгонял... А мы с Иванычем — с Сашкой Казаковым — шли, значит, пешком с работы в мою гостиницу. Транспорт же не ходил никакой. И вот мы из Госкомимущества, с Варварки, идем пешком к МИДу. Нам нужно было Новый Арбат проходить, а там как раз стрельба, снайперы стреляли...

— **И вы короткими перебежками...**

— И мы короткими перебежками, пригнувшись, побежали. И потом переулками арбатскими вышли к гостинице. Это было в ночь с 3-го на 4-е. Часа два ночи.

Комментарий   **Коха**

Всегда, всю свою жизнь я хотел быть писателем. Это не так: «А вот буду я писателем». Нет... Это глубже. Это такое восприятие, что писательство и есть стоящее занятие для настоящего человека. Остальное — ерунда. Переделывать историю — пустое дело. Воевать? Наверное... Но как-то не удалось, а специально — не стремился...

Все говорят: у тебя получается, хороший слог, темперамент... Но я-то знаю. Ни-че-го. Стоит только от публицистики уйти в беллетристику, и на тебе — сюжет сыпется, герой не выдерживает заданного характера, композиция рыхлая... Кошмар! Настоящая литература не дана. Так, мемуаристика дешевая. А хочется быть писателем. Настоящим, как Лев Толстой! Черт его знает почему...

И вот был я свидетелем революции. Просто описать это в терминах «я шел, он сказал, этот выстрелил» — глупо, неорганично. Однако осенью 1993 года я был свидетелем русского бунта. Я его видел собственными глазами. Такая удача для русского писателя. Вон Пушкин через сорок с лишним лет ездил по пугачевским местам, собирал по крохам воспоминания... Глаз там выбитый, на жиле висит, осетров баграми ловят... Ножиками режут... Казачки... Любимое племя... А я — видел! Освирепевшие лица. Дикость. Ярость. Зависть, переварившаяся в погром.

Может, попробовать? Описать это по-настоящему? С героями, сюжетом, с личной линией? Слабо?

«...В черном плаще с кровавым подбоем, шаркающей кавалерийской походкой...» Неужели? Думаешь, получится?

Блок писал: «Слушайте музыку революции». Мудак. Слушайте, бл...ь, музыку революции. Хули ее слушать? Грязища, тупая ненависть, болтовня жидовская...

Счастье, молодость. Тридцать два года. Худой, энергичный. Все просто — наивность. Обожаю... Приехал в Москву. Делать приватизацию. Без меня — никак. А тут — бунт!

По Смоленской площади идут. Лица перекошены. Давно идут, уже пару часов. С Октябрьской. Где Ленин. Уже озлобились подходяще. Переворачивают автомобили — тогда сплошь «жигуленки». Поджигают. Громят витрины. Мелкие лавочники — первые жертвы. Всегда. Сами себя заводят. Кричат. Видеть их противно. Как будто случайно застал срущую девушку. Вся магия пропала. Ба, а это ведь народ!

Все, что дорого... Все милое, красивое, родное. Буржуазное. Мещанское. Вышитые наволочки. Шторы — портьеры гобеленовые. Слоники в ряд по росту. Свинина в котлетах. Старый комод. Это и есть — человеческое. На х... — пролетарское искусство. Ненавижу худых, истеричных баб. Дайте мне задницу. Большую задницу. Как у лавочника Ренуара.

Вот эту кустодиевскую красавицу спасал я 3 октября 93-го года. Я не хотел, чтобы блядские Лили Брик опять на сто лет захватили мой народ своими свингерскими замашками. Моя родная, задастая, кулацкая Родина, с теплыми пухлыми губами, с белозубой, красивой, умной улыбкой должна была победить. И победила. Мелкобуржуазный Лужок с мелкобуржуазным Коржаковым выиграли у дебила Руцкого. У Макаша, засранца. Жулье!

...Идет, дрожит от страха. Самому страшно. Держится за руку. Все теснее... Ясность: не бойся! Горло перегрызу! Не дам в обиду ни при каких обстоятельствах. Никогда. Можешь не сомневаться. Маяковский был пролетарским поэтом, а я буду — мещанским.

Плевать на сюжет. Плевать на цельность характера — в гробу видал! Не хочу быть великим писателем. Почему не эстетично — буржуа? А раз не эстетично, то прозой? Только в конце узнал, что всю жизнь говорил прозой...

Наконец я понял, кто я. Ровно в тот день. Я — кулак. И буду всегда — кулаком. И любить буду — кулацких дочек. Я не крупный капиталист. Я — русский. Кох. Альфред. Рейнгольдович. Счастье любить тебя. Моя Родина. А не этих козлов.

Комментарий **Свинаренко**

ПУТЧ ОКТЯБРЯ 1993 ГОДА ПРОШЕЛ МИМО МЕНЯ

Как это странно! Ведь я в детстве только и думал, как бы мне поучаствовать в каком-нибудь восстании. Революционные матросы, пулеметные ленты, маузер, расстрел буржуев... Между прочим, лично мною... После — учреждение справедливости, и победители едут строить узкоколейку. И в лесу там мерзнут и вкалывают задаром, для общего блага. Вот оно, счастье! А буржуи смотрят и завидуют. Что у них есть, кроме денег? Что-то такое мне виделось.

После все переменилось, я имею в виду — у меня в голове. К 93-му я был уже совершенным антикоммунистом, давно уже сокрушался — вот, неподавленная революция сделала нас дикой страной, с первобытными порядками, с жалкой убогой жизнью. Сегодня как-то странно про это думается, но что ж за картину такую нам рисовали, если на ней венец творения — заводской слесарь... Который уж точно очень и очень далек от идеала. Такой идеал мне точно не нужен. Но — была ли у меня в 93-м мечта расстреливать коммунаров, хотел ли я уподобиться Тьеру? Хотелось ли мне лично загонять взбунтовавшуюся чернь обратно в бараки? Нет, не было у меня такой мечты. Помню — не было. Я пытаюсь теперь поточней вспомнить свои ощущения. И понимаю, что они были совершенно мещанские, обывательские. Я думал: вот, беспорядки, — а ну как стекла в квартирах начнут бить? Или — про очереди за хлебом и куревом думал. Про перспективы богатого глянцевого журнала, в котором я тогда работал и который непонятно как бы жил, затянись разборки между ветвями власти.

А что же стрельба, бои, вывоз трупов на грузовиках? Банда Эльцина расстреливает отважных русских коммунаров? Верил я в это? Думал ли об этом? Задевало это меня? Нет... Да и страну это, насколько я заметил и запомнил, это не сильно волновало. Гражданская война как-то не началась тогда. Я предлагаю такое объяснение: революции надоели широкой публике. Перебор получился. А давайте все бросим и побежим на баррикады! Ага, щас! А какого такого хрена? Тем более что мы уже усвоили Бисмарка: революции совершают герои (мы), а плодами их пользуются проходимцы (они).

Скучно, взросло, солидно. Слово «взросло» тут, может, ключевое. Как сейчас помню, перед началом восстания, накануне, я по пути в офис завез жену с дочкой в кукольный театр на Бауманской. Новости по пути слушал краем уха, и в воздухе что-то такое уже летало. И я им сказал, они и сейчас помнят: «Вы это, после спектакля никуда не ходите, дуйте сразу домой. Мало ли чего». То есть я не отвез их сразу домой, но и не отнесся к ситуации легкомысленно. Что-то среднее. И вот сейчас я думаю: я уж был отцом семейства! Какие ж тут революции? На кой они? Наверно, это принципиально. Не зря же революционеры — они такие молодые, восторженные, бесстрашные — лезут в пекло. Они себя ведут как бездетные. Они часто такие и есть. И потому чего их слушать? Пустое занятие. Их надо призвать к порядку, и все тут.

Еще помню одну картинку, которая тоже упала на ту чашу весов. Я помню 9 мая — то ли того же 93-го года, то ли 92-го. Время к обеду. Я стою у «Метрополя» и с сильным чувством смотрю на колонну демонстрантов, которая заняла всю Тверскую, по всей ширине, и, зловеще сверкая красными флагами и такими же транспарантами, идет вниз, на меня, — и, чуть не упершись, как-то нехотя, преодолевая инерцию, сворачивает к Большому театру. Эти красные флаги в таком количестве в руках у таких сосредоточенных нервных людей я рассматривал без всякого удовольствия. Я подумал тогда, что вся Перестройка, весь русский капитализм только и действительны внутри МКАД, а все, что дальше, — это очень и очень условно. Страна если и замечает, думал я тогда, капитализм, то ничего хорошего о нем не думает. И в такой ситуации вдруг и внутри Садового кольца собрались — чужие, сильные, построенные в колонны люди. Довольно легко было мне представить, что где-то за углом им раздадут винтовки и пойдут они громить все вокруг, крушить режим. И дальше что? Или даже не так. Еще проще и реалистичней: банальная лимонка взрывается вдруг в этой краснознаменной толпе. Дальше — крики, паника, раздавленные люди и т.д. И опять пошло-поехало. Да и 91-й год не забылся. Те танки, которые были присланы в мирную, наивную еще Москву. Они немного вправили нам мозги. Мы немножко ощутили, какие силы бродят, скрыты и могут вырваться наружу. Мы тогда еще мерили все такими грузовиками, с тентом, под которым сидели бойцы-первогодки, никак не готовые стрелять в людей. А кто-то уже выводил на позиции танковые полки... Ну а что, русский бунт — это бренд раскрученный. За что бунтуют, против кого — это вопрос третий. Тут по-любому — шутки в сторону.

Когда «свой» бунт, за свои идеалы — страшен, то что говорить про чужой? Про красный, про левый, про коммунистический?

Нечего тут и говорить. Бунт этот — подавить без разговоров, и все.

Итак, деталь еще сюда же. Бунт под управлением таких нерасторопных менеджеров, как Хасбулатов и Руцкой, — это еще та была бы акция. У них бы точно вся ситуация вырвалась бы из-под контроля, и понесло б нас с разгону на камни. Революция под управлением сбитого летчика — это слишком уж экстремальный спорт.

Эту ситуацию октября 93-го я как-то обсуждал с опытным зэком Валерием Абрамкиным, видным диссидентом. И вот он что сказал про те дни: «У меня было похожее настроение, когда в зоне начался беспредел, когда в зону вот-вот введут внутренние войска»...

Понимаете? Неважно, по какому поводу зона восстала. Да хоть на почве самой высокой справедливости. Все равно нет другого выхода — только войска вводить. И мочить зачинщиков. Когда это однажды не было сделано, после четыре года вся страна, вместо того чтоб ходить на работу и воспитывать детей, бегала с ружьем, и толку ни от кого добиться было невозможно.

Помню, в том октябре я таки поучаствовал в создании «летописи революции». В Белом доме в самые горячие дни была корреспондент «Коммерсанта» Вероника Куцылло. И вот, когда все там кончилось, она приехала в редакцию. Причем в состоянии страшно возбужденном, еще бы — как же иначе, если по тебе палили из танковых пушек! Приезжает она, значит, и ей поручают быстренько в номер дать 100 строк. Не просто вдохновенно что-то продекларировать, а осветить новость, причем срочно, уже близился дедлайн. Это ж производство, график, дисциплина, штрафные санкции, договоры с распространителями, с почтой, с типографией, с автохозяйством — все как у взрослых. Вероника возмутилась: у нее революция, люди там погибли, ветви власти гнулись и трещали, а к ней тут с прозой жизни — да кто вы такие, тыловые типа крысы! Это было просто картинное столкновение — с одной стороны, революционный пафос и блатная повстанческая романтика, а с другой — капиталистическая экономика, в которой все завязано на деньги. В том числе и на зарплату неистового репортера Куцылло. И вот меня к ней приставили, чтоб я ей оказал моральную и техническую поддержку. Чтоб заметка была написана как положено, причем немедленно. И я провел в жизнь ту точку зрения, что твои политические симпатии — твое личное дело, а если ты подрядился делать работу, так сделай ее. В революцию все развивается по противоположной схеме. В общем, в итоге заметка про восстание была поставлена в ближайший номер. И вышел он без задержки. А Вероника после сделала про этот путч книжку, и Яковлев ее издал.

Свинаренко: Мой друг Игорь Футымский, физик и философ, выдвинул теорию. Теория такая. Если начинается бунт, то, если его слишком мягкими средствами пытаться подавить, то не будет эффекта. А если слишком жестокими, то опять будет слишком серьезное кровопускание, гражданская война, выведение экономики из строя... А нужно именно найти оптимальный вариант... Одного человека убить — мало. Сто — много. А надо десять-двадцать, причем не в подвалах из пистолета, а каким-то серьезным оружием. И тогда волна сбивается, бунт прекращается, и снова идет нормальная жизнь. В новейшее время это нам продемонстрировал Пиночет — когда он убил Альенде и с ним десяток бунтовщиков. Убил ракетой, выпущенной с боевого самолета. У нас Борис Николаич в октябре 93-го использовал ровно ту же методику. Он из танковых пушек велел пальнуть, и бунт сразу пошел на убыль. Все успокоились.

— Ну, это не Пиночет изобрел, я думаю, это значительно раньше изобрели. Но громкое, публичное, жестокое проявление непреклонности власти сразу, в начале бунта, когда власть видит, что в случае проигрыша пощады не будет, а вероятность проигрыша достаточно высока, — значительная часть бунтовщиков приходит в себя. И кстати, вот эту непреклонность в различных видах демонстрировал еще Николай Палыч, государь-император, «непреклонность» — это было любимое его слово. В его время бунтов было много. И твой любимый Астольф де Кюстин в 39-м году находился в Российской империи как раз в царствование Николай Палыча. А как император польский мятеж подавил? А как венгерский подавил? Не говоря уже о всех этих бунтах, которые были по всей России. Вот этой самой непреклонностью подавил. Пушкин об этом писал в «Дубровском». Финал, когда солдаты пришли — и деревню расстреляли. Крестьяне же там в разбойники подались во главе с Дубровским-младшим. Прислали полроты солдат — и пи...дец, всю деревню расстреляли.

— **Если бы Ленина пораньше застрелили... Проявили б к нему непреклонность...**

— Не-е-ет.

— **Как-то тоже бы сгладилось.**

— Нет. Нет. С Лениным ситуация была более сложная, там стрелять некому было — вот что.

— **Ладно, спецназ какой-то оставался.**

— Корниловский мятеж был летом еще при Керенском, он пошел на Питер — но остановился под Гатчиной.

— **Но ты помнишь, как в «Поднятой целине» или в «Тихом Доне» кто-то говорит, кулак какой-то: «А прав-**да, что в 1903 году большевиков было двадцать человек?» Ему отвечают — да, правда. Он говорит: «Вот бы тогда бы их перестрелять всех...»

— Ха-ха!

— А я никакого не видел путча в том октябре, потому что в это время запускался журнал новый — «Домовой». А журнал, когда запускается, то нет ни денег, ни людей. Надо и самому все писать, и за другими переписывать. Ты будешь смеяться — иногда ночевали даже в редакции. В таких случаях часто акции обещают. Но, как правило, кидают.

— **Короче, ты путча не помнишь. Тогда рассказывай про «Домовой».**

— Так я тебе и рассказываю. Я в курсе, что идет путч. А сам сижу в редакции. И пишу, как пить шампанское, чем хорош Париж... Какие «мерсы» новые поступили. А на улицах какая-то стрельба... Я прихожу к Яковлеву, говорю: «Слушай, чего там вообще такое? Давай, может, я съезжу на путч, чего-то напишу, а?» А он говорит: «Не отвлекайся, нам надо срочно сдать номер. Путч через три дня закончится, и только зря пролазишь по баррикадам, сорвешь выпуск журнала, и все». И я, значит, вернулся к компьютеру и стал дальше сочинять про сладкую жизнь. А сразу же по окончании путча поехал в командировку в Париж. В журнале «Домовой» была рубрика «Тусовка», где раз в месяц должен быть репортаж с какого-то события международного. Я, собственно, под это и пошел в «Домовой».

В один прекрасный летний день 1993 года Володя Яковлев, основатель «Коммерсанта», сказал мне озабоченно, что ищет человека для нового проекта — чтоб тот ездил по всему миру и писал заметки о разных забавных событиях.

— Ну так вот он я! — говорю.

— Куда тебе? Писать ты, ладно, умеешь. И фотографируешь... Права есть у тебя?

— Только что получил.

— Это хорошо... Но языков-то не знаешь!

— С чего это ты взял, что не знаю?

— Да откуда ж тебе их знать? Ты с Макеевки, спецшкол не кончал...

— Fuck you! — сказал я и грязно выругался.

— Гм, — буркнул он.

Мы обменялись еще парой реплик по-английски...

— Ах да! — спохватился он. — Ты же, точно, еще и немецкий знаешь! — вспомнил он.

Немецким я его в свое время достал. В начале девяностых, когда я работал на немецкие газеты, в редакции был только один телефон с выходом на международную линию — и всего один факс. Этот аппарат стоял в приемной Яковлева, я звонил оттуда и, поскольку связь в те годы была паршивая, долго еще орал, переспрашивая, читается ли факс. На мой ор выходил из своего кабинета Яковлев и возмущался — как я смею с его телефона звонить немцам! Евреи иногда слишком чувствительны ко всему, что связано с Германией. Но мне таки удалось его убедить, что раз другого пригодного для моих задач аппарата в редакции нет, я вправе пользоваться командирским.

Когда мы разобрались с языками германской группы, я сообщил руководству, что у меня еще и кое-какие романские языки есть в запасе, так что скорей про Яковлева можно сказать, что он не знает языков, чем про меня. Несмотря на эту мою неполиткорректную реплику, вопрос был как будто совсем уже решен в мою пользу — и тут Яковлев вдруг обратил внимание на мою стальную нержавеющую улыбку: у меня с десяток зубов был накрыт железными коронками.

— Пора тебе нормальные зубы вставить, — сказал он.

— Знаешь что? Мои зубы — это мое личное дело. — Железные коронки меня вполне устраивали, а чужое вмешательство в мои дела — нет.

— Согласен, это твое личное дело. Но тогда и мое личное — решать, кого я назначу главным путешественником.

Свинаренко пасет кенгуру в Австралии. 1993 г. Фото Василия Шапошникова

— Да ладно! — миролюбиво сказал я. — Ну, что ты сразу горячишься! Да поставлю я зубы, подумаешь...

Я продал свой «Москвич» 41-й модели и на вырученные 2000 долларов таки обзавелся белыми нерусскими зубами.

И в итоге этим счастливым парнем, которому пришлось мотаться по разным континентам в силу производственной необходимости, оказался я.

Иду, бывало, по коммерсантовским коридорам — загорелый, усталый — jet lag ведь — с тремя загранпаспортами, распухшими от наклеенных виз, и простые репортеры, бледные, сгорбленные над казенными компьютерами, недобро смотрят мне вслед. Иногда меня окликали:

— Ты к нам надолго? Проездом? Из Африки в Китай? — невесело пытались шутить они.

— Нет — из Штатов в Австралию, — честно отвечал я.

Свинаренко: Да... Когда я учился в школе, думал: «Вот, надо работать журналистом — то есть ездить в Париж и Нью-Йорк по делу срочно, собирать там фактуру, фотографировать для глянцевых журналов...» Когда я, готовясь к этому, учил иностранные языки, знакомые говорили: «Ну ты дурак! Куда тебе в Париж?! С шахты-то? И без тебя полно желающих!»

— Скажи, а теперь, оглядываясь на пережитое, ты можешь сказать, что свои школьные амбиции — стать журналистом — ты удовлетворил полностью? В том виде, в каком они тогда были?

— **В том — да.**

— Теперь ты понимаешь, что это — херня на постном масле?

— **Вовсе нет. Это было очень забавно!**

— Не, ну ты сейчас удовлетворен тем, что ты достиг?

— **Насчет удовлетворения — вопрос непростой. Но могу сказать,** что к 93-м году я осуществил свои самые смелые планы, — касательно журналистики.

— Журналист, который ездит по заграницам.

— **В том числе и по заграницам. А не просто сидит гниет в редакции.**

— И в колхозе «Стальное вымя»...

— **Ну, типа. И не воюет с пьющими и трахающимися сотрудниками, когда все все забыли и ничего не успели, когда личный состав грызет тебе спину и пьет твою кровь.**

— А, я понял — репортер в том смысле, в котором поздний Юлиан Семенов описывал свое пребывание за границей. Да, да...

— **Ну, да. И бабки еще платят нормальные, как начальнику. Еще был советский фильм «Журналист» — черно-белый, помнишь?**

— Да, да.

— **А скорей даже образцом был, как я теперь понимаю, журналист из «Фантомаса». Мотался человек по Парижу, дружил с девушками, кра-**

сиво обедал, гонялся за Фантома-
сом... И не сказать, чтоб он сильно
дежурил по типографии и выковы-
ривал шилом отлитую на линоти-
пе строчку. Ловля Фантомаса или
как минимум раздобывание о нем информации — это все было очень
близко к моей службе в отделе преступности.

— А сейчас ты в следующую ста-
дию перешел? Ты ведь уже издатель! Уже журналисты по твоим
указаниям ездят в Париж!

— Ну, мне не в падлу и самому
съездить в Париж. Зачем людей го-
нять, отрывать от их работы... Помню, меня как-то спросили там: «А вы
часто в Париже бываете?» И я честно ответил: «Да вот в последний раз
я тут был в прошлый уик энд».

— Мог бы уже кого-то и послать.

— Так по-французски ж никто не
знает. Надо переводчика. А я во время этих поездок стал бойчее болтать
по-французски. Не в «совершенст-
ве», как некоторые любят говорить,
но и не «со словарем». А так сред-
не — с одной стороны безграмотно и
примитивно, а с другой — бойко и
убедительно. И еще с человеком-то
надо фотографа посылать. Или съем-
ку покупать. А так — я один. Чистая
экономия! Я снимаю не гениально,
но в целом приемлемо. Когда хуже,
когда лучше. Хотя и не профессио-
нал. А профи должен всегда выдавать качество «не ниже».

— Я тоже ведь снимаю. Помню,
я снимал Бранденбургские ворота,
когда только что сломали стену...
Рейхстаг там стоит...

— О! Давай устроим фотовыстав-
ку совместную! Двух писателей.

— Давай.

— Короче, к 93-му году я в части
журналистской карьеры достиг всего.

— Не зря листал языковые само-
учители. «Недаром мы гремели кан-
далами!»

— И что горько, сколько ж времени было потеряно в этом смысле зря!
Я должен был бы, по-хорошему, по-
ступив на первый курс, сразу начать
работать в настоящей газете, а на
лекции и вовсе не ходить. Как это
случилось с моим бывшим стажером,
а ныне звездой телеэкрана Глебом
Пьяных (с которым у нас одно время
был общий псевдоним Лев Свиных) —
он вроде как учился на журфаке, женился там, а на самом деле сочинял
заметки в режиме full time и получал
за это зарплату как взрослый.

— Ну, у него жизнь другая — молодой парень.

— Та же ситуация была и с Ми-
шей Михайлиным, который теперь
главный редактор газеты «Газета
Газета». А вот у меня, увы, все было
иначе. В университет я поступил в
75-м, а настоящие газеты стали по-
являться только в 90-е. И вот эти
пятнадцать лет для ремесла прошли
практически впустую.

Да... И вот в 93-м я приезжаю в
Париж... В октябре, сразу после об-
стрела Белого дома... первый раз я
там побывал тем же летом, кстати.
А осенью поехал на FIAC — это яр-
марка современного искусства. Ну,
это в Grand Palais, знаешь? Возле

моста нашего Александра Третьего. На правом берегу.

— А правый — это где Лувр или где Орсэ?

— Где Лувр.

— А, такое здание в стиле модерн, со стеклянной крышей?

— **Модерн? Скорее ампир.**

— Ну, поздний ампир, ранний модерн.

— **И вот мы приехали с фотографом. Из Москвы, со стрельбы, с би-**того стекла, там все на нервах, на измене, уже темно и слякотно... А у нас в Париже никакой тебе, понимаешь, стрельбы! Все так тихо, безмятежно... Светло, чисто, можно в белых замшевых туфлях по бульварам гулять...

— Каштаны жарят.

— **Каштаны... Да... Десять франков кулек, свернутый из обрывка газетки «France soire»...**

Комментарий | **Свинаренко**

...помню совершенно сюрреалистический happening на тему Французской революции: огромная вытянутая толпа участников с транспарантами и флагами всяких оттенков красного ходила вокруг квартала в пяти минутах ходьбы от Триумфальной арки, выдвигая странное требование — чтоб рабочая неделя длилась четыре дня... При этом то и дело оглушительно взрывались мощные петарды. Я их услышал в номере своего отеля особенным ухом, которое — и недели не прошло после настоящей московской стрельбы октября 93-го — не успело еще отвыкнуть от настоящих серьезных звуков. Короткими перебежками я двинулся в сторону события. Да, думал я, что же французы — не люди? Чем они хуже нас? Отчего б и у них не случиться разногласиям между ветвями власти? Но это был не настоящий уличный бой, а простенький недорогой happening. Впрочем, его участники пытались меня убедить, что все у них взаправду, что они не артисты, а настоящие рабочие, которые на моих глазах буквально борются за свои права.

Это было более или менее убедительно — до тех пор, пока эти непонятные люди не вручили мне отпечатанный на великолепной бумаге текст песни, которую они как раз нестройным хором исполняли. Название ее было: «О-ле-ле — о-ля-ля», и дальше белым стихом: «Рабочий день чтоб был короче, тогда придется больше людей нанять, и, пожалуйста, нет проблемы занятости». Эта придурь у них настоящая, от рождения — или это режиссер перфоманса заставил их строить из себя идиотов? Простенькая эта пьеска вообще вполне достойна театра абсурда... Который, как часть современного искусства, вышел мести улицы шершавым языком плаката. Мне в этом парижском performance октября 93-го больше всего понравилось то, что стрельба была бутафорской.

С в и н а р е н к о: Фотограф Дима Азаров, кроме многочисленных премий, отличился еще чем? Он полетел с компанией «Longines» в рекламный тур по русскому Крайнему Северу. И там их вертолет упал. Живых осталось только двое — Дима этот и Ольга Утешева. Это во льдах, в снегу. Дима все начал снимать... Потом их нашли. Ольгу повезли в Москву и вылечили, у нее было множество переломов. А Азаров был с виду цел и невредим, но получил психотравму, и ему дали отпуск. И возили ему с работы домой водку с закуской, чтоб он отдохнул и пришел в себя. И он пришел. И снова стал работать. Блестящий вообще фотограф. И вот однажды в шесть утра в Париже он стучит ко мне. Я впускаю его и ложусь дальше спать, но он закуривает и включает ТВ и начинает смотреть порнуху. Я спрашиваю — а чего ты в своем номере не хочешь покурить? Он отвечает — не могу, там пришла какая-то негритянка, ей надо уборку провести. А ты почему ее не послал на хуй? Ну как, она же работает... Уважайте, типа, труд уборщицы. Ты такое видел?

— Ха-ха-ха! Ну, это только поначалу такое было, пролетарская солидарность. Да и она хороша — пришла в шесть утра.

— Отель, как сейчас помню, был «Flaubert», 80 долларов за ночь. В каком-то переулке возле Арки.

— Ну вот это и есть те самые отели. Там горничные немного подрабатывают.

— А почему ко мне не стучали?

— Ну, ты выглядел солидней.

— Может быть. Короче, слетал я туда. А после — на Хэллоуин, в Нью-Йорк.

Комментарий

...несколько дней до праздника, а еще пуще в сам Halloween, Greenage вот так по вечерам гуляет — несколько интенсивней обычного. За жутко всерьез отнесшимся к торжеству Jekill & Hide следуют заведения, обращающие на Halloween несколько меньше внимания — но им не пренебрегающие. Бары, кафе, закусочные — везде тыквы, везде про смерть, разложение и нечистую силу, везде пьяное веселье. Но тут нужна некоторая бдительность. Вот, к примеру, на углу с Leroy Street — вниз по 7-th Avenue — гостеприимно раскрыта дверь некоего «Universal Grill», а на входе пьяненький официант, как бы в шутку одевшийся в дамское платье. Соблюдайте осторожность, а то примут за своего: внутри за столиками сидят по двое ласковые расслабленные мужики и воркуют.

Едва ли не единственное заведение общепита, которое обошлось без праздничной символики, — испанский ресторан, куда я случайно заглянул. Там можно спокойно поужинать омаром с текилой за столиком у скромной белой стены, среди строго выкрашенной в серое мебели.

— А что ж у вас нет Halloween? — спрашиваю.

— Да мы, католики, этого не любим, — ответил сдержанно метрдотель.

Не только католики! И другие конфессии не любят. Перед Halloween американская газета «Православная Русь» напоминает верующим, что «Хэллоувинъ уходит своими корнями въ языческое прошлое и продолжает являться формой идолопоклонства, въ которомъ воздается поклоненіе сатане какъ ангелу смерти». Газета призывает христиан: «Учите своих детей. Расскажите им о корнях языческаго, сатанинскаго праздника Хэллоувинъ». И призывает бойкотировать бесовщину: «Если нужно, пусть не идуть в школу, дабы не участвовать в приготовленияхъ к этому празднику». Вместо свечек в тыквах редакция советует лучше «возжигать лампады Спасителю, Пресвятой Богородице и всем святым». К примеру, Иоанну Кронштадтскому, который поминается церковью как раз в тот же самый день.

Действительно, Halloween происходит от древних кельтских обрядов. Кельты полагали, что жизнь рождается из смерти. Повелителем последней считался их местный бог Самхайн. Его праздник как раз и отмечался в ночь с 31 октября на 1 ноября. Время выбрано удачно: как раз начинались холода, кругом темнота, грязь, мерзость, так что настроение не очень жизнерадостное. Заодно уж кельты отмечали и Новый год — может, из экономии, чтоб два раза не садиться за стол.

Сегодняшние американцы почти в точности соблюдают кельтские обряды, едва ли ссбе в том отдавая отчст. Вот американский Jack O'Lantern — тыква со свечкой внутри. В таких тыквах древние разносили по домам огонь из священного костра, на котором сжигались животные — а случалось, и люди, — приносимые в жертву Самхайну. Вот переодевания в покойников: тот же Самхайн на праздник выпускал души мертвых на волю. Выклянчивание конфет: эти мертвые души были почему-то всегда голодные и в увольнении стремились отъесться. «Trick or treat!» — восклицают колядующие американские дети. Забавный вариант перевода: «Пакость или подарок!» (Просто рэкет!) Кельты подавали, опасаясь проклятия мертвецов и конфликтов с Самхайном.

Отцам церкви такая языческая чертовщина совершенно не нравилась. В качестве контрмеры на 1 ноября был назначен День Всех Святых. Канун этого праздника на староанглийском назывался «All Hallow Even» — отсюда и произошло название маскарада. Боролись долго и упорно — но вот в Америке как-то без успеха.

А вот русский аналог Halloween исчез, кажется, бесследно. Кто у нас отмечает сейчас Навий день? Кто знает, что такое по-старославянски вообще «нав» (мертвец)? Все, что от забытого языческого праздника осталось, — это поминовение усопших во вторник Фоминой седмицы, перед Пасхой. Да и Вальпургиева ночь — когда собиралась на шабаш нечистая сила — в России тоже как-то сходит на нет: Первое мая становится, кажется, менее популярным. Правда, Масленица да Ивана Купалы живы пока.

Заехав ностальгически на Brighton Beach — по Бруклинскому мосту, который своим пыльным железом так напоминает уложенную набок Эйфелеву башню, — посмотреть на законсервированную советскую эпоху: гнутые плексигласовые прилавки в магазинах, шпроты по рубль тридцать (правда, долларов), конфеты «Мишка» и «Красная ШаРочка» (для последних букву «пэ» взяли из латинского алфавита), совершенно цековскую селедку-залом и лучшие домашние пельмени в кафе-пельменной «Каппучино», — я застал и там Halloween, ранее одесским евреям совершенно не присущий.

Сцена в пельменной. Девочка лет двенадцати в костюме черной кошки, с пластмассовой тыквой (внутри — конфеты, выданные на party), прибежала сюда к сидящему за столиком папе:

— Daddy, ну можно я тут еще похожу на этом блоке, я еще хочу пособирать candies! Ну please...

— Иди... — отвечал кудрявый задумчивый папа, отрываясь от «Martell» и видеоконцерта Пугачевой.

Папу зовут Эдик Смолов, он слесарь по ремонту фотоаппаратов. «Ага, — осенило меня, — дочка его вовсе не daddy называет, а Эдди!» Свою дочку он назвал Michele. Ее подружку в костюме хиппи зовут Daniela Zhitomirsky. Девочки вскоре снова прибежали и высыпают Эдику на стол собранные конфеты, запыхавшись: это азартное занятие — охотиться за трофеями! Впрочем, колядование на этом прекращается: папу надо вести домой, пить он больше уже не может, ну и нечего зря сидеть.

С в и н а р е н к о: Прилетел я, значит, 2 ноября с Хэллоуина, из Нью-Йорка, а 4-го уже вылетел в Австралию, на Формулу-1. Так, только чемоданы поменял, заметку сдал — и снова в путь. Нелегкая журналистская судьба.

— Ты еще покойничка Сенну видел.

— Да. Разговаривал с ним.

— Так вот это и было главное событие года у тебя! Интервью взял у чемпиона мира!

— **Взял, но не очень длинное. Он тогда с телкой со своей был, ее звали Ад-**

риана. Видная девица. Где она теперь, кто ей целует пальцы? Надо сказать, что сам он был не очень обаятельный. Не так чтоб слишком симпатичный. Он все время кому-то ебало разбивал.

— И сам разбился вдребезги. Всмятку.

— **Такая, сука, у них жизнь... А Шумахер — он не такой был артистичный. Скучноватый. Он тогда совсем был молодой. Только начал надежды подавать. И еще Хяккинен был такой. На самом деле Формула-1 — это очень скучно. Другое дело — походить по Австралии.**

ЯРКИЙ БЫЛ ПАРЕНЬ — СЕННА

Ссора двух великих гонщиков — Сенны и Проста — проходила как будто по грамотно, но незатейливо сочиненному сценарию. Вот два персонажа, олицетворяющие две крайности. Прост компактен и хрупок, Сенна высок и мощен. Первый обаятелен и улыбчив, второй высокомерен и подчеркивает свою цену. Один интеллигентен и вежлив, другой вспыльчив и дерзок. Они то ссорятся, то мирятся и по очереди побеждают и проигрывают. Впрочем, может, именно этот заранее написанный сценарий и разыгрывался — эта отрасль шоу-бизнеса ничем не хуже других, и рекламная кампания тут слишком ответственное дело, чтоб пускать драматургию на самотек: сюжет надобно поддерживать в напряжении.

Фабулу украшают и причудливые повороты: подразумевалось, что с уходом Проста его место в команде займет именно Сенна и молодежь как бы продолжит дело ветеранов. А Профессор (кличка Проста), будучи спрошен: «А возьмете ли вы к себе в команду, если таковую купите, Сенну?» — ответил: «Отчего ж не взять — он хороший гонщик, а я человек прагматичный». Что касается вопроса о такой важной покупке, как целая команда, то Прост на него отвечал так: «Вот именно сейчас, в данный момент, я такую покупку делать не намерен».

Если так, то образ Сенны (злой гений) прописан довольно тщательно. Он протаранил не только Проста, но и Манселла — год назад здесь же, в Аделаиде. Манселл был убежден в злом умысле и всем рассказывал, что это явный сознательный таран: «Я еще на первых кругах заметил: он как бы дает мне понять, что готов стать камикадзе. Он это сделал намеренно — Сенна не тот человек, чтоб сделать такое по ошибке». Манселл был вне себя (это же была его последняя гонка на Formula) и требовал крови: «Почему Сенну не наказали за нарушение?» И за это обзывал аделаидских организаторов «жалкими трусами».

Живописной была ссора Сенны с Деймоном Хиллом, потомственным гонщиком (его папа Graham был когда-то чемпионом Formula). Сенна требовал, чтоб более молодой и менее заслуженный коллега был на треке почтительней. Хилл, однако, дерзко ответил, что будет гоняться так, как считает нужным. Сенна от него отстал.

По-другому обошелся Сенна с еще менее заслуженным товарищем — Эдди Ирвином. На японском этапе Сенне показалось, что юноша совершает слишком рискованные маневры. После финиша горячий бразилец подбежал к Эдди и ударил его кулаком по физиономии. Ну и манеры! Сенна позже — в Аделаиде — публично каялся (на пресс-конференциях) и утверждал, что вообще не любит скандалов.

FIA этой дракой заинтересовалось и объявило через газеты, что вызывает Сенну в Париж на ковер: он будет держать ответ за мордобой. Общественность в Аделаиде гадала, какое ему будет наказание: очки набранные спишут, деньгами возьмут или отлучат от одного-двух этапов на следующий год? Сенну эта новость сильно расстроила. И когда на очередной пресс-конференции ему про досадный случай напомнили, он взорвался — опять. Бить никого на этот раз не бил, но матом ругался. Сквернословил он в адрес отдельных гонщиков, которые даже одной fucking (так и сказал) гонки выиграть не могут, а туда же, — намекая, видимо, на побитого коллегу. Журналисты были страшно довольны: вот сильно сказал парень!

Прост, бывало, задушевно рассказывал мне:

— Люблю австралийскую природу и людей здешних тоже. Что буду делать через десять, скажем, лет? Ну не знаю, не знаю. И знать не желаю. В том смысле, что я не люблю загадывать наперед. Есть некоторые проекты, но пока не хочу принимать решение. Надо провести гонку, потом отдохнуть, расслабиться, поразмышлять о жизни, ну а тогда и решать. Пока же план такой: уделить больше времени семье.

Да все и так знают, что он примерный семьянин (жена Anne-Marie, двое детей). А Сенна, его заклятый противник, живет в грехе со своей шикарной girlfriend, заметьте. Прямо художественный фильм наяву.

Заключительные кадры этого трогательного сюжета: Сенна обогнал Проста на девять секунд и выиграл Grand Prix. Прост, однако, оставил при себе титул чемпиона года. Сенна великодушно обливает соперника шампанским «Moet» из ведерной бутылки, основную часть содержимого вылив, однако, себе на голову.

Вроде бы победила дружба. В следующих сериях Сенна, видимо, должен исправиться и стать положительным героем. Он перестанет драться, ругаться матом, женится на своей Адриане и станет примерным отцом нескольких ангелочков (мы уже распознаем либретто мыльной оперы, и легко догадаться, какая роль достанется красавцу-исполнителю, кстати сказать, бразильцу). И как это странно, что все заранее знали: Сенна победит в Аделаиде! И те, кто болел за Проста и сладко переживал за любимца, — те тоже знали.

А потом Сенна разбился.

...Из всех городских parties, которые не прерывались в течение гонок, мне больше понравилась non-stop гулянка у капиталиста-электронщика Джона Уайтинга (мы с ним познакомились, выпивая в La Trattoria): она продолжалась четыре дня и проходила на свежем воздухе, в самой интересной точке Аделаиды. А именно — в павильоне на треке.

Такой четырехдневный марафон Уайтинг проводит каждый год с 1984-го — с первого австралийского Grand Prix. Арендует клочок территории над треком, строит там павильон, завозит мебель и холодильники, выпивку и закуску и устраивает себе и своим компаньонам маленький отпуск.

Все приглашают друзей, и компания собирается человек в сто, которая, с одной стороны, смотрит все гонки (болиды проносятся под навильоном, и еще можно с ТВ сверяться), а с другой стороны, самым приятным образом проводит время.

— Люблю Formula-1, — признается со счастливой улыбкой Уайтинг. — Это как карнавал! Но только не надо писать про мое party: не хочу, чтобы моя страна выглядела в глазах иностранцев плохо.

Мне, однако, удалось его убедить: мало плохого в том, чтобы пить шампанское, плясать и наблюдать за гонками. Напротив, даже очень многие позавидуют.

Уайтинг рассказал, что такие каникулы обходятся ему каждый год тысяч в 90 американских долларов (это с выпивкой и закуской на 400 человеко-дней), но денег ему на такое замечательное развлечение не жалко.

Одним из самых почетных гостей гонок был старый «битл» Джордж Харрисон, знаменитый любитель privacy. Он прятался от публики в «Hilton», почему-то не в люксе, но в обыкновенном двухместном номере. Свое уединение он нарушал редко: посмотрел заезд, а еще сделал круг по треку на «McLaren F1 Experimental Prototype-5» (пассажирский автомобиль в стилистике «Ferrari», только покруче). Сильно постаревший со времени своих австралийских гастролей 1964 года, но по-прежнему в джинсах и простецких парусиновых туфлях, он залез внутрь этого темно-зеленого экспериментального красавца и помчался. А после, когда вылез из машины, задумчиво сказал в пространство:

— Может быть, я бы и взял себе такую... если б скидку дали (с цены в 2,4 млн. австралийских долларов). Хорошая машина, хотя... я к этому как-то остыл. Это в шестидесятые у меня был «Ferrari», я гонял, как маньяк, а сейчас... — И еще про шестидесятые, тоже ностальгически: — Иногда мне так не хватает Джона...

Теперь они там, наверно, вместе.

Свинаренко: Помнишь, мы как-то сидели в кабаке, и вдруг туда приехал журналист N.?

— А, который порножурнал выпускал?

— Ну, типа.

— Он еще хороший комментарий про Волочкову написал.

— Когда-то он у меня в отделе работал. И вот он в 93-м лежал помирал. У меня много записей в еже- дневнике про него. Типа, завезти ему некий реополиглюкин, бананов или там пива. Он исхудал вдвое, зеленый был, синий...

— Ха-ха-ха!

— Чего ты ржешь?

— Я вспомнил, как он Волочкову сравнивал с Глубокой Глоткой.

— А. Ну вот. Он собрался помирать — вызвал семью с Камчатки, чтоб попрощаться с детьми. Окре-

стился. И так он лежит, помирает… Неделю лежит, месяц, другой… И никак не помирает, а вместо этого посвежел так, пачку наел… И он уже не изможденный, а румяный.

— Раблезианского типа.

— Ожил. Ну и слава Богу…

И еще — суды, важная тема. Я заметил в 93-м году, что больше времени трачу на разборки по уже вышедшим заметкам, чем на организацию производства новых. Все стали подавать в суд — отдел преступности, ну что хорошего он может написать про людей? Это ж не отдел культуры какой-нибудь там… Я искал адвокатов, они работали, после сбегали, я новых искал. Один известный адвокат мне, помню, предлагал денег — чтоб я ему поддался и проиграл дело. И чтоб он еще больше прославился. Он мне предлагал денег в размере суммы иска, чтоб я сдался и их выплатил. Я его в шутку спрашиваю: «А как же я буду расплачиваться?» Он оживился: «Ничего, придумаем, как отрабатывать!» То есть он из меня хотел сделать дурака, и чтоб я ему еще был должен. Вот — настоящий лойер!

А я, надо сказать, ни одного иска не проиграл. Один, самый тяжелый, тянул, тянул… Оспаривал решения… Его потом уже после меня продули. Когда Пьяных командовал преступностью. Но, по крайней мере, за счет инфляции это с 2000 долларов до 500 упало.

— А Пьяныху сколько лет?

— Он нас лет на десять моложе. Он на первом курсе стал понимать

то, к чему мы на четвертом десятке стали подходить. Как нас подъелдыкнул в предисловии к первому тому Парфен, жизнь потрачена на постиженье того, что должно быть понятно в самом начале… Хорошая формула! Красивая.

— Во всей этой подколке, с которой я в принципе согласен, мне не понравилось то, что у Парфена как бы была другая жизнь. Как будто то, что мы изучили в результате жизни, он знал с самого рождения. Это он в Череповце узнал, наверно?

— Ты знаешь, может, он и прав. Он с самого начала там, в Череповце, взялся за попсу, он же не про Моцарта писал. Сразу чисто на рынок начал работать. Он какой-то очень взрослый. Серьезный такой.

— А потом все равно пришел к Российской империи. И к Пушкину. Так что — какая разница? От перемены мест слагаемых сумма не меняется. И пришел к тому же, к чему мы. Причем в том же возрасте и в то же время.

— Мне все-таки кажется, что он более трезвый человек, чем мы.

— А трезвость, она чем меряется? Километрами? Литрами? Деньгами? Чем?

— Ну… Жесткой прагматичностью. Он какой-то очень немецкий. Ты против него так просто совсем русский.

— Я — наполовину русский..

— А он против тебя — ну чистый немец.

— Нет, он способен на нерациональные поступки. Вот взять хоть довольно теплое интервью с Ахмедом Закаевым. (Это было задолго до скандала с убийством Яндарбиева. — *Прим. ред.*) Что, оно ему в плюс?

— В плюс. Это просто **профессионализм — показать то, чего не покажут другие.**

— Но можно отгрести взысканий вплоть до потери места.

— **Да ну, с Леней, мне кажется, можно договориться.**

— А зачем ему создавать почву для того, чтоб с ним начали разговаривать?

— **Вот когда была разборка с НТВ, все бегали, митинговали, а Леня спокойно себя вел.**

— Да многие так! А Таня Миткова — что, тоже немка?

— **Ну, может, и не немка, но у нее же муж чекист. Думаю, он ей разъяснил тогда «политику партии». Ну вот откуда это совок опять всплывает? Давненько я таких терминов не употреблял даже в шутку. Хотя, конечно, я их только в шутку и употреблял. В злую, недобрую шутку.**

— Ну и что, что чекист? А рейтинги-то зашкаливают.

— **Молодец. У нее такое лицо... Она так хлопает ресницами...**

— И хорошие новости делает.

— **Это уже не так важно. Мне кажется, мужикам на нее приятно просто смотреть, этого достаточно. Новости — это не так важно. Главное, это ее лицо, глаза, взгляд. А еще в 93-м начался Сурков. Специалист по PR, он у меня так в календаре был**

записан. **Телефон его тогда был, пожалуйста, 955 6931.**

— А чего он от тебя хотел?

— **Да не помню я. Я не уверен, что вообще с ним разговаривал. Так, записал зачем-то. Тогда было огромное количество пиарщиков! Вот я это сказал и понял, сообразил, что они были как-то очень друг на друга похожи. Росточка небольшого, в костюмах, с галстучками, подтянутые такие, улыбаются вежливо и холодно... И я ловлю себя на мысли, что даю типичный портрет чекиста... То ли пиарщики были из чекистов, что, кстати, было бы логично. То ли это просто одна порода людей, что-то такое комсомольское, циничное, готовое на все... Еще я в 93-м получил права. Пробок тогда не было...**

— А мне казалось, что были.

— **Это тогда могло казаться, что были. Но сейчас-то мы понимаем, что не было их! А мы этого не ценили. Страшно подумать — что ж дальше будет, если такими темпами?.. И еще: я купил множество собраний сочинений. Диккенс, Мопассан. Все появилось в магазинах! Бэушные такие собрания. Почему-то казалось, что это редкий шанс и надо им воспользоваться. А то после опять настанет книжный дефицит... Это очень важная деталь! Похоже, НЭП мне казался временным отступлением, я в глубине души не рассчитывал, что капитализм — это всерьез и надолго. Я это, похоже, считал передышкой — и пытался использовать ее, чтоб запастись каким-то добром на будущее...**

БУТЫЛКА
ТРИНАДЦАТАЯ

1994

Тема года — приватизация. По поводу которой соавторы устроили жесткую полемику. Свинаренко требует реституции, без которой частная собственность, с его колокольни, священной никак не смотрится. Кох же уверяет, что честная реституция нигде, а тем более в России, невозможна, а частная собственность, несмотря на это, должна остаться неприкосновенной.

Авторы обсуждают начавшуюся чеченскую войну и спорят — можно сравнивать наших горцев с американскими индейцами или нет. Кох, используя в том числе и Талмуд, излагает свое понимание Чечни и чеченцев. Свинаренко дает свой взгляд на дело полковника Буданова: некрасиво с человеком поступили.

Бутылка тринадцатая
1994 год

Свинаренко: Алик! Вот чем интересен 94-й год? Да хоть тем, что сейчас имеет место десятилетие всего, что было в 94-м!

— Первое из важных для меня событий — это окончание чековой приватизации. 1 июля она завершилась. А в ноябре Чубайс ушел из Госкомимущества. Назначили Полеванова — протеже Коржакова, бывшего губернатора Амурской области. Довольно смешной тип. Он все пытался остановить приватизацию, говорил, что это разбазаривание — вот как сейчас это модно, так он десять лет назад говорил. Полеванов тогда волновался: «Ай-ай-ай, караул, национальная безопасность! Страдают ее интересы!» Я его тогда попросил дать определение национальной безопасности, а он не смог. Вот я сейчас в Америчке был,

встречался, в том числе, со своей подругой Леной Теплицкой. Она живет в Вашингтоне, работает президентом Американско-российской промышленно-торговой палаты.

— **Подруга в хорошем смысле слова?**

— В хорошем! Я же с женой был; мы семьями дружим. Она мне рассказывала про новые звезды в конгрессе. Там у них теперь все эти звезды — сплошь специалисты по национальной безопасности. Теперь это ух как модно. Дармоеды... И я сразу Полеванова вспомнил. А так как он доктор геологических наук, то и в золоте неплохо разбирался. Вот так десять лет назад у нас появился специалист по национальной безопасности, который так и не смог дать мне ее определение.

Израиль. Здесь крестили Христа. (Кох с женой на Иордане)

Комментарий ▮▮▮ Свинаренко ▮

СОЛЖЕНИЦЫН О ТОМ ЖЕ ПОЛЕВАНОВЕ

...Одна неожиданная петелька в ходе событий помогает нам узнать о них еще рельефней. Эта капризная петелька была: внезапное назначение в ноябре 1994 года амурского губернатора Владимира Полеванова, многолетнего колымского геолога, главою Комитета по управлению государственным имуществом. И ему открылись все бумаги, как это имущество за минувшие месяцы утекало и таяло. Как человек, преданный долгу и чести, В.П. Полеванов подал председателю правительства разоблачительную докладную записку 18 января 1995 о творящихся преступлениях. (Докладная эта теперь опубликована. Она вопиет фактами, цифрами, размерами преступлений, как велся общий развал народного хозяйства, например, как 51 процент «Уралмаша» получает одно лицо, а другое покупает 210 млн. акций «Газпрома» по десять обесцененных рублей за акцию, то есть даром. Автомобильный огромный лихачевский завод был «продан» в 250 раз дешевле его стоимости: вместо 1 млрд. долларов — за 4 млн. Красноярский алюминиевый завод «продан» братьям Черным — в триста раз дешевле стоимости.) И каков же был результат ошеломительной докладной? Через три дня, 21 января 1995, Полеванов был уволен, чтобы «не мешал реформам Чубайса».

Комментарий ▮▮▮ Коха ▮

Хитрая хохлацкая морда, чувствуя, что не вытянуть ему одному тему приватизации (особенно против меня), позвал себе в помощники Солжа. Ну не скотина? Знаете, как во дворе — ему накостыляли, а он старшего позвал. Западло... Ну, да ладно. Не отступать же.

Комментарий ▮▮▮ Свинаренко ▮

От немецкой хари слышу. Где это ты мне накостылял по приватизации? Что-то я такого не припомню. Нет бы спасибо сказать, что я тебе выставляю в оппоненты человека заочного и к тому же в отличие от меня — деликатного. Солженицына Александра Исаича, которого мы в советском быту фамильярно называли просто Исаичем.

Продолжение комментария ▮▮▮ Коха ▮

Читатель! Я сейчас не буду расписывать свой обещанный комментарий про приватизацию. Пусть Свин с Исаичем изложат все свои аргументы. Ты, пытливый мой друг, не обращай внимания на то, что поначалу будет казаться, что я проигрываю. Это я их так заманиваю. И вот, когда уже, казалось бы, я сдался, вот тогда, ближе к концу главы, в конце приватизационной темы, я на все их аргументы и выложу свои контраргументы. Кутузовский стиль. Заранее скажу — тяжело. И Свин вредный, и Исаич уж больно мной уважаем... Ну да ничего — они первые напали. Так что держитесь!

С в и н а р е н к о: Я тебе могу объяснить насчет национальной безопасности.

— Давай.

— **Ты не зря американцев вспомнил. Надо смотреть, что и как делается в Америке — а там все делается в интересах национальной безопасности, — и тогда все станет ясно. Ну вот есть международное право, ООН, договоры — прекрасно. Это железно — или может быть проигнорировано? Может. Это все отметается. В случаях, когда это противоречит интересам Америки.**

— Ничего подобного. Ну, кто формулирует интересы Америки?

— **Вот еще Америка тебя не спросила, как ей понимать свою безопасность!**

— Кто тот демиург, который это определяет? Кто?

— **Я тебе объясняю. Вот приехали белые, перевешали и пожгли индейцев и забрали у них землю. Ибо это соответствует национальным интересам.**

— Неправильно.

— **Правильно.**

— Сколько лет ты прожил в Америке?

— **Год. И дальше что?**

— И ты не удосужился усвоить простую вещь, что не белые снима-

ли скальпы с индейцев, а наоборот. Этот обычай принадлежит индейцам. А не белым.

— **А ты не помнишь, что правительство Соединенных Штатов объявило закупочные цены на скальпы индейцев?**

— Ложь. Не было такого. Вот так! Сказки! Красная пропаганда!

— **А Фенимор Купер это описывал.**

— Купер это описывал тогда, когда британское правительство объявило. До войны за независимость.

— **А англичане — это, по-твоему, не белые. Белые не скальпировали, а только англичане. Алик! Здесь у нас не бизнес и не политика, так что можно расслабиться и дискутировать корректно. Оставим скальпы как частный случай. Давай глянем шире. Вот приплыли на парусниках белые в Америку. Высадились. Отчего было б им не пойти к команчам, не попросить у тех вид на жительство, не сдать экзамен на знание индейских законов — и языка. Сдали вы экзамен, пустили вас в страну — ну так и живите по их законам.**

— Так и сделали! Так и сделали!

— **Что — сделали?**

— Я не собираюсь оправдывать белых поселенцев, но обращаю ваше внимание: Америка в войне с коренным населением отстаивала не интересы национальной безопасности. Не безопасность белого человека перед лицом краснокожего она отстаивала! А священный принцип частной собственности. И это не национальная безопасность, а международный принцип, который надо отстаивать. Везде.

— **А вот и не хера. Я изучал вопрос на месте... Белые приплыли тогда и спрашивают: можно нам тут жить?**

— Нет, они спрашивали: можно мы у вас эту землю купим?

— **Не так. Все дело в том, что такого понятия, как частная собственность, у индейцев не было! У них было такое понятие: хочешь — живи. Тем не менее белые настаивали, чтоб землю как-то на них оформили. Индейцы отвечали, что земля принадлежит Богу и потому ее нельзя продавать. Ну не было у людей понимания того, что такое частная собственность! Почему, Алик, ты так уверен, что двести лет назад неграмотные дикари в перьях лучше разбирались в частной собственности, чем много позже — белые люди, практически европейцы, которые принципиально отказались признавать**

частную собственность, отняли ее и поделили произвольно всю по полной программе (начав в 1917 году)? Почему ты думаешь, что краснокожие племена способны были больше уважать частную собственность, чем сегодняшние граждане космической державы России, поголовно образованные и насмотревшиеся ТВ до тошноты? А? По мне, так ниоткуда не следует, что индейцы понимали происхождение семьи, частной собственности и государства. Я считаю, что они ни хера не понимали — как сейчас русские этого не понимают.

— А, не понимали, говоришь, индейцы? Любимое объяснение. «Это не он виноват — это среда заела». Но я уверен, что у белых тут не было расизма. У них был принцип уважения к частной собственности. Если ее белый не уважал, то с ним тоже бы расправились. В тюрьму его, а если он и после отсидки не уймется, будет людей убивать — уничтожить его, будь он белый или индеец. В общем, неважно — индеец он или белый.

— **Согласен, что не важно. Если человек в принципе мудак, то его не научишь, что такое частная собственность.**

Комментарий **Свинаренко**

· Вот отрывок из моей старой книжки про Америку, где я и индейский вопрос тоже обозрел. Это я записал со слов белого специалиста по индейскому вопросу.

«Поначалу, когда в Пенсильвании стали селиться квакеры, они у делаваров мирно покупали землю, и все были довольны. До тех пор, пока могикане и ирокезы, которые жили к северу от теперешней Москвы на

Finger Lakes, не обвинили делаваров в распродаже родины. Могикане с ирокезами этих делаваров контролировали, или, говоря по-русски, «держали».

И за продажу земли виновных депортировали: согнали делаваров с насиженных мест, переселив поближе к себе, чтоб легче было за ними присматривать. А вождя делаваров «опустили»: прилюдно накинули ему на голову одеяло и объявили, что он больше не мужчина и впредь будет считаться женщиной. Это было не что иное, как поражение в правах.

Вообще же индейцы землю обычно не продавали. Они просто пускали желающих пожить на свою территорию, а деньги за это брали чисто из уважения. Дает человек что-то, хочет тебя уважить, так неловко отказываться. Индейский взгляд на землю очень близок русским депутатам-коммунистам. Ни те ни другие не в силах понять, как это земля может быть частной собственностью. Любопытно, что и тех и других белые американцы называют красными. И к чему индейцев привело недопущение земли в рыночный товарооборот? Так и забрали у них землю за бесплатно. А бывшие ее владельцы неплохо устроились в резервациях.

— Вот ты мне скажи, Тед, — спокойна у тебя совесть? Как-то получается, что вы пришли и все у индейцев забрали, и как забрали, так после тут же изобрели права человека. Не до, заметь, а после... Нет бы вам сначала учредить эти права, а потом уж вести с индейцами и их адвокатами переговоры. А?

— Нет, жульничества, думаю, там не было... А было столкновение двух культур, когда одна сторона не могла понять, чего хочет от нее другая. Индейцы и белые считали друг друга по меньшей мере странными.

Просто так получилось. Европейцы, когда покупали землю, считали, что она перешла в их собственность со всеми вытекающими последствиями. И никто чужой теперь не может на эту землю ступить. Иными словами, исходили из сложившегося и привычного им европейского понимания вопроса. А индейцы, даже взяв деньги за землю, продолжали ее считать ничьей.

...Они просто не понимали друг друга. Фермер, например, вырастил урожай. На поле приходят индейцы и рвут кукурузу — растения же ничьи, они всегда сами по себе росли. И еще индейцы забивают фермерскую ручную свинью — ведь звери, они специально созданы Богом для охоты, правильно? Фермер обижается на индейца так, как обиделся бы на белого за то же самое. И требует законной компенсации. Индеец смеется ему в лицо и обзывает полным идиотом. Тогда фермер убивает индейца. Другие индейцы приходят и убивают фермера и сжигают ферму. Соседские фермеры в священном гневе идут мстить индейцам и так далее. Столкновение культур!

А вот цитатки из Брокгауза и Ефрона, которые красной пропагандой вроде не занимались. «В союзной республике (наверно, имелись в виду США) в сношениях с индейцами пользовались системой трактатов, причем за известное вознаграждение деньгами или произведениями (ружья, одежда, амуниция). И уступали постепенно свои прежние территории, и уходили все дальше и дальше на Запад; таким образом, уже в начале текущего столетия они оказались загнанными за Миссисипи. Нарушения трактатов то той, то другой стороной вызывали частые войны — в последние десятилетия особенно в пределах Скалистых гор, что еще более способствовало уменьшению численности этой и так очень неплодовитой расы.

...Племя юте (утах), обыкновенно мирное, в 1879 году приняло участие в восстании против белых; быстрое заселение штата лишило их лучшей части их владений.

...Племя Nez Percés, одно из самых развитых в умственном и физическом отношениях, долго жило в мире с белыми. В 1875 году, когда у них отняли часть их удела, начались распри, два года спустя приведшие к войне. Недовольная часть племени, числом не более четырех или пяти сотен, в течение нескольких месяцев выдерживала нападения правительственных войск, пока наконец не удалось их взять в плен; они были поселены в особом уделе территории индейцев.

...после открытия Америки потребовалось даже издать папскую буллу (1537), чтобы разрешить сомнение касательно того, можно ли вообще считать индейцев принадлежащими к человеческому роду. Более точные наблюдения новейших исследователей доказали, что в умственном отношении индеец действительно стоит ниже белого. Способность понимания у красной расы ограниченнее, и действие ее медленнее, воображение тупее, чувствительность к внешним впечатлениям менее развита; индеец живет только настоящим, а о будущем никогда не заботится. Так как понятие будущего недоступно его воображению, то он всегда равнодушно смотрит на приближение смерти и, будучи взят в плен, без ропота идет навстречу неизбежной участи. Этим же объясняются его леность и беззаботность. Точно так же его невоздержанность в дни изобилия, спокойствие, с которым он переносит лишения, его равнодушие к улучшению своего положения, к правам собственности и установленному гражданскому порядку коренятся в ограниченности его кругозора. Отношения между числами лишь с большим трудом даются пониманию индейца. Невысокая степень способности мышления обнаруживается также в туземных языках, которые от североамериканских озер до южной оконечности Патагонии принадлежат большею частью к одному и тому же типу. Они принадлежат к классу так называемых синтетических языков, в которых деятельность разума по установлению логической связи между отдельными словами только в слабой степени отражается на грамматических формах; отдельные понятия разбиты на множество поставленных рядом конкретных односложных слов — корней, которые в той или другой необработанной группировке и выражают высшее представление, но при этом часто являются неясности и двусмысленности: все это указывает на медленно работающий ум».

Последний абзац — к сугубому сведению тех, кто уверен: белые прям вовсю соблюдали договора с дикарями. Все, значит, бросили и начали соблюдать не вынимая.

С в и н а р е н к о: Так вот, отвечая на твой вопрос, продолжу объяснение, что такое национальная безопасность. Это когда НАТО расширили, хотя обещали этого не делать. И когда Ирак разгромили, чтоб изъять оружие массового поражения, — а нету такого оружия, и все, в общем, с самого начала знали, что нету… И англичанин, какой-то из натовских начальников, признался, что в Сербии не было никаких массовых захоронений мирных албанцев. Что это было придумано, чтоб начать бомбардировку Югославии.

— Ты так и будешь один говорить? Ты обратил внимание, что во всех главах ты говоришь больше, чем я?

— Не обратил. Ну, хочешь, говори больше. Ты вон комментарии иногда пишешь огроменные — ну так и пиши, если хочется. А я тут закончу коротким тезисом. Вот ты говоришь, что американцы не так плохи, ты их защищаешь. А не надо этого! Я ведь не говорю, что они не правы, что надо было иначе! У меня нет возражений против того, что белые захватили Америку и устроили на месте диких прерий богатую страну.

Это все я говорил для того, чтобы по твоей просьбе объяснить, как я понимаю национальную безопасность. Вот и надо — служить своему народу, действовать исключительно в его интересах и давить всех, кто возражает. А не щелкать каким-нибудь местом.

— Одно замечание. Все очень красиво ты про аборигенов рассказал. У них орлиные профили, они великолепно скачут на коне и стреляют из лука. Но ведь договора заключались с белыми поселенцами! Дого-во-ра. В которых все было вписано. Что земля покупалась. Что после этого ею нельзя пользоваться, и про посевы, и про скот, про все, про все. И платили за нее деньга-ми. Вожди племен эти деньги спокойнехонько брали и прекрасно знали, что записано в договоре. Потому что договор был в двух экземплярах, на английском и на языке индейцев, для которого специально англичане придумывали грамматику и письменность. Я своими глазами видел эти договора в Нью-Йорке в Музее натуральной истории! И комментарии к ним! Индейцы — это типичные чучмеки, которые, когда надо — умные, а когда не надо — идиота включают. Или про старинные обычаи рассказывают. Понимаешь? Товарный обмен между племенами у них был? Был. Скотом, тканями, зерном они менялись? Менялись. Если взял плату за, ну я не знаю, ламу, то ее уже обратно использовать нельзя без разрешения нового хозяина? Нельзя. Понимал это индеец? Прекрасно понимал еще до прихода европейцев. А потом начинается объяснение — я вообще-то дурак и ничего не знал! А деньги? Какие деньги? Ах, вот эти? Так я их из уважения брал. Обычай такой! Чисто показания Мкртчяна в «Мимино».

Комментарий **Коха**

Кстати, по этому поводу есть интереснейшие исследования известного этнографа и историка Моргана, которые он проводил в середине XIX века, живя в индейском племени сиу. На основании этих исследований Энгельс и написал знаменитую свою вещь «Возникновение семьи, частной собственности и государства». По-моему, это лучшее, что есть в марксистской литературе.

Энгельс, кстати, прямо на титульном листе честно и написал, что эта книга базируется на исследованиях Моргана. Так у Энгельса получается, что было у индейцев понятие частной собственности. Было. И поэтому все они прекрасно понимали, когда посевы топтали и чужую свинью ели. Так-то.

Свинаренко: Так вот, Алик, есть договора или нет — это меня не волнует, тем более что на компьютере можно любой договор сварганить. Повторяю, я только хочу тебе показать, что такое национальные интересы. Это когда от законных владельцев земли, которая тебе понравилась, остается только ветхая бумажка в музее для детей. Что вот, типа, мы приехали в гости и честно отняли у хозяина его собственность. И он теперь по закону бомж.

— Нет, это не национальные интересы — а принципы! Есть принцип частной собственности, есть принцип соблюдения договоров... Соблюдение принципов интернационально, и они не меняются в угоду политической коънюнктуре. Чего не скажешь об этой эфемерной «национальной безопасности», которая субъективна и по ее поводу у двух людей может быть три мнения. Вот я хочу понять, кто формулирует понятие «национальной безопасности»? Мол, вот это для нации — хорошо, а это — нет. Заметь, я не спрашиваю, кто формулирует принципы. Про них более менее все ясно.

— **Вот я тебе пытаюсь объяснить. Почему американцы свою нефть не продают?**

— А потому что чужой хватает.

— **Вот! Вот тебе и национальный интерес. Зачем свою жечь, когда можно у лохов покупать!**

— Да.

— **Очень хорошо, очень правильно! И еще важно не соблюдать договоры, которые противоречат интересам твоей страны, не изображать из себя интеллигента, которому дай справедливость любой ценой. Сахаров, понимаешь ли... Боюсь, американского Сахарова ожидал бы электростул. Вон в Штатах были сепаратисты в Техасе, так никто им не предлагал суверенитета сколько унесут. А просто их перестреляли, как собак, и привет. Или там Норьега, начальник суверенной страны. Так приехали к нему с войсками и арестовали и посадили — подумаешь, суверенный он какой... Вот тебе национальные интересы!**

— Так. Очень хорошо. Можно теперь я? То, что ты сказал, — полная херня, и это не ответ на мой вопрос. Кто артикулирует национальный интерес? Вот ущемление прав ста пятидесяти тысяч русского населения в Туркменистане соответствует национальным интересам России или нет?

— **Нет, конечно.**

— Но никто его не прекращает. Более того — это ущемление есть

плата за то, чтоб Туркменбаши заключил с нами нужный договор по газу. Дальше пойдем. Вот в Ираке мы поддержали курс Франции и Германии, а не курс Америки, Англии и Италии. Почему — неизвестно. Хотя совершенно очевидно, что это не соответствует нашим национальным интересам. А если б мы поддержали Америку и ее союзников, то тогда нам дали бы и долги, и разработки, и участие в восстановлении.

— **Да что ж ты все бабками меряешь! Алик! Я должен тебе сказать, что не все бабки можно брать. Вот на Ирак напали, потому что у него якобы есть некое страшное оружие. Мы были против. Оружия не нашли. Значит, мы были правы и нападать на Ирак — несправедливо. Надо извиниться и уйти. На разбое иногда можно неплохо заработать, и карманы можно обчистить у пьяного, это все выгодно, инвестиций никаких, накладняк нулевой, а прибыль — во! Но это занятия не очень красивые. И обзывать придурками тех, кто не пошел разбойничать, — некорректно, как мне кажется.**

— А бабки брать не возбраняется — ашхабадские, например?

— **Так нельзя и ашхабадские.**

— Старик, вот я тебя и спрашиваю, кто у нас артикулирует национальный интерес. Национальный консенсус? Да его просто не существует. И потом. Ты в начале разговора сказал, что ради национальной безопасности можно поступиться принципами. В этом был твой пафос, и так ты, собственно, и понимал национальную безопасность. И вот только что, когда заговорили про Ирак, ты сказал, что если национальный интерес противоречит принципу, то должен доминировать принцип. То есть войну против Саддама поддерживать нельзя, хоть бы даже это и было для нации выгодно, поскольку это противоречит принципам. Это же твои слова. Так ты уж определись, гад. А то уже совсем мне мозги запудрил.

— **Помнишь, Нагульнов, или кто там, говорил — надо иметь классовое чутье.**

— Да, да! А национальное? Давайте расовый отдел заведем.

— **Расовый — это ерунда. Но вот американский опыт решения национального вопроса мне кажется очень поучительным.**

— Я сейчас говорю не о национальном вопросе, а о национальной безопасности.

— **Но если мы ученые, то сначала должны дать определение национальности. Вот давай выясним: ты как получил российское гражданство?**

— Как? По факту. На момент объявления независимости я проживал на территории России, был советским гражданином и имел прописку в пригороде Петербурга.

— **Вот в этом — ошибка. Что российский паспорт так легко достался. Ты же знаешь, как дают гражданство США?**

— С рождения.

— **А взрослым? Какая процедура?**

— Присяга.

— **Вот именно! Присяга! Типа «я больше не принадлежу ни к каким нациям и думать об их интересах не буду никогда...» Отчего бы и нам точно так же не поставить вопрос с национальной безопасностью? Но для этого — я это тебе в начале беседы как бы в шутку сказал — надо сперва дать формулировку: что же такое есть национальная безопасность?**

— Можно я тебе скажу одну вещь? Мы в свое время — в 93-м с переходом на 94-й — сидели и составляли список, Виктор Глухих тогда был председателем Комитета по оборонным отраслям промышленности. И мы с его чиновниками сидели и составляли списки — чего нельзя приватизировать. И очень быстро, знаешь, прекратились всякие завывания по национальной безопасности. Потому что грань между тем, что можно и чего нельзя, — она очень тонкая. И все в результате совершалось в результате административных торгов. Вот Балтийский завод, цех, который производил винты для бесшумных подводных лодок, подвергнутые обструкции КОМКОНом, — приватизировали, и он сейчас прекрасно работает. Ракетоносец «Петр Великий» спустили на воду... А заводик, который производил катера с деревянными транцами — чтоб мины их не улавливали, — запретили приватизировать. Маленький заводик, там всего-то 25 человек работает или около того, — потому что национальная безопасность. Ну, запродали б мы этот завод, и что — он перестал бы работать? Много чего мы тогда продали, и все это работает. А много и таких заводов, которые умерли — несмотря на то, что мы запретили их приватизацию в интересах национальной безопасности. Особенно это касается НИИ в оборонных отраслях. Вот я и говорю: кто же способен определить, соответствует ли то или иное действие национальной безопасности? Что, например, важнее для безопасности нации: чтобы сохранилась невостребованная рынком какая-нибудь оборонная технология и для этого запретить приватизацию завода даже ценой потери 90 процентов рабочих мест на нем, или продать его и сохранить места, а технологию оставить в документах до лучших времен?

— **Продолжу тем не менее ответ на твой вопрос. Американцы определили, что национальность определяется паспортом. Если у тебя паспорт американский, то, стало быть, ты американец.**

— Во-первых, ты продолжаешь отвечать не на мой, а на свой вопрос. Я вопроса про национальность не задавал. Я задавал вопрос про национальную безопасность. Это ты решил, что без ответа на твой вопрос нельзя ответить на мой. А я просто не спорю с тобой, потому что мне лень. Во-вторых, если ты хочешь на тему национальности поговорить, то что ж... Давай... Кстати, а знаешь, как в Российской империи определялась национальность?

— По вероисповеданию — а что, тоже зрелый подход! Никто не смотрит, узкоглазый ты или черножопый. Дал клятву верности стране — и вперед. А если кто в Америке держится за свое происхождение и именно его ставит на первое место — нет вопросов! Пожалуйте в резервацию и ходите там в перьях и пляшите в них перед туристами, за деньги причем...

— Вам даже разрешат казино открыть!

— **Да! И сидите там. А если вы кого-то попрекнете национальностью, то вам так вломят, что мало не покажется. Так вот американцы сперва определили, что такое национальность, и только после — что такое национальная безопасность. Одно дело — родоплеменная безопасность (это у нас родоплеменной строй и феодализм), и совсем другое — национальная. Один русский, другой татарин, хотя у нас паспорта одинаковые...**

— Так кто определяет, что опасно, что безопасно?

— **Как кто? Ну вот кто определил, что надо разбомбить Югославию и Ирак?**

— Клинтон и Буш.

— **Ну вот, стало быть, они и определяют.**

— Ага, президент.

— **Ну. Президент. И у нас вон президент одного выгнал, другого посадил...**

— А это соответствует национальной безопасности, что посадил и выгнал?

— **Ты понимаешь, мы начинаем обсуждать национальную безопас-**

ность, притом что у нас в стране феодализм и не определено, что такое национальность. Мы скатываемся на уровень Жирика и Рогозина.

— А я хочу узнать, что такое национальная безопасность.

— Это никак невозможно узнать. Когда у нас 48 процентов населения не любит евреев и 80 процентов — черных. (Это данные опросов общественного мнения.) То есть у нас национальность понимается как принадлежность к какому-то роду-племени. Ты, типа, какого рода-племени? Это не фигура речи, не оговорка и не отговорка. Это четкая формулировка. И человек отвечает: «Я такой-то, сын такого-то...» Типа, ибн Хоттаб. Отчество — это ж надо! Это откровенная ссылка на свою племенную принадлежность... Вот наш уровень. А с национальностью нам еще рано решать вопрос...

Вот ты, Алик, меня попрекаешь, что я шпаргалки приношу на беседы, что, типа, это лишнее, мол, раз мы чего не вспомним, то, значит, оно несущественно. А ну, вот давай вспомни без моей шпаргалки, что было в 94-м общественно значимого!

— В 94-м? Кончилась чековая приватизация, как я уже говорил. И Чубайс перестал командовать приватизацией и стал вице-премьером по экономике. А также началась первая чеченская война. Больше ничего важного не было.

— А теперь я, если не возражаешь, зачту тебе некоторые пункты своей шпаргалки. Первый выход НТВ на четвертом канале. Умер Ев-

гений Леонов. Госдума приняла постановление об амнистии участникам бунтов в августе 91-го и октябре 93-го. Ну как?

— Неплохо. Амнистия — важное событие!

— Договор об общественном согласии и освобождение по амнистии членов ГКЧП. И принятие в Кремле Договора об общественном согласии, смешно — почему-то на два года. До выборов, что ли?

— ГКЧП... А Варенников отказался от амнистии. И доказал в суде свою невиновность, между прочим. Соответственно и все другие члены ГКЧП не нуждались в амнистии...

— Но — обосрались!

— Обосрались? Или надоело на допросы ходить? Кто в тюрьме, кто под подпиской. Обыски, очные ставки, слежка, нервотрепка. На фига? Берешь спокойненько амнистию — и дело в шляпе. Я их очень хорошо понимаю. Сам знаешь.

— Ну, что тут сказать. Ты, видимо, не готов был отдать жизнь, а Варенников за Родину — готов был. А ведь он, кстати, и сейчас жив-здоров!

— При чем тут Родина? Это на войне он за Родину воевал, а не в суде. Да, кстати! Он член блока «Родина», депутат Госдумы. Теперь они все пересрались, и, похоже, Варенников теперь уже жизнь отдавать будет за «Родину» в кавычках, т.е. за Глазьева против Рогозина. Два молодых ловкача запутали старика окончательно...

— Все равно. В суде он честь свою

отстаивал! Вот так поступают офицеры! Да!

— Возьми интервью у него!

— **А что? Хорошая идея.**

— Он же был знаменосец Победы! Он флаг нес в сорок пятом по Красной площади, когда гитлеровские знамена кидали к Мавзолею.

— **Надо, да, надо... Следующий пункт нашей программы: венчание в Иерусалиме Пугачевой и Киркорова.**

— Издевательство.

— **Хорошо. И еще: возвращение в Россию... кого? Через двадцать лет после отъезда? Угадай!**

— Ну, кого?

— **Солженицына А. И.**

— Неплохо, неплохо...

— **А скандал с «МММ»?**

— Что, уже начался?

— **А то. Еще: умер Рождественский Роберт. Ну, допустим... И вот еще: окончание вывода войск из Латвии, Германии и Польши. И введение их, как будто тех же самых войск, в Чечню — это символично! Должна же армия решать какие-то масштабные задачи. Нечего делать — откопайте траншею и потом закопайте. Или траву покрасьте.**

— «Прощай, Германия, прощай, / Мы вместе едем в родный край...» Марш был. Я ж рядом с Белорус-

ским вокзалом жил, они оттуда шли и пели... 9 Мая, как сейчас помню.

— **Выступление Ельцина в ООН с призывом о защите прав русскоязычного населения на постсоветском пространстве.**

— Не нашло отклика.

— **А! Падение курса рубля на торгах ММВБ до пяти тысяч — чтоб не соврать, с 3081 рубля за доллар. Черный вторник номер один. И того же 17 октября — убийство Холодова Дмитрия из «МК».**

— А ты его знал?

— **Нет. Но как сейчас помню — лечу я из Парижа и, поскольку на «Аэрофлоте», жадно набираю русских газет. И на первой полосе «МК», на черном жутком траурном фоне, Холодов наряду с падением рубля. Мне и так невесело, из теплой страны в октябре лететь в московскую слякоть да в разруху — Москва тогда была далеко не та, что сегодня...**

— ...сегодня Москва такая, что в нее не западло и полететь.

— **Ну. И думаю — и слякоть, и серое небо, похожее на половую тряпку, и сразу хамить начнут, прям на границе, таможенники с погранцами... И так тошно — а тут еще и новости: и убивают кого захотят, и экономика рушится, не поднявшись. Тьфу.**

Комментарий **Свинаренко**

Я в тот год продолжал работать в журнале «Домовой». Делал приблизительно то же, что и сейчас: брал интервью у великих и сочинял путевые заметки. Ну разве только книжек не писал и не был издателем.

Первым моим крупным собеседником в 94-м был Артем Тарасов. Он той зимой инкогнито приехал в Москву, мы с ним встречались на каких-то конспиративных квартирах — у него же были раньше проблемы с прокуратурой. Все-таки до чего продвинутый человек! Он многое испытал и понял раньше других. Вот мы с тобой, Алик, были в 94-м еще дети, а Артем уже успел стать миллионером, заплатить со своих доходов не только налоги, но и партвзносы, пережить депутатство, уголовное дело, эмигрантскую жизнь не где-нибудь, а ты будешь смеяться, в Лондоне! Проторил дорожку... Уехал он аж в феврале 91-го — за полгода до того, как мы испытали демократические восторги на путче... А он к тому времени уже был политэмигрантом! Чудеса. Так тогда он мне рассказал, кто его тогда выдвигал по новой в депутаты: «Это ребята из фирмы «Милан» (инвестиционная деятельность) — там руководит Александр Яновский. Это и ассоциация «Нефтегаз» — структура, которой я помог выйти на внешний рынок (президент Рафиков, коммерческий директор Садеков)». Тарасов объяснил, зачем снова идет в думу: «Создавать законодательство, которое охраняло бы права человека. Чтобы он чувствовал себя защищенным. Это самое главное. Потому что, если человек не чувствует себя защищенным, ему плевать, сколько он пожрал, как он одет... Я хочу сказать о том, что считаю главным. Вся наша жизнь до того августа 91-го — цепь нарушений закона. Но и дальше идет беззаконие: путч, разгон Советского Союза, снятие Горбачева — законно избранного президента. Все, что делает Гайдар, — беззаконие, и последний разгон парламента — тоже. Нельзя человеку жить там, где он беззащитен. Возникает мысль: надо защититься от этого. Кто-то начинает платить чиновникам и покупает полмилиции. Другой просто берет чемодан и уезжает. Ну какая еще реакция может быть на то, что завтра вам оторвут голову и никто за это не понесет ответственности? То, что я тогда уехал, — это совершенно нормальная самозащита». Уехал он тогда потому, что «у компетентных товарищей были претензии к «Истоку» по программе «Урожай». Но вся история разворачивалась уже после того, как я ушел из «Истока», — в марте 91-го. Но мне, конечно, потрепали нервы... Меня по-прежнему обвиняют в незаконном вывозе из страны тридцати миллионов долларов (цифра Руцкого). Ко мне в Лондон приезжал бандит, человек, видно, с большими связями, — очень многое знал об «Истоке», до подробностей, обо мне, о данных следствия. Хочешь, говорит, завтра министр выступит по ТВ, по радио, хочешь — генеральный прокурор, и скажут, что ты честный человек.

Просил очень много: три миллиона долларов. Я ему сказал, давай сначала снизим цену в десять раз, а потом посмотрим, что за товар. ...Это опасные игры, но я готов ладить даже с этими людьми, потому что не вижу пока способа бороться. Все-таки слишком разбогатеть — это плохо».

Блядь, ну вот как будто не было этих десяти лет!

Еще он мне растолковал, зачем бросает бизнес: «Политика — это более интеллектуальное занятие, чем бизнес. Она многограннее, интереснее... Ничего нового в бизнесе для меня нет. Я знаю, как меня надували, как я вылезал, что хорошо и что плохо, что сколько приносит и что чем кончается. Я знаю в России дела, за которые здесь никто еще не брался и которые могут принести сотни миллионов долларов... Но! Бизнес для меня потерял прелесть: я его весь просчитал. Деньги ради денег? На каком-то этапе, когда вы удовлетворите свои потребности, это становится неинтересным. Я пожил богато... И понял, что особенно много мне не нужно. Я не хочу развивать свои потребности в сторону невероятных богатств». Еще Артем рассказал про съезды клуба молодых миллионеров, в который он тогда входил. «Съезды проходя четыре-пять раз в год. В разных странах — на Тайване, Америке, Австралии, а как-то мы во время съезда плыли на пароходе «Queen Elisabeth» по океану. В прошлом году Горбачева звали выступить у нас на съезде. Он потребовал пятьдесят тысяч долларов. Мы не дали, и он не приехал. Ну и зря. А Джеральд Форд выступал бесплатно. Клуб наш — что-то вроде масонской ложи. Я не могу о нем много рассказывать. Могу только сказать, что встречался там с принцем Чарльзом, обедал за одним столом с Дэном Куйлом, вице-президентом США. Ездил в Женеву к своему приятелю Эдмонду, его фамилия — немножко Ротшильд».

Финал нашей беседы был такой: «Я к себе приехал. Американцы и англичане тоже интересные, я согласен, но русские — это свои, а те чужие. Здесь, на родине, — привычный стиль жизни, что-то втравленное с детства. У нас хорошо, наше — лучшее в мире — мне же это вдалбливали. Ну нравится мне туалет с гвоздем, и к нему приколота газета. А там люди ставят дома джакузи в шестидесятиметровой комнате. Зачем, ну зачем? Не понимаю я этого...»

Сейчас Артем снова, в очередной раз, вернулся в Россию. Пишет книгу про себя, она скоро выйдет в Москве.

Совершенно потряс меня тогда Святослав Федоров, с которым я сделал в 94-м большое интервью. «Глыба, матерый человечище, титан». Жаловался на твоего друга: «Я давно уже борюсь с Чубайсом, с его теорией приватизации. Больше года добиваюсь от него ответа: наш институт — сколько в нем процентов государственного и сколько мы создали своим трудом? Не отвечает, и мы не имеем возможности платить людям их долю прибыли... Власти проводят антирыночную политику. Более того, нас грабят. У нас забрали на 5 триллионов долларов собственности на земле, на 20 триллионов под землей, — забрали в революцию и до сих пор не отдают, морочат голову. (Если посчитать, исходя из этих цифр, то на каждого жителя России приходится по 160 тыс. долларов. — *И. С.*) А вместо этого — ваучеры общей стоимостью в 1,5 млрд. долл. Копейки! Нам отдают

0,03 процента нашей собственности. А остальным распоряжаются 20 миллионов чиновников, никогда столько не было! Они уже весь ЦК заняли, а сейчас и Белый дом, и бывший дом Политпросвещения — они плодятся со скоростью клопов!..

В Америке возникло 11 тысяч предприятий, где все рабочие и служащие имеют акции, — что-то типа народного капитализма. Это реализация программы ИСОП (индивидуальная собственность на орудия производства), у нас про такую не слышали. Ее придумали сорок лет назад, но долго не воспринимали: как это так, отдать рабочим акции? Рабов сделать хозяевами? И только когда Америка стала заходить в тупик, начали к этим идеям прислушиваться. А то ведь капиталисты — жадные люди, стараются всегда отдать минимум зарплаты людям и максимум взять себе. И так подрывается покупательная способность людей. Товар производится, но он никому не нужен. А надо по-другому: сначала создать покупателя, а потом сделать для него товар. А я не могу отдать собственность коллективу: Чубайс тянет с ответом! Пусть он скажет: доля государства такая-то, коллектива — такая-то, и назначит арендную плату. Если цена будет нормальная, мы согласимся. А нет, так у нас есть земля в Протасово, возьмем в банке кредит и спокойно построим клинику на своей земле. А это все оставим товарищу Чубайсу. Может, он тут какое производство откроет — да хоть ткацкий цех. Или под офисы отдаст (сейчас модно)...

Энергия — это наследственное. Гены играют свою роль. Энергия — или она есть, или ее нет. И тут ничего не сделаешь. Вот я смотрю на своих сотрудников — они не виноваты, у них просто нет энергии. У них просто плохие надпочечники, они выделяют мало адреналина. И в мозгу, в гипоталамусе, есть такая субстанция, которая выделяет гормон (его еще не могут толком ухватить) энергии — у кого много, у кого мало. Так что все предопределено — может человек сворачивать горы или нет. Кому-то действительно бог не дал — и все. И я к таким людям отношусь снисходительно — они не виноваты. Думаю, активных энергичных людей — 2—3 процента. Трудоголиков больше — 15—18 процентов. И при социализме, при фашизме будут работать, при любой диктатуре. Точно так же есть 15—18 процентов людей, которые не будут работать ни при каком режиме. А серединка — то туда клонится, то сюда. Выгодно работать — они работают, нет — сидят без дела. Вот для этого-то болота и нужен рынок. В итоге 22 процента очень активны, а 18 процентам ничего не нужно...

На машине я на дачу еду час. Это много. А был бы вертолет на крыше, так я бы за двенадцать минут добирался туда».

Он таки купил вертолет. И — разбился на нем... Это была одна из самых первых в череде громких вертолетных аварий...

Альфред КОХ, Игорь СВИНАРЕНКО

Комментарий **Коха**

Вот по поводу Федорова не могу удержаться. Я даже не об абсурдности цифр, о которых он говорит. Не о беспомощности рассуждений о национальном богатстве и способе его измерения. Чиновников в России около четырех миллионов, а не двадцать... Я не об этом. Конечно, понятно — о мертвых либо хорошо, либо никак. Но! Я неплохо знаю суть полемики между Федоровым и Чубайсом, чтобы вот так, запросто, оставить без комментария федоровский пассаж.

Вот смотрите. Приходит к инвестору человек и говорит — у меня есть идея, давайте я построю завод (больницу, офис — неважно). Инвестор говорит — давай! Тогда человек говорит инвестору — давай деньги. Тот говорит — хорошо. И деньги дает. Человек строит завод, получает зарплату, набирает персонал, который тоже получает зарплату за свой труд. Даже дилетанту вопрос о принадлежности завода ясен как божий день: завод принадлежит инвестору. Завод построен на его деньги. Только он и рисковал ими, поскольку нанятые инвестором люди, включая вышеназванного персонажа, ни копейки в завод своих денег не вложили, а за свой труд без задержек получали неплохую зарплату. Если бы проект закончился неудачей, то пострадал бы только один инвестор, персонал же — нет. Повторюсь, по любым понятиям завод принадлежит инвестору.

Теперь представьте себе, что инвестор — это государство, а завод — это «Микрохирургия глаза». Вот Федоров и приходил к Чубайсу с вопросом — какая доля трудового коллектива в уставном капитале МНТК? Ему отвечали — никакая! Вы свою долю каждый месяц получали наличными, пятого и двадцатого. Обычные отношения работника и работодателя. Как говорится — чьи деньги и чьи риски, того и собственность. Нет, возмущался Федоров, как же так. Трудовой коллектив работал? Ему отвечают — работал. Вон на «Дженерал моторс» трудовой коллектив тоже работает, но ему не приходит же в голову на этом основании требовать долю у акционеров. Но у нас собственность трудового коллектива! — горячился Федоров. А ему в ответ — это кто же так решил? Государство? Нет! Ты сам так придумал и на этом основании требуешь передать тебе бесплатно государственной собственности на многие миллионы долларов. Мы согласны, что у вас нет денег купить это по реальной цене, мы готовы говорить о льготах, рассрочках и прочих вещах, но бесплатно — шалишь! Нет, говорит — хочу бесплатно, и все тут. Бодяга...

Короче, Федоров лукавил. Ответы ему давались. И много раз. Просто эти ответы его не устраивали, поэтому он их и не слышал. Заметим попутно, что МНТК «Микрохирургия глаза» строился на валютные кредиты, которые государство брало на Западе. Ни одной копейки кредитов Федо-

106

ров государству не вернул. А вот государство, теперь уже Россия, эти кредиты, да еще с процентами, отдает до сих пор. Вот от таких проектов и образовался наш внешний долг в 150 млрд. долларов.

Еще один штрих. Судя по прессе, после гибели Федорова выяснилось, что не такой уж он радетель интересов трудового коллектива. Почти всю собственность, которую он сумел зафиксировать как частную, он оформил на себя лично, хотя зарабатывалось-то это всем трудовым коллективом. Во всяком случае, так этот «матерый человечище» всегда, для публики, декларировал.

И последнее. Действительно, в середине восьмидесятых в США была мода на маленькие предприятия, принадлежащие трудовым коллективам. Их наделали тысяч десять. Только вот к началу девяностых они все обанкротились, а затем и мода на эти колхозы прошла. И у нас, кстати, тоже. Помните, сколько было разговоров про кооперативы, про арендные предприятия? Ну и где они, эти передовые формы собственности, значительно опережающие по эффективности частную? Умерла идея... Не выдержала конкуренции... Погиб и ее глашатай. Все суета сует... Тлен и прах... Господи, прости нас, грешных!

Комментарий **Свинаренко**

Еще в 94-м я взял интервью у вполне тогда уже звезды — Лени Парфенова.

«Он быстро, с чувством рассказал еще раз про то, до чего давно додумался и про что, наверное, уж сто раз говорил на застольях.

«С прежними проблемами покончено, а теперь новые. Но теперешние правила игры жестче, но честнее: нужны деньги, а не лавирование между консервативным горкомом и либеральным ЦК, или выбивание теса по блату, или сокрытие второго пороса. Москва стала отдельным государством, которое вышло на первое в мире место по потреблению «Роллс-Ройсов». Это новое время лучше старого. У нас в деревне все строятся — хоть баню! — и покупают телевизор «Фунай»! А старое было уж вконец нестерпимо — это подтверждают в откровенных беседах даже Василий Белов и Владимир Солоухин, которых трудно заподозрить в симпатиях к западному либерализму...

Я не смотрю телевизор. Мне там нечего смотреть. Это квазижизнь. Понятно, что телевидение глуповато. Оно не может быть другим, оно самое простое по восприятию — между завариванием чая и протиранием пыли. И должно быть потреблено сейчас («И немедленно выпил»). Не смотрю я этого», — говорит он устало на прощание».

Именно тогда, в 94-м, я напечатал новое интервью с Бильжо. И он там очень подробно рассказал о своих планах, которые, вы будете смеяться, все выполнены. Это создание клуба «Петрович», издание ряда книг, съемка мультфильмов и работа на ТВ. Во дает!

Еще был могучий персонаж — дедушка Эрнст Неизвестный. Он сообщил мне, что в Америке (где мы в его доме и выпивали) попал в «такие условия (технические), что все задуманное берется и воплощается («в таких я никогда еще не работал»)». Он вспомнил старые годы, Советский Союз: «Мне не давали работы, не пускали на Запад. Против меня возбуждались уголовные дела, меня обвиняли в валютных махинациях, в шпионаже и проч. Меня постоянно встречали на улице странные люди и избивали, ребра ломали, пальцы, нос. Кто это был? Наверное, Комитет. В милиции меня били, вусмерть, ни за что. Утром встанешь, отмоешь кровь — и в мастерскую, я скульптор, мне надо лепить».

В Испанию я в том году впервые съездил. В Памплону, на фиесту. И там понял такую вещь: «Увидеть корриду один раз — значит ничего не увидеть, а только все испортить. Если в вашем распоряжении только один шанс, так лучше и не ходите. Иначе вы оттуда вынесете самое превратное впечатление. А пообыкнетесь немного, так постепенно, может, и вас захватит этот испанский азарт, и вы поддадитесь магии тавромахии. Утеря этой корридной девственности происходит довольно быстро — в следующий же раз. На второй корриде уже не столько морщишься от обильной крови, но испытываешь даже некоторое удовольствие, от которого не отказываться же на всю оставшуюся жизнь из-за одного-то первого болезненного раза?

И потом, есть такая версия: бык символизирует мрак, варварство и тупую силу, а матадор — человека, цивилизацию и свет. Вспомните пикассовскую (испанец!) «Гернику»: там страшный бык победил матадора — Гернику разбомбили война и бычья мутность фашизма.

Да, коррида — не такое зрелище, на которое пришел бы профан, все понял и оценил. Это как опера, на которой дилетанту — без подготовки — смертельно, до сонливости, скучно. Тут надо столько всего знать, кучу тонкостей!

А почитателей и знатоков корриды в мире, полагаю, поменьше, чем оперных фэнов, тут еще меньше места для непосвященного.

А правду говорят, что самая настоящая коррида — в Памплоне, что все остальное с ней не сравнится? Ну, не совсем так. Тут публика добрая, пьяная, ей что ни покажи — довольна. Другое дело в Мадриде. Зритель там все тонкости знает и жутко требовательный: чуть что не так, свистит и орет. Попробуй в Мадриде матадор подставить быку пустую мулету вместо себя! Это позор. А в Памплоне такое сплошь и рядом: мулета напротив быка, а матадор сбоку стоит...»

Еще у меня весной 94-го, в марте, была историческая поездка, на тот

Свинаренко с великим Неизвестным. Дом скульптора на Shelter Island USA. 1994 год

На вручении «Оскаров» в Голливуде. 1994 год. Фото Василия Шапошникова

момент: никто в те времена не ездил на вручение «Оскаров», а я — слетал туда. И сочинил текст. Это было очень давно — тогда еще не было прямых рейсов на Лос-Анджелес. И приходилось добираться с пересадкой — к примеру, из Сан-Франциско.

Было страшно: а вдруг не пустят? Про что я вообще буду писать? А если никто не даст интервью? Что, вот так и вернусь пустой? Скажу, мол, обосрался? Но — как-то все сложилось. Я после еще туда наезжал временами, пока не наскучило; каждый раз одно и то же, все те же фальшивые восторги, призванные замаскировать тот факт, что «Оскары» — это голый пиар, не более того...

Свинаренко: Видный кинокритик Денис Горелов сравнивал чеченских полевых командиров с индейскими вождями. Типа американцы краснокожих расхерачили по полной программе, а мы со своими чичкаемся.

— Ничего подобного. Между ними большая разница! Полевой командир Шамиль Басаев отличается от полевого командира Чингачгука принципиально. Басаев нам свою землю не продавал, денег за нее не получал, мы ее забрали, а они с этим не согласились. Не было сделки!

— А так ли это? Точно ли не согласились? А как же Шамиль (не Басаев, а его великий предшественник), который сдался русскому царю и поехал со своим гаремом жить в Калугу, вместо того чтоб пасть в бою или партизанить до конца в горах? Теперешние чечены — его правопреемники. А Джохар Дудаев, который на службе у белого царя дослужился до генерала и только после этого вспомнил про незалежнicть — и поехал строить чеченскую государственность? Не есть ли это хотя и косвенные, но железные доказательства

того, что наши полевые командиры не в своем праве? Что массовое вступление чеченов в компартию и в военные училища — это посильнее продажи Манхэттена? Что, много в Штатах генералов индейцев? То-то же. Но в любом случае, война есть война, и если уж чеченцы в нее ввязались и не сдаются, то она должна идти до конца: либо до водружения чеченского флага над Кремлем — наверно, так они формулируют задачу, иначе зачем же и влезать было, — либо, что тоже логично, до последнего чеченца.

— И тем не менее. Сделки купли-продажи не было. Была военная победа в 1856 году. Покорение. Усмирение. Капитуляция перед лицом неизбежного геноцида. Осознанная необходимость подчиниться, мимикрировать, против воли принять правила игры. Так оно и есть. Однако вот индейского варианта — продажи своей земли за деньги, отдавая себе отчет в совершаемом, абсолютно добровольно, этого — не было. Чечены нам свою землю не продавали. Мы ее у них забрали.

— Неважно. Это не наш вопрос. Не мы ее забирали, не нам ее и отдавать. Я не собираюсь скальпы снимать ни с тех, ни с этих, и Верной Рукой, другом индейцев, я тоже не намерен становиться. Индейцы, чечены — мы про них как-то очень кстати заговорили. Поскольку у нас на повестке дня — приватизация в России, при том, что у русских наряду с чеченами и индейцами очень слабое уважение к частной собственности...

Комментарий ▆▆▆ **Свинаренко**

Я говорю про ту собственность, которая принадлежит не им, а кому-то постороннему... На днях мы что-то похожее обсуждали с одним нашим товарищем, весьма, по любым меркам, состоятельным человеком (не будем называть его фамилию). Так он сетовал, что вот нету у нашего народа уважения к этой самой частной собственности. К священному ее характеру.

Священность ее мне непонятна. Ну, пусть будет частная собственность, и пусть закон ее охраняет. Но мне скучен этот пафос, мне неприятно, когда при обсуждении частной собственности у людей загораются глаза. Ах, ах! Священная она, видите ли! Еб твою мать! Вот про то, что, к примеру, жизнь у человека нельзя отнимать, — никто не орет, не блажит. Свобода там, защита прав каких-нибудь — это как бы в рабочем порядке, а нет — так и ладно. Но как про частную собственность речь заходит — так сразу пафос. Это как-то не очень красиво. Вот наш знакомый журналист Пьяных очень тепло отзывается о капиталистах, он так это понимает, что у них миссия, что они спасают страну и вообще в таком духе. И это мне не очень понятно, это из того же ряда. Я понимаю, когда люди снимают шляпу перед матерью Терезой, которая бесплатно возилась с убогими и омывала их язвы, — это да. Но капиталист, он просто наживается лично — и все, он бабки колотит. Живет и работает для себя. Я ничего против этого не имею. Но пафос-то к чему тут? Глупо любить человека только за то, что он капиталист. Работа себе и работа. Не самая благородная, скажу я тебе. Принадлежность к некоторым профессиям — в этот список наряду с бизнесменами входят еще журналисты и проститутки — уже бросает тень на человека. Если у него такое ремесло, то, скорей всего, что-то с ним не в порядке и он еще должен оправдаться, доказать, что не верблюд.

И вот наш капиталист излагал выстраданное: «Когда же у нас введут передовой закон, как в Америке, чтоб можно было убивать всякого, кто залез к тебе на участок, на твою частную собственность?» Он припомнил, как в «Литгазете» при советской еще власти клеймили человека — он стрелял в мальчика, который залез воровать вишни. И пафос речи нашего бизнесмена был такой: мальчик лезет воровать, ему стрельнули в жопу солью, и такой кипеш! Вместо того чтоб через газету поддержать честного дачника и заклеймить воровство... А там, по-моему, не солью стреляли, а картечью, и мальчику не просто жопу поцарапало — а его то ли убили, то ли он инвалидом остался... Вот такой пафос. И я только потом сообразил, а что же меня смутило в этой беседе. Вот что. Нельзя так внезапно на голом месте научить людей уважать эту самую собственность! Надо б сперва озадачиться этим нашим уцелевшим олигархам и проявить инициативу по проведению реституции. Иначе нехорошо выходит. Вот что в 1917-м отняли, это как бы чепуха, плевать. А вот что у нас замахиваются забрать, так тут караул! Нет уж, давайте Рукавишникову Саше отдадим собственность его предков купцов в Нижнем Новгороде. Тогда он станет мультимиллионером и тебе не придется давать ему денег на отливку памятника Александру Второму. Он сам таких памятников отольет сколько захочет и еще тебе денег даст в долг. Вот сперва — или параллельно — разобраться с возвращением награбленного в революцию, а дальше требовать уважения к священному характеру частной собственности... А ты говоришь — индейцы понимали, что чье.

Вот говорят, что реституция невозможна. Я не понимаю — почему? Но если сторонники этой версии правы, тогда надо признать и следующее: следовательно, и всенародное уважение к частной собственности точно так же невозможно. Уважение будет только со стороны тех, у кого такой собственности много. Вот — Демидовым не отдали их заводы, а у братьев Черных заводы отнять будто бы нельзя. Ну чем Черные лучше Демидовых? В 1918-м сажали буржуев и отнимали у них миллионы, и никто ничего не вернул и не извинился — а отчего ж тогда Ходорковский будет неприкосновенным? Логики нету. Вон в Латвии и Эстонии — отдают. А мы, к сожалению, опять умней всех.

Чего проще — посчитать, что осталось, — и отдать. Нет, говорят, это очень сложно. Мне это дико нравится! Когда у других отняли собственность, так пошли они на х..., кто такие! А когда у тебя пытаются отнять — другое дело, тут сразу возникает священное право частной собственности. И индейцы тебе при этом кажутся не очень сознательными! Которые не уважали право фермеров на купленную землю! Сименс не просил, чтоб у него отнимали завод «Электросила» в Санкт-Петербурге и после его сносили. Такого документа из Нью-йоркского музея вы мне не предъявите. Не слал он таких факсов. А раз не слал, так и насрать ему на технические проблемы русских, что-де они ворованное подвергли перестройке — да хоть и ускорению! Или вы начнете рассказывать, что воровать и не возвращать — русский национальный обычай? Типа латыши возвращают наследникам собственность, а с русских не положено спрашивать? Лажа какая-то. И тут дело не в том, что уцелело, а что нет. А в принципе дело! Не обязательно отдавать немцам «Электросилу». Но было бы очень красиво, если б Мингосимущество — или там кто — прислало Сименсу письмо: «Начинаем процедуру рассмотрения ваших прав на завод. Извините, что мы у вас его по-хамски отняли». Процедура может растянуться на сто лет! Тот же Сименс, слава богу, не бедный. Но если б он получил хоть сто долларов за свой бывший завод, официально, от русского правительства — он бы прослезился. И повесил бы квитанцию в рамку на стене. Мы могли б расплатиться какой-то льготой — от налогов его освободить, к примеру, на год. Он бы еще и отплатил сторицей... И вот еще какой у меня аргумент вдруг обнаружился. Французам наше правительство платит же по царским облигациям? Платит! И эти выплаты делают тему реституции не смешной, а всего лишь очень сложной и мучительной. Но зато начни мы такую процедуру, люди б на нас другими глазами посмотрели. Они б зауважали русских!

Еще есть аргумент, что наследников стало много, между ними не разобраться. Слушайте, не лезьте в чужие деньги, пусть законные владельцы сами решат, как им делить свое родное имущество, а? Это была их священная частная собственность, а не ваша. Ну, пусть мало им заплатят, ничего, миллионеры часто удавиться готовы из-за копеек...

С удовольствием проложусь тут Солженицыным. Он про реституцию говорит не прямо и не вообще, а только применительно к земле — ну и что, все равно в тему. Поехали:

«...А ведь раньше, чем так страстно обсуждать продажу сельскохозяйственной земли, — задуматься бы: а откуда она у государства взялась? Ведь вся она ворованная — отобранная у крестьянства. Так раньше гомона о продаже поискать бы пути, как вернуть землю крестьянам: и колхозникам-совхозникам, ограбленным в коллективизацию; и не менее того, а даже раньше — потомкам раскулаченных. Такие обнаруживаются во многих местах и просят вернуть им участок именно своего деда-прадеда. («Докажи бумагами изъятие!» — как будто раскулачникам выдавали справки. Но местные жители помнят.) И это — справедливо, все вместе это было бы реабилитацией крестьянства. А если мы этого не сделаем — то мы государство разбойников».

Я человек весьма правых взглядов, я страшный антикоммунист, но скажу честно. Логика такова, что, если ей следовать, то итоги приватизации можно смело пересматривать. Эта риторика — о священном праве частной собственности — не выдерживает критики. Либо собственность священна, и тогда никому не интересны русские технические проблемы и надо со всеми договариваться о компенсации. Либо, если технические вопросы вам кажутся первостепенными, ничто не свято и собственность можно делить без конца. Тогда желательно. При этом — мы ж видим, как важна техническая сторона, — каждый раз посильней запутывать следы, жечь побольше документов и устранять наследников. Я тут не спорю, не отстаиваю некую позицию — просто я как-то подавлен тем, что, выходит, решения у проблемы нету, раз уж таково состояние умов в стране. Печально это. Ситуация, похоже, безнадежная... Вот проведи сейчас референдум результатов по отмене приватизации? Каков будет ответ? То-то же...

А что мы все вокруг да около? А что, собственно, приватизация?

Вот, например, Солженицын, который вернулся на родину как раз в интересующем нас 94-м году. Интересно освежить в памяти его оценки приватизации. Я считаю, что его мнение по волнующему нас вопросу украсит нашу главу. Приличный человек, вдумчивый исследователь и, что тоже нам очень удобно, вовсе не левый, а самый что ни на есть либерал. Обеспечивается, так сказать, полное отсутствие оголтелости. И бескорыстности: он сам ничего в реформы не приобрел — и не потерял. Он на них смотрел в разных смыслах со стороны...

«Частная собственность — верное естественное условие для деятельности человека, она воспитывает активных, заинтересованных работников, но ей непременно должна сопутствовать строжайшая законность. Преступно же то правительство, которое бросает национальную собственность на расхват, а своих граждан в зубы хищникам — в отсутствии Закона.

...Малочисленные ловкачи с исходным, хоть и малым капитальцем скупали за бесценок, от недоуменных одиночек, крупные партии ваучеров и затем через них — приглянувшиеся куски государственного имущества.

...Но еще и это было только началом бед, ибо, как легко догадаться, сравнительно с национальным достоянием богатейшей страны вся сумма ваучеров по своей стоимости была ничтожна: «раздел», объявленный народу, коснулся едва ли заметных долей одного процента достояния. И в середине 1994-го высокодоверенный вице-премьер Чубайс, демонстрирующий недавним советским людям столь привычную им «стальную волю», объявил «второй этап приватизации» — так, чтобы государственное имущество перешло бы в руки немногих дельцов (эта цель и публично заявлялась членами его аппарата). Притом он выдвинул лозунг обвальности приватизации: то есть почти мгновенности ее, врасплох, — и с гордостью вещал, что «такого темпа приватизации еще не видел мир!». (Да, конечно, такая преступная глупость еще нигде в мире не произросла. Прытко бегают — часто падают.) Приватизация внедрялась по всей стране с тем же неоглядным безумием, с той же разрушительной скоростью, как «национализация» (1917—1918) и коллективизация (1930), — только с обратным знаком.

...Вела ли высших приватизаторов ложная теория, что как только собственность рассредоточится по частным рукам — так сама собой, из ничего, возникнет конкуренция, что производство станет эффективным от одной лишь смены хозяев? Гай-чубайские реформы велись в понятиях Маркса: если средства производства раздать в частные руки — вот сразу и наступит капитализм и заработает?

С лета 1994 и начался этот «второй этап», и всего за несколько месяцев проведена была сплошная и практически бесплатная раздача государственного имущества избранным домогателям. Изредка в газетах появлялись сообщения о сенсационной разворовке всенародного добра. Да народ, и не зная тех тайных цен и тайных сделок, безошибочным наглядом творимого угадал суть и назвал весь процесс «прихватизацией».

...Вся эта разворовка и прошла во тьме при народной еще неосознанности как непоправимо для всех жителей страны происходящее. Грандиозных масштабов расхищения (сотни миллиардов долларов утекли за границу) народ не видел зримо, не мог знать никаких подробностей и цифр или задуматься над ними: что национальное производство в безучастных руках упало вдвое (во время войны с Гитлером упало только на четверть); что с 1990 года в России не построено ни одного крупного промышленного предприятия. Отдавшись повседневному бытовому течению нынешней трудной жизни, люди не ощутили необратимости совершаемых над страною злодейств. Но едва раздались отдельные робкие голоса о ревизии, сказочно разбогатевшие новобогачи-грязнохваты (да не сами они, а покорные им газетчики) дружно и ультимативно заявили народу: пересмотр приватизации? — это будет гражданская война! Ограбление непроснувшегося народа прошло гладко и без гражданской войны — а вот восстановление справедливости вызовет кровавую гражданскую! Что мы расхватали — того не отдадим!!»

О! Вот еще я что придумал! Вот я какую еще на...бку нашел и разоблачил! Это возвращаясь к вопросу о священной частной собственности. Частная типа священная, а остальные — нет. Отчего же вдруг у нас так дискриминируются прочие разновидности собственности? А давайте, государственная собственность тоже будет священная! И, сука, общенародная пусть будет священная тоже! Ну как, смешно? То-то же.

Комментарий **Коха**

ПРИВАТИЗАЦИЯ: КАК Я ЕЕ ПОНИМАЮ

Этот комментарий давался мне очень тяжело. Здесь мы имеем как раз тот случай, когда мысли и воспоминания душат, лезут друг на дружку, мешаются, путаются... Ну и, конечно, я боюсь оказаться предвзятым. Я не могу сохранить объективность, встать в этом вопросе над схваткой. Я сильно старался быть если не объективным, то хотя бы спокойным. Ну, уж как получилось, так получилось. Не судите строго, люди добрые...

ПОЧЕМУ НЕ БЫЛО РЕСТИТУЦИИ

Трагический свинаренковский пафос осуждения пафоса мне неприятен. Вот это сравнение предпринимателя с проституткой... Боже, какая литературщина. Сколько в этом позерства и конъюнктуры. Теперь ведь это модно — ругать бизнесменов. Представление о технических проблемах реализации реституции как о чем-то второстепенном, низком, недостойном — это все от незнания предмета и последствий, которые могут случиться, если в самом начале не иметь четкого представления, как эти технические проблемы будут решаться. Проще всего сказать — я не тактик, я стратег, мол, вы умные, вот и думайте, как решать эту проблему. А покуда вы ее не решите, так вот и будете в моих глазах полными обсосами и говнюками, и я всегда буду вам ставить лыко в строку и говорить, плохо, господа, очень-с плохо-с, безобразно вы провели все это. Как это хорошо у Игорька получается — чуть-чуть грассируя.

А давайте-ка, прежде чем объяснять про реституцию, вернее, про ее отсутствие, я вам расскажу свою историю. Вот, значит, выслали немцев в Казахстан осенью 41-го. Моих конкретно выслали из села Джигинка, Анапского района Краснодарского края. Прожили они в ссылке до 1969 года, она уж кончилась давно, а они все жили в Казахстане. Там и я в 61-м году родился. Но тетка Ольга, отцова сестра, она с мужем и детьми в 66-м году уехала обратно в Джигинку. Приехали, построились, огород, скотина, пошли в совхоз работать. И вот в 68-м году, летом, я первый раз приехал к ней гостить на летние каникулы. И очень хорошо помню один случай. Идем мы с теткой по улице, и она показывает мне дом — большой, крепкий южный дом-мазанку с черепичной крышей — и говорит: «А вот это наш дом. Мы в нем до ссылки жили. Отец (соответственно — мой дед. — А.К.) его построил еще в начале тридцатых, когда и совхоза-то не было». Я ей говорю: «Тетя, а есть какая-то возможность его забрать?» Она говорит: «Нет, после нашей высылки там поселили эвакуированных, так они теперь там и живут». «Пусть уезжают из нашего дома», — говорю я ей. А она мне в ответ: «А куда им ехать? Я с ними разговаривала, они говорят, что там, где они раньше жили, теперь какие-то другие люди поселились. А у тех — такая же история. В общем, не ломай себе голову. Мы вон построили себе дом не хуже этого. Пусть уж все остается как есть. Иначе у этой истории конца вообще не будет». Каждое лето, пока я был школьником, я приезжал в Джигинку. Десять лет много раз проходил мимо этого дома. Я в нем ни разу не был. И шелковица у изгороди была — я ни разу не съел ни одной ягоды. Я знал — это уже не мое, чужое. Почему? Не знаю. Это было как приговор. Тетка сказала — не трогай, не береди. Я и не бередил. Я с тех пор знаю — справедливой реституции не бывает. Этот ящик Пандоры нельзя открывать. Хуже будет. А псевдореституцию, которую провели в Восточной Европе и Прибалтике, я лично не очень высоко оцениваю. Почему? Сейчас объясню.

В Прибалтике провели реституцию. Все, что до 1940-го года кому принадлежало, а потом отобрали, — вернуть немедля, и делу конец. На первый взгляд — неплохо. А если копнуть — херня на палке. Ну, например, самый простой вопрос — а если отобрали до 40-го года? Тогда как — не возвращать? В независимой Латвии (я уже об этом писал) в период между 1918 и 1940 годами было много чего несправедливо отнято у русских, евреев, поляков и, прежде всего, конечно, у немцев. Это легко доказать. В отличие от примера, который приводит Исаич, тут и документы в порядке, и все такое. А? Что заерзали? Ах, историческая вина немцев, агрессоры? Что ж вы, бляди, тогда своими эсэсовскими нашивками хвастаетесь? Партизан русских в тюрьму сажаете? Может, вы и в Холокосте не участвовали? Или у вас так: здесь играть, здесь не играть, а здесь рыбу заворачивали? Вы уж определитесь — либо немцам верните, ну, хотя бы Домский собор, либо уж тогда не врите, что у вас честная реституция.

Чехия? Вроде все хорошо. Ее нам вечно в пример ставят. Ну так, для разминки. В довоенной Чехословакии немцев было 3 миллиона 200 тысяч человек. Больше, чем словаков. Задолго до мюнхенского сговора правительства Масарика и Бенеша начали тотальное выдавливание немцев из Чехословакии, и прежде всего, из Судетской области. Были, конечно, и реквизиции, а как же без них? Опять же все документы есть, чин чинарем. Чего глаза прячете? Если реституция так реституция, а не языком болтать. Или опять про историческую вину заговорим? А что, чехи и полукровки не служили в вермахте? Это значит, как в Париж на танке в 40-м въезжать — ты немец, а как в 45-м за русской пайкой в очередь — так сразу чех. Здорово у вас получается. Ты уж определись, родной, кто ты — Карл или Карел Готт? Ну ладно. Хорошо. Допустим. С немцами — более или менее понятно.

А вот еще в 18-м году чехословацкий корпус в Гражданскую войну вывез из России значительную часть ее золотого запаса. Общеизвестный факт, который и чехи-то не сильно отрицают. На этом запасе и стоял чехословацкий самый высокий уровень жизни в Европе в межвоенный период. Может, того, вернуть, а? И опять же бумажки есть, воспоминания там... А? Что? Нет, не наши, ваши воспоминания! Нет? А что так сразу — хамить? Я ведь просто так спросил. Да я даже знаю, что вы ответите. Мол, 68-й год все списал. Конечно. Безусловно. Всенепременнейше. Как это я раньше не догадался. Лезу со своими дурацкими вопросами к серьезным людям.

Продолжать или не надо? Я думаю — достаточно. Все реституции, которые мне известны, — половинчаты и декоративны. Они настолько субъективны, что любой такой пурист, как Свинаренко, раскритикует их также пылко, как и наше отсутствие реституции. В указанных выше странах был понятный образ врага — русские. Они пришли и все переотнимали. Понятно, что это условная схема. Там были и собственные делители. Но таков национальный миф. Теперь же, когда они освободились от русского ига, то реституция, пусть куцая, которой они почему-то гордятся, хотя должны стесняться, безусловно, воспринимается как национальный реванш.

В России все закручено посильнее, чем в Чехии или Латвии. У нас этот дурдом и кошмар (которым, кстати, тут на днях нам велели гордиться) продолжался не сорок, а семьдесят пять лет. У нас, в отличие от них, еще Гражданская война была. Так вот у нас, я убежден, проводить реституцию можно либо как профанацию, либо как дикую провокацию войны всех против всех.

У нас ведь одна часть нации отнимала у другой. У нас не было внешнего врага. Условно говоря, дед Игоря отнимал у моего деда. И? Что? Мне теперь у Игорька отнять его квартиру, что ли? Да пусть подавится. Ему и жить-то негде будет. Стыдно сказать, мне его жалко. А еще больше — его детей. Они-то точно ни при чем. Как, впрочем, и сам радетель реституции — Игорь Свинаренко.

И, наконец, здесь уже я святотатствую, и запятую, похоже, ставлю самому Александру Исаевичу. Смотрите: если уж говорить о «раскулаченных» крестьянах, то, может быть, мы не забудем, что многие из раскулаченных в тридцатых годах «кулаков» кулаками-то стали на отобранной в революцию у русских помещиков земле? «Декрет о земле» такой, слыхали? «Помещичье землевладение отменяется навсегда и без всякого выкупа...» О как заучил! По памяти цитирую. Может, мы землицу-то, того, помещикам вернем? Или их потомкам. Чтобы по справедливости. Представляете, что тут начнется? И думать не моги. Дурдом.

Однако хрупкая психика господина Свинаренко не выдерживает. Ишь, он морду воротит. Не по справедливости, говорит. Не честно. Не признаю.

Ну и не признавай. Лучше уж пережить истерику от одного такого «правдолюбца», чем страну очередной раз в крови утопить, ради торжества принципа. Уж сколько раз это было. Хватит.

Ящик Пандоры — страшная вещь. И открывать его могут советовать только такие мечтательные и безответственные люди, как Игорек. Воистину — благими намерениями вымощена дорога в ад.

За прежние ошибки пусть расплачиваются те, кто их совершил, а не их дети и внуки. Бог им судья. Вот моя тетя Оля (царствие ей небесное) всех простила. Наша же задача — не совершить новых грехов и благоглупостей. И мне вообще непонятна эта логика — раз не провели реституцию, значит, можно пересматривать итоги приватизации. Странно... А как эти вещи связаны? По этой логике получается, что если кто-то восемьдесят пять лет назад занимался разбоем и грабежом, а теперь давно сгнил, проклятый своими жертвами, то можно запросто начинать снова грабить и разбойничать? Ах, надо исправить последствия его преступлений? А их можно исправить? По-моему, как ни трагично, есть вещи, которые исправить нельзя. Можно только помнить. И никогда не забывать. Никогда. А в конце концов, у меня он ничего не отнимал, а дед мой лежит в могиле в алтайской тайге. Ему уже все равно...

Ну, хорошо, про приватизацию. Сколько можно откладывать.

Некоторые считают, что я подговорил Игорька писать эту книгу для того, чтобы обелить приватизацию и себя. Вроде так издалека начал и завлекает, завлекает. И тут тебе и Библия, и Лев Толстой, и пятое, и двадцатое. И все норовит умственность свою показать. А я и сам не знаю — так это или нет. Вообще, я не склонен оправдываться. Это не есть моя характерная черта. Но... Может, где-то в глубине души... Может, подсознательно?

Наверное, я скажу банальность, но мне дорого то, что было сделано нашей командой. Мы, кто делал приватизацию, ничего не нажили в ходе ее проведения. Газетные штампы, которые журналисты сами придумали и которыми пугают публику вот уже десять лет, — откуда они?

Вот «афера с ваучерами». Почему — «афера»? Ну почему? Никто ни разу не смог мне толково объяснить суть претензий. Ваучер продавали за бутылку водки? Продавали — ну и что? А некоторые свои квартиры аферистам отписывали, но это же не повод называть аферистом того, кто им эту квартиру дал.

Некоторые чековые инвестиционные фонды обанкротились? Так не мы ли в голос кричали, чтобы никто не вкладывал ваучеры в «МММ» и разные там прочие «Нефтьалмазинвесты»? А телевидение нас — не показывало. Оно давало рекламу этих фондов и хорошо на этом зарабатывало. Зачем же ему нас показывать?

За бесценок распродали страну? Неверно. Не за бесценок. Вообще бесплатно. В основном — бесплатно. Почему? А вы спросите депутатов Верховного хасбулатовского Совета — почему? И они вам ответят: потому что они приняли «Закон об именных приватизационных счетах». До этого приватизация шла за деньги и по тем временам неплохие. Я имею в виду 1992 год. Ваучеры начали действовать только в 1993-м.

Приватизационный чек — это не то же самое, что приватизационный счет? Вот если бы вы сделали счета, а не ваучеры, то все было бы по-другому. Действительно, есть такая точка зрения — счет невозможно обменять на бутылку водки, на него можно только акции купить. Что ж, верно. Только вот акцию потом можно запросто обменять на бутылку. И сделать это можно — в один прием. Смотрите: взял бутылку — купил какую сказа-

120

ли акцию — тут же ее отдал. Все. Нет разницы между счетом и ваучером, только болтовня одна. Как говорится — борьба за висты. Только мороки с этими счетами — можно тронуться. Когда мы сказали Сбербанку, что ему нужно за месяц открыть 150 миллионов банковских счетов, в том числе и на младенцев, да еще организовать по ним отдельный учет, чтобы эти деньги не перемешались с обычными, а тратились только на специализированные приватизационные аукционы, то банковские специалисты сразу сказали: изобретатель этого шедевра — сумасшедший. Этого невозможно сделать никогда. Нужны десятки тысяч новых специалистов, колоссальное количество оргтехники, новые каналы связи. Стоить это будет — не выговоришь. Одним словом — либо авторы хотят остановить приватизацию, либо народных денег им не жаль.

Кстати, самый последовательный критик приватизации — Юрий Михайлович Лужков — ввел специальные московские ваучеры. Забыли уже? А я — нет. Что ж вы его не критикуете, строгие наши судьи?

Я, откровенно говоря, не обижаюсь на журналистов. Отобижался уже. В конце концов, «ваучерная афера века» — это уже элемент национальной мифологии. А с мифом бороться невозможно. Придется нации жить с этим гвоздем в заднице. Зачем ей его воткнули? У нас мало поводов разжечь внутринациональную ненависть? Мы забыли, чем это кончается? А ведь когда втыкали, то не задумывались — правильно, неправильно. Тысячи людей, сотни журналистов, не сговариваясь, кто за деньги, а кто и просто так, не разобравшись, лупили от вольного, что в голову взбредет. Лишь бы позабористее, лишь бы наотмашь. А что, бумага все стерпит.

Как проходила чековая приватизация? Это было очень интересное, захватывающее тебя целиком мероприятие. Вот Игорь любит приводить цитаты из своих старых книжек про тот или иной год, который мы описываем. Приведу и я достаточно обширную цитату из моей книги «Распродажа Советской Империи», которая в свое время вызвала такой переполох и скандал. Этот отрывок был написан в 1997 году. Сейчас я его читаю с некоторым любопытством и снисходительностью. Но тем не менее...

«...Приватизация в России началась 3 июля 1991 года, когда был принят Закон Российской Федерации «О приватизации государственных и муниципальных предприятий в РСФСР».

Я бы предложил следующую историческую схему преобразования прав собственности в России. Начиная с 1989 года: 1989 — латентный, «теневой» переход собственности от государства к частным лицам либо их объединениям без его юридического оформления. 1989—1991 годы — юридическое закрепление прав собственности без достаточных правовых оснований для этого. 1992—1994 годы — попытка разрушения сложившихся «неформальных» либо незаконных прав собственности на основании закона с привлечением широких масс населения... За прошедшие годы менялось и отношение людей к приватизации — если в 1992 году всерьез обсуждали, стоит ли приватизировать торговлю или надо ее оставить государственной, то сейчас даже коммунисты ратуют за многоукладность экономики.

Можно сказать, что я присутствовал при рождении идеи ваучера. Авторство в этом вопросе бесспорно принадлежит Виталию Найшулю. До прихода Гайдара в правительство было еще далеко, но у нас уже была своя команда. Мы собирались на турбазе в Репине под Санкт-Петербургом, пили водку и импровизировали. Я, например, предлагал вообще все имущество раздать даром. Создать специальный орган, который будет хватать людей и, хочешь не хочешь, закреплять за ними имущество. А Виталий Найшуль сказал: нет, надо просто всем раздать ваучеры, и пусть каждый вложит их туда, куда хочет. Потом, правда, у Найшуля произошел разрыв «между полетом мысли и жизнью». К тому времени парламент принял закон об именных приватизационных вкладах, который был совсем уж нелиберальным — закон не предполагал свободного обмена паями и прочего. Тогда-то Чубайс и предложил эту систему поломать и сделать ваучеры «на предъявителя», которые можно перепродавать. И вот когда через огромный скандал с Верховным Советом все-таки удалось пробить ваучерную модель — тут-то Виталий Найшуль ее и разлюбил. А что было делать нам? Деваться было некуда — пришлось ее осуществлять...

...Следует вспомнить, в каких условиях и при наличии каких факторов начинался процесс приватизации в России. Отсутствие платежеспособного спроса населения и социальное неравенство; невысокий интерес со стороны иностранных инвесторов; наличие свыше 240 тысяч государственных предприятий, что требовало применения типовых процедур приватизации; спонтанная приватизация, то есть массовый перевод имущества государственных предприятий в иные формы собственности вне законодательно установленных рамок. Для разрешения всех этих проблем и был придуман ваучер, эдакая палочка-выручалочка российской экономики. Распределение ваучеров среди россиян началось осенью 1992 года.

«Команда» во главе с Анатолием Чубайсом позвала меня в Москву в 1993 году — надо было заканчивать ваучерную приватизацию, ее график горел, и в руководстве Госкомимущества просто не хватало рабочих рук. ...На финише ваучерной приватизации, в конце 1993 года, мы испытывали катастрофическую нехватку времени и выбрасывали на рынок все новые и новые предприятия, чтобы народ успел отоварить чеки. Пахали мы тогда круглосуточно, с короткими перерывами на сон, на чае и пирожках. Потому что жизнь могла очень круто повернуться и у страны в целом, и у нас лично — если бы приватизационные чеки были отоварены не полностью, а скажем, наполовину, как это и было на 1 января 1994 года. К этому дню, строго говоря, чековая приватизация должна была быть закончена, но ее пришлось продлить на полгода, по 30 июня 1994 года.

Что же мы получили к этому дню? Приватизационный чек предоставил каждому гражданину Российской Федерации равное право на получение доли государственной собственности. В результате базовая задача — формирование слоя частных собственников — была выполнена, владельцами акций приватизированных предприятий и чековых инвестиционных фондов стали более 40 миллионов россиян (более 30% населения). По нашим данным, «вернулось» назад около 98% от общего количества выданных чеков: мы выдали их 151,45 миллиона, а собрали 148,58 миллиона (в том числе по закрытой подписке 25,99 млн. штук (17,2%), на чековых аукционах 114,69 млн. штук (75,7%), иными способами — 7,9 млн. штук (5,2%). Осталось в обращении 2,87 млн. чеков (1,9%). Было приватизировано около 116 тысяч предприятий, или около половины всей экономики. Образовавшийся частный сектор включал в себя на тот момент свыше 25 тысяч акционерных обществ. В негосударственном секторе экономики в результате приватизации 1992—1994 годов стало производиться более половины валового внутреннего продукта. Показательно, что и критики, и сторонники чековой приватизации сходятся в одном: количественный успех программы массовой приватизации бесспорен и очевиден.

Ваучерный этап приватизации я бы сравнил с «нулевым циклом» строительства. И хотя нас обвиняли в том, что простой советский человек не стал в результате Рокфеллером, что не удалось выполнить многие иные задачи, которые хоть и ставились перед началом приватизации, но объективно и не могли быть решены так скоро, а более эмоциональные оппоненты называли ваучерную приватизацию не иначе как «аферой века», несколько фундаментальных задач российской экономики были решены. Во-первых, государство перестало быть монополистом в экономике страны — в России появился широкий слой частных собственников. Во-вторых, во многом благодаря именно ваучеру возник рынок ценных бумаг. Появились чековые инвестиционные фонды, в обиход вошли слова «брокер», «регистратор», «депозитарий». И, наконец, появление 40 миллионов акционеров, которые с помощью приватизационного чека осваивали азы рыночной экономики, стало залогом того, что мы неизбежно должны были прийти к нормально функционирующей системе корпоративных отношений.

Безусловно, правила игры в ходе чековой приватизации не были идеальными, и, вернись мы в 1992 год, возможно, постарались бы кое-что сделать иначе. Например, сегодня совершенно ясно, что, поддавшись популистским настроениям и предпочтя во многих случаях закрытую подписку на акции по второму варианту льгот, мы на длительное время фактически «зарубили» инвестиционное будущее многих предприятий. Это ничего не дало и самим членам трудовых коллективов — кроме задержек с выплатой зарплаты и зачастую просто смешных дивидендов по итогам года.

Вторая наша ошибка была связана с закреплением пакетов акций в государственной собственности по принципу «как бы чего не вышло». Это напоминало собаку на сене — и управлять эффективно сами не могли, и денег на развитие не давали, но и других не допускали.

Еще одна грустная «песня» — инвестиционные конкурсы. Они стали, к сожалению, в основном конкурсами обещаний — побеждал в них тот, кто больше других обещал. Зачастую большая часть так и оставалась обещаниями.

Но в целом же итоги ваучерной приватизации были безусловно позитивными, и никто не сможет убедить меня в обратном. Приватизация способствовала формированию частного сектора, становлению фондового рынка, дала возможность привлечения инвестиций через ценные бумаги, предопределила конкуренцию и сформировала альтернативу рынку госбумаг... Ваучерную приватизацию я и сегодня не считаю ни слишком поспешной, ни слишком формальной. Стоило ли ее проводить? Стоило. Без этого у нас не было бы ни победы на президентских выборах 1996 года, ни фондового рынка, привлекающего сегодня миллиарды долларов инвестиций. Было сделано гигантское дело, которое, по сути, придало необратимый характер политическим и экономическим реформам в стране...»

Прочитал, и чем-то далеким повеяло. Тридцать три года. Как говорится, возраст Христа. Вот хоть что-нибудь по значимости и масштабности и, заметим, по позитивности для страны было сделано после этого? Ну вот — что? Укрепление властной вертикали? Хе-хе. Нету... Только одно это и изменило лицо страны. Изменило и всех нас. А Игорек говорит — реституция. Какая, на фиг, реституция. Приватизация — вот самый лучший ответ на национализацию!

И, наконец, не могу оставить без ответа критику Александра Исаевича. Оставляю на его совести пассаж относительно того, что якобы во второй половине 1994 года, буквально за несколько месяцев, вся собственность страны была за бесценок роздана узкой группе дельцов. Это просто не так. Во второй половине 1994 года мы практически остановили приватизацию, поскольку нужно было переналадить систему с ваучерных на денежные продажи.

Если же он имеет в виду залоговые аукционы, то они проходили в 1995 году, и на них продавалась отнюдь не вся собственность. На залоговых аукционах было выставлено от силы пятнадцать лотов. Да, больших, да, вкусных — но это далеко не вся российская экономика. (В следующей главе я дам подробный комментарий про залоговые аукционы, поскольку и год как раз будет 1995.) Заметим, что денежная приватизация до сих пор не закончена, и Мингосимущество продолжает продавать сотни предприятий и пакетов акций. Поэтому говорить, что мы устроили «разворовку», — это просто не владеть вопросом. Я понимаю эмоциональный порыв автора, но когда дело касается такой взрывоопасной фактуры, то плескать керосинчик, на мой взгляд, не очень осмысленно. Здесь для того, чтобы обвинения прозвучали убедительно, нужно быть точным в деталях. Как известно, дьявол кроется именно в них.

Вообще, у меня складывается впечатление, что он свои суждения о приватизации составил, что называется, «со слов». К нему же, когда он вернулся, косяком пошли так называемые «прорабы перестройки» типа упомянутого выше Святослава Федорова. Или того же Полеванова. А они, как известно, не испытывая к нам никакой симпатии, крыли приватизацию на чем свет стоит.

Однако, главная претензия автора, состоящая в том, что приватизация была проведена слишком быстро, требует четкого ответа, именно потому, что она-то как раз четко и ясно сформулирована.

Итак, начну. Я уже не раз убеждался, что главной ошибкой в принятии тех или иных решений является неправильное представление об альтернативах. Вот, например, человек находится перед выбором — надеть ему на свидание с любимой черный костюм или серый. На самом же деле ему вообще никуда идти не надо, поскольку его любимая на свидание не собирается, ибо трахается сейчас с его ближайшим другом. Таких примеров — вагон. Здесь — аналогичный случай. Александру Исаевичу кажется, что у нас был выбор либо проводить приватизацию быстро, либо с чувством, с толком, с расстановкой. А у нас этого выбора не было. У нас был другой выбор: либо мы ее проводим быстро, либо мы ее вообще никак не проводим. Причем наивно было бы полагать, что основная угроза была в том, что могут вовсе остановить. Нет. Это на поверхности явления наши оппоненты так артикулировали свои намерения. На самом деле, под этот звон о необходимости приостановки приватизации они хотели все быстренько растащить, что называется, «по своим».

Сейчас объясню. Я уже говорил, что приватизации юридически корректной и публичной предшествовал этап либо вовсе криминальной, либо «серой», полулегальной приватизации. Тут было все. И просто выкуп цехов за взятку директору еще по горбачевскому закону о предприятии. И заумные схемы с арендными предприятиями и арендными подрядами. Взносы целых производств в качестве вклада в кооперативы, в которые остальные, а это были сплошь директорские ставленники, вносили т.н.

«интеллектуальную собственность». Венцом маразма была «аренда с выкупом», это уродливое дитя членкора АН СССР тов. Бунича. Помните такого? Так вот, когда мы пришли, то около сорока процентов магазинов и общепита в стране были на этой самой аренде, то есть должны были быть проданы коллективу за бесценок. Я не шучу — остаточная стоимость — это действительно несколько десятков рублей. Да бог с ними, с магазинами. У нас «Лентрансгаз» был на аренде выкупом. Я, записной либерал, и то понимаю, что газотранспортную систему страны нельзя приватизировать.

Наши предшественники постарались на славу. Если бы наша «плохая», «воровская» приватизация не началась, если бы мы не начали аукционы и конкурсы — публичные, которые можно оспорить в суде, на которых можно присутствовать и потом зубоскалить на экранах телевизоров и писать про них мудацкие газетные статьи, то тогда действительно прав Солженицын, растащили бы страну втихаря от народа, и дело с концом. Эту опасность сейчас никто не признает серьезной. Да и тогда ее осознавало от силы несколько десятков человек.

Как вы не понимаете. У них уже все было на мази. В горбачевско-силаевский этап они все бумажки выправили, обо всем со всеми договорились, осталось совсем чуть-чуть, и дело в шляпе. И тут на тебе — аукционы, конкурсы, ваучеры и прочая гадость. Еще льготы трудовым коллективам. Хочешь не хочешь, а не меньше 25 процентов акций раздай рабочим и не греши. Вот федоровский гнев на Чубайса, он эту природу имеет.

И тут, Александр Исаевич, я не согласен и с другим Вашим замечанием. О том, что делалось все втайне от народа. Это неправда. Нет ни одного предприятия, на котором рабочие не получили бы как минимум 25 процентов акций. А, как правило, получали они 51 процент. Таким образом, они не могли не знать, что их предприятие приватизируется. Все знали. И когда, и почем, и где. Так что и здесь Вас ввели в заблуждение Ваши информаторы.

И вот, представьте себе, что прошел их, а не наш вариант приватизации. А альтернативы, я это утверждаю с полной ответственностью, выглядели именно так. И что? Если уж нашу, далеко несовершенную, но публичную и подсудную приватизацию, приватизацию хоть по какому-то, пускай дрянному, но закону, критикует всякий, если сейчас ставится вопрос о ее нелегитимности и несправедливости, если сейчас звучат предложения пересмотреть ее итоги, то что было бы, если бы прошел вариант «матерых товаропроизводителей», т.е. хозяйственной и финансовой элиты конца восьмидесятых? Этих краснобаев, которые своей болтовней о поддержке перестройки и нового мышления сменили реальную промышленную элиту, которая хотя бы знала, как всем этим управлять? Ведь даже не то пло-

126

хо, что дешево. Плохо то, что полученный их способом титул собственности — «серый», юридически «грязный». С такими правами на собственность ни инвестиции не привлечь, ни кредит под залог получить, ничего нельзя. Страна бы стагнировала и умирала. С такими правами на собственность начать народное движение «против ворюг» — плевое дело. Да давно бы уже перерезали друг другу горло. И не было бы никакого второго срока Ельцина. А значит — разлюбезного всем Путина, стабилизации, вертикали. Ничего. Вот в этом я — уверен.

Впрочем... Дела давно минувших дней. Преданья старины глубокой. А вот интересно, кому-нибудь нужна правда о приватизации? Или даже ученым достаточно мифа об «афере века» и «разворовке»? Ведь есть же у нас экономическая и историческая наука! Я не имею в виду академическую — она вся в руках у академиков-маразматиков или членкоров типа Глазьева. Я об университетской науке. Аспиранты там, докторанты. Им что, не интересно, что на самом деле происходило со страной? Как это было? Похоже, что нет... Жаль.

И последнее. Извините нас, господа хорошие, что не сделали вас всех рокфеллерами, как обещали. Оказалось, что это невозможно. Точно. Установлено экспериментальным путем.

К о х: Давай вернемся к чеченской войне! Расскажи, что ты думал о ней.

— Я? Мне это казалось непонятной частной проблемой — одной из. На фоне многих. В рамках тогдашней неразберихи и бардака. Везде непонятка — и в Чечне тоже. Я не был эмоционально в это вовлечен, ну уж по крайней мере тогда, вначале. Может, потому, что все те независимости провозглашались одна за другой. Мелькание было в глазах, а не «Вставай, страна огромная». Мне не было толком понятно, почему Россия слила, почему она отдала Германию, Прибалтику... На фоне пол-Европы, которую мы отдали без единого выстрела, Чечня не могла меня взволновать тогда.

— Отдельный Надтеречный рай-

он был против Дудаева, а возглавлял этот район человек по фамилии Автурханов, нет? И будто бы они сделали отряды, которые пошли штурмовать Грозный.

— А, отряд из русских офицеров!

— Да. Которых собирали по всей России. И от которых потом отказались. И куда делись все те люди из Надтеречного района? Убили их? А вся война 94—96-го годов — мне кажется, это была череда предательств. Я помню, был такой функционер совбезовский, генерал Манилов, он потом в Минобороне работал. Мы у него сидели и рассуждали о Чечне, и он говорит: «Вот только-только мы их, чеченов, зажмем, только развернем артиллерию — и тут же нам команда: назад. Опять их прижмем — и опять команда назад!» Ему в ответ: «Вы уже за...али этими рассказами про команду назад! Расскажите, кто вам давал такую команду! Фамилия, имя, отчество!» И знаешь, что он сказал? Он сказал: «Черномырдин Виктор Степанович».

— **Да?**

— Да! Я говорю — какого черта, у вас же есть главнокомандующий! Да, говорит, главнокомандующий вообще ни в чем не участвует, ему что расскажут, он всему верит. Чего-то несет: 38 снайперов. А Черномырдину кто в мозги срал — отступать, наступать? Береза, что ли? Так пишут некоторые газеты... Ну хорошо, ну вот сейчас-то нет Виктора Степаныча — ну так что ж они этого безногого поймать не могут? Опять разговариваешь со службистами, уже сегодня, и они опять рассказывают: да мы знаем, где безногий, — но нам команды нет. Как — нет? Он в розыске, он международный преступник... И какая еще такая специальная команда должна быть?

— **Ну, эта война не удается, может, оттого, что никто не идет в русское народное ополчение. И никто не кидает чепчики в воздух, когда полк отправляют в Чечню. Обществу сверху донизу насрать на эту войну. Вон прошел сюжет по ТВ — один из многих, но он по образности круче, — как ветеран чеченской войны, награжденный за нее орденом, кстати сказать, Мужества, живет с женой в автомобиле «Москвич». Жи**вет себе и живет. Ибо его выселили из общежития. В военкоматах нет очередей добровольцев, и девушки из хороших семей не ходят в госпиталь щипать корпию, перевязывать рядовых с оторванными ногами и давать раненым офицерам.**

— А вот в Америке тоже никто не ломится в военкоматы. Более того — их солдаты в Ираке скулят, что им домой охота. И тем не менее они поймали Саддама!

— **За бабки?**

— Хорошо, давайте и мы за бабки поймаем Басаева! И Мосхадова — за бабки! Так не может быть... Я не понимаю... Они периодически выходят с обращениями, кассеты посылают, в Интернете вылезают... Дают о себе знать! Американцы поймали человека, который полгода о себе не давал знать! Сидел в щели! А чечены занимаются публичной деятельностью, руководят операциями. Я не понимаю.

— **И непонятно, почему группой «Плаза» командует Джабраилов.**

— А чего тебе непонятно? Это священное право частной собственности, извини. К тому ж ему не отдали в собственность ни Манежный комплекс, ни «Россию», ни «Славянскую» — а дали в управление. Не знаю, чем он тебе не угодил.

— **Ну вот русские на Кавказе не командуют бизнесом, а они у нас командуют. Это о чем-то говорит... Почему я вспомнил тут про Джабраилова? Потому что и в Чечне, и в России — родоплеменной строй. Мо** чат друг друга два племени. Никто из них не несет другой стороне цивилизации и культуры. И вот он эмоциональный заряд — когда человек из чужого племени держит в руках самую яркую, самую броскую собственность чужого племени. Во время, между прочим, войны.

— Почему тогда племя под названием русские постоянно предает членов своего племени? А в чеченском племени предательства нет.

— А потому что у них чистые понятия, а у нас замутненные. Они держатся за родоплеменной строй, а мы половину его ценностей уже откинули. Мы много растеряли из своих прежних ценностей. Но и к вере в священную правоту государства как института, присущего белому человеку, тоже еще не пришли. В племенном обществе всегда прав свой. А в государстве подразумевается, что в нем якобы гамбургский счет и полное торжество справедливости и законности. Мы же и своих не считаем заведомо правыми — не дикари ж мы какие-то, в самом деле, — но и не защищаем этих своих законом.

Комментарий   **Свинаренко**

Вот тебе случай с Будановым. Непорядочно с ним поступили. Когда воюют дикие племена, так там все можно. А если это цивилизованно на уровне государства решается — так надо сперва определить статус боевых действий, срочно посадить тех, кто постоянно отзывал войска и не давал разбить сепаратистов, надо привлечь к уголовной ответственности тех, кто допустил контуженого, сильно пьющего человека к управлению войсками, объяснить в десяти словах, отчего эта война длится дольше Второй мировой. И самое, может быть, главное — надо провести жесткую разборку по преступлениям, совершенным в Чечне против мирных русских. А то складывается впечатление, что жили-были мирные наивные туземцы, типа как на Таити, пели песенки и надевали приезжим на головы венки, сплетенные из полевых цветов, — и вдруг пришел белый человек и убил местную девушку — чего тут спокон веку не случалось. Ах! Туземцы падают в обморок при виде крови. Конечно, ужасно. Воля ваша, но мне не нравится, как обошлись с Будановым. Меня б послали писать репортаж с суда, я бы им написал. Мало б не показалось. Надо было сказать: «Дорогие чеченские друзья! Мы сочувствуем вашему горю. Пытаемся решить вопрос справедливо. Видите, уже арестовали своего же полковника. Мы его будем судить! Но не сегодня. А после того, как и вы нам выдадите ну хоть десяток ваших орлов, которые насиловали и убивали русских в Чечне. Есть же заявления. Некоторые известные люди попадали в переделки. А судить будем всю эту компанию одновременно, синхронно. Сроку вам даем на поимку ваших злодеев год. А по истечении года, если не поймаете, — извиняйте, полковника выпускаем вчистую. На нет и суда нет». Допускаю, что нет заявлений. Что их никто и принимать не стал у пострадавших русских. Тогда вообще вопрос снимается: чтоб не создалось такого неправильного впечатления, что им можно, а нашим нельзя. Чтоб не разжигать межнациональную рознь. Ну ладно, можно смягчить условия. И просто запросить статистику — какие обвинительные приговоры были вынесены чеченскими районными и шариатскими судами по преступлениям, совершенным чеченами против русских...

Впрочем, есть еще один путь, не хуже того, по которому пошли с Будановым, и точно никто б у нас не удивился. Можно раззадорить пару-тройку скинхедов в Германии, и они разыщут сотню-другую бабушек, которых совершенно реально изнасиловали красноармейцы в 45-м, — мы знаем, таких случаев полно. Бабушки напишут заявления, наша военная прокуратура быстро вычислит, какие части там стояли и проходили, и вот сразу можно заводить уголовные дела на командиров, забирать у них ордена и допрашивать наших выживших дедушек, брать у них сперму на анализ, проводить опознания и прочая, и прочая. Подумаешь, война была! Да плевать. Ах, люди контуженые, у всех психотравмы, у кого-то семью фашисты расстреляли? Ах, сожгли? Подавайте в суд. В Гаагу. И заметки пойдут в прессе: мирные немцы хотели освободить многострадальный русский народ от сталинизма и т.д. И вообще по этой логике можно в Трептов-парке солдатика, который приобнял спасенную несовершеннолетнюю пухленькую немочку, привлечь за педофилию что твоего Майкла Джексона.

А если серьезно, так того же Буданова в качестве промежуточного наказания одеть в летнее обмундирование и отправить на неотапливаемом самолете в Магадан, — авось помрет от воспаления легких, и нет проблемы. Еще серьезней: надо отловить всех ветеранов НКВД, которые еще не перемерли — из «работавших» по Прибалтике в 40-м году, — и отправить их этапом в Латвию. А пусть их там засудят, как это они любят... Ну а че? На кой нам двойные стандарты? Давайте уж везде по гамбургскому...

С в и н а р е н к о: Вот, у русских третий путь, не племенной и не государственный. Не такой, как у всех.

— А какой?

— **Ни туда, ни сюда.**

— А, то есть топтание на месте. В промежности.

— **Ну. Это наше родное: ни мира, ни войны, а армию распустить.**

— Ха-ха-ха. Это сформулировано товарищем Бронштейном.

— **Который, выходит, понимал глубинную сущность русских. Он, видно, знал, чего они хотят на самом деле, — при том, что даже себе в этом не признаются. А смеешься ты зря, ибо в Чечне у нас все идет именно по схеме Троцкого: статуса войны** нет, но и мира нет — это называется «контртеррористическая операция». И армию не то чтобы совсем распустили (в хорошем смысле этого слова), но ее как бы вывели! То, что там осталось, формально подчиняется МВД и ФСБ. Еще про Чечню. Чтоб понять, что там и почему. Вот я украинец. Нашего брата немало там воевало на той стороне, против русских. И вот я думаю: а кому было бы лучше, если бы я придал большее значение своей украинскости? И именно ее положил бы в основу своей жизнедеятельности? Тогда, может, я бы пускал под откос русские поезда в Крыму и воевал бы за Гелаева. И другой вопрос: кому плохо от того, что я существую в некоем наднациональном пространстве? И непредвзято рассматриваю и Россию с Украиной, и немцев с евреями, и американцев с сербами. Никто из них не замутняет мне взгляда. В это, наверно, трудно поверить, но это тем не менее так — плохо это или хорошо. Это не было моим осознанным выбором, меня к этому жизнь подвела, и я это принял. Так сложилось.

И вот есть фазы: то национальное идет в гору, то наднациональное. А мы все никак не попадаем в фазу, мы как бы отстаем от моды. Вот сейчас во всем мире подъем национальных интересов, а у нас все русским никак не дадут идентифицироваться и самоопределиться.

— Я не очень понимаю, о чем ты говоришь. Мне кажется, неправильно сравнивать украинский сепаратизм с чеченским. Потому что

у любого хохла есть выбор — либо не замечать свою отдельность от общеславянского народа, либо замечать и настаивать на украинской государственности, которая сейчас принимает какие-то юмористические формы, — вот, президента всенародно они избирали, а теперь это будет делать Верховная Рада. Как у нас Горбачева избирали.

— Я и сам бы ввел непрямое голосование. А всенародным изберут Стеньку Разина.

— Ну почему? Вот Путина избрали всенародным. Он что, по-твоему, Стенька Разин? А? Или ты что-то против Путина имеешь? А? В глаза смотреть! Не мигать! Ты морду-то не вороти! Отвечай, что спрашивают!

— Против Путина? Я бы, может, имел, но у меня нет на примете никаких других подходящих кандидатур. Ну не Рыбкин же. И не охранник Жириновского. Разве только наша японская подруга... Она молодец, совершила мужской поступок...

— Ну так вот я тебе отвечу. У хохла может быть позиция, что он со смехом относится к конфликту вокруг Тузлы. Я вот особой разницы между русскими и украинцами не вижу. А чечену не дали выбора! Он может быть только сепаратистом. Потому что русский ему всякий раз будет напоминать, что он черножопый. Даже вот сейчас ты говоришь: а почему у Умара Джабраилова «Плазу» не отберут? Тебе ж не приходит в голову что-то отнимать у Евтушенкова, поскольку он хохол. Согласен? Не дали чечену выбора, никак он не может встать над схваткой.

— Да мне как раз это очень даже понятно. Мне легко себе представить, что если я чеченец, то бегаю с автоматом и воюю против русских. А какие еще социально значимые деяния мне бы оставались? Баранов пасти? Или в Москве на рынке торговать? Очень весело... А вот служить русским — это мне, как чечену, было бы не очень понятно... Это так, со стороны глядя. Так что же, мы опять отстали от мировой моды? Все, кроме нас, уже отпустили на волю свои колонии...

— Я думаю, Чечня и колонией-то не была по-настоящему. Вот, например, были народы, которые Англия так и не смогла покорить, — те же пуштуны. Так они и живут без всякой государственности. То они пойдут в Пакистан, то в Афганистан. Хорошего в этом мало — дети неграмотные, прививок не делают, мрут как мухи. Все грязные, в соплях, автомат наперевес. Такой их выбор. Мудацкий, заметим. Но — собственный!

— Я в Индии на это обратил внимание. Мемуары Киплинга почитал... Забавно — англичане застроили Индию железными дорогами и заводами, обучили местных европейским понятиям, и теперь индусы запускают в космос ракеты и мастерят атомные бомбы. А самостійний independent Афганистан ездит на ишаках, и ничего в нем нет, кроме замечательно дикой природы. Две модели — интересно! Два мира — два детства.

— Помнишь, с чего начался «Шерлок Холмс»?

— Доктор Ватсон вернулся из Афгана.

— Да. Из-под Пешавара, где он получил ранение. А русские дали чеченам нефтяные промыслы. И соответствующую инфраструктуру, и железные дороги. А потом ушли. Нефтяные промыслы Грозного, по-моему, частично принадлежали братьям Нобелям. Таким образом, это был даже в некотором роде международный проект.

— Так что же мы решим по Чечне? Нам это не очень понятно...

— Напишем про это комментарии.

Комментарий ████████ **Свинаренко**

СОЛЖЕНИЦЫН ПРО ЧЕЧНЮ

Вот как раньше нас заставляли по всякому поводу цитировать Маркса или, на худой конец, Ленина, так и я сейчас увлекся другим классиком. Хотя никто ж не заставляет.

«...Не многие в нашей стране помнят, а большинство и не знало никогда, что чечены в Гражданскую войну поддержали большевиков, с резнею казаков. В награду им и в кару казакам уже в начале двадцатых годов Дзержинский производил насильственные высылки казаков из Сунженского округа и со среднего течения Терека (правый берег), и селения эти становились чеченскими. (Правда, вскоре, с укреплением советских порядков, чечены и восставали.) В 1929-м передали Чечне и Грозный, населенный почти сплошь русскими и до этого года входивший в Северо-Кавказский край. Но в 1942-м, с приближением гитлеровских войск, в поддержку их, у чеченов-ингушей было восстание — и это-то определило их дальнейшую высылку Сталиным. В 1957-м Хрущев придарил возвращенной Чечне казачье левобережье Терека. А много русских продолжало жить и в степной части правого берега. (По переписи 1989-го, в Чечне жило 0,7 млн. чеченов и 0,5 млн. нечеченов.)

...Погромы, грабеж и убийства нечеченского населения начались в Чечне уже с весны 1991 (и не встретили противодействия Москвы). Тем более чеченские лидеры и активные боевики не упустили использовать государственный развал осенью 1991. Дудаев захватил власть и объявил ту независимость Чечни, которой чечены всегда настороженно жаждали. Ни к чему не готовое, лишенное исторического мышления российское руководство тут же импульсивно объявило в Чечне военное положение, но через два-три дня, сняв его по своему бессилию, только выставило себя в смешном виде. И уже тут первая загадка дальнейшего трехлетнего бездействия: российское военное командование уступило самопровозглашенной Чечне обильное вооружение всех родов, включая авиацию.

...С чеченами я был в казахстанской ссылке в 50-х годах. Там хорошо узнал и их непреклонный, горячий характер, их непримиримость к гнету и высокую боевую искусность и самодеятельность. От первых дней чеченского конфликта (1991) было ясно, что для разбереженной, неустоявшейся России с раздерганными политическими, общественными и национальными течениями военное столкновение с Чечней принесло бы огромные трудности, но еще более мне казался бесперспективным политический замысел усмирить Чечню. Я видел разумный выход в том, чтобы незамедлительно признать независимость Чечни, отсечь ее от российского тела, дать ей испытать существование независимой страны, но так же незамедлительно отделить прочным военно-пограничным кордоном, разумеется, оставив левобережье Терека за Россией. (Уже и в XIX веке так было, и еще ярче показано теперь: для чеченов грабительские набеги и захват заложников, рабов и скотьих стад — это как бы их форма производства при низком уровне собственного хозяйства.) И положить же усилия принимать из Чечни желающих русских, а изрядную сотню тысяч чеченов-мигрантов, рассеянных по России в криминальной коммерции, объявить иностранцами и потребовать либо доказательства пользы их деятельности для России, либо немедленного отъезда. (Такой план я предложил в июне 1992 президенту Ельцину при телефонном нашем разговоре Вашингтон — Вермонт, но беспоследственно. Тот же план я потом не раз предлагал в российской прессе и по телевидению — и тоже бесполезно.)

...Между тем потянулся трехлетний период полного российского бездействия относительно отколовшейся Чечни. Какие-то могучие тайные интересы каких-то высоких сфер в Москве продиктовали поведение «как если б ничего не произошло». Все такой же обильный поток тюменской нефти отправлялся на грозненский нефтеперерабатывающий завод, а деньги от продажи продукции кому-то доставались, где-то делились. Также продолжались государственные дотации Чечне и все другие экономические и транспортные связи с ней.

...Российское ТВ не показывало нам никаких душераздирающих сцен и трупов — три года. И три же года благодушествовали самые знатные российские «правозащитники», выявляя хладнокровие нашего образованного общества. (За все три года мне известно лишь одно сообщение из Чечни в московской газете («Экспресс-хроника»): что за первые полгода режима Дудаева в Чечне подвергся насилию каждый третий житель, разумеется, нечечен.) Это и была, как теперь говорят, этническая чистка, но из Боснии она стала заметна всему миру, а из Чечни — никому. Ни ООН, ни ОБСЕ, ни Совету Европы.

...И как необъяснимо было до декабря 1994 безучастие высших властей российского государства — так же ничем не был объяснен, обоснован внезапный поворот: начать против Чечни войну.

Дальше наперебой соревновались — за счет гибели тысяч и тысяч жизней — генеральская бездарность в ведении военных операций и политическая бездарность российского государственного руководства. (Если только к бездарности можно отнести вспышку триллионных финансирований восстановительных работ в Чечне прямо на театре военных действий и в самом ходе их.) Были инсценированы и всенародные выборы промосковской администрации в Чечне, до такой степени открыто подложные, что даже притерпевшимся за советское время носам это разило. (Позже, когда проиграли войну, всю эту «народную власть» тихо свернули, даже не оговорясь.)

...Сдавши и Черное море, и Крым — разве удержать было Чечню?..

Отпуск Чечни был бы оздоровляющим отъемом больного члена — и укреплением России. А цепь вот этих позорных военных неудач, обративших Россию в ничто под презрение всего мира, — вот это и был вернейший путь к развалу всей России.

Да еще: сумели бы мы без генерала Лебедя вытянуться из этой войны? Полное впечатление было, что не осталось в России ни государственной воли, ни государственных умов — а так бы месили бойню еще год, и месили еще два. Лебедя погнали туда, чтоб он провалился в этой невыполнимой операции, — а он решился подписать капитуляцию в войне, не им затеянной и не им проигранной. (Те и виновны — во всем, а он виновен, что в поспешности перемирия — или в надежде на великодушие своего чеченского партнера? — поверил — притворился, что верит? — в гарантии разоружения чеченских боевиков, обусловленного выводом наших войск, и не вытребовал тысячу наших пленных из ям и рабских цепей на ногах — тем наложив на Россию еще один несмываемый позор.)

...И еще же достойный армейский финал: чтоб удовлетворить гордость победившего (и уходящего от нас) народа, указанием Президента мы выбросили из Грозного две наши постоянно расквартированные там бригады, да — посреди зимы! — одну бригаду — в открытую морозную метельную степь, своих солдат не жалко. (Та бригада — и развалилась к весне.)

Теперь спешили с уважением пожать руки тем, кто недавно грозил Москве ядерной расправой, «превратить Москву в зону бедствия», и террором по всем железным дорогам России, которая «не должна существовать», ибо «весь русский народ — как животные». И — как же пережили эту войну русские населенцы Чечни? Более всего сгущенные в Грозном, они не имели, в отличие от многих чеченов, ни транспорта, ни денег, чтобы оттуда вовремя бежать. Из обращения русской общины Грозного весной 1995: «С одной стороны, в русских стреляли и убивали дудаевские боевики, а с другой — стреляла и бомбила русская армия. В Грозном нет ни одной улицы, переулка, парка, сквера и квартала, где бы не было русских могил», — но газеты российские писали и телевидение показывало только потери чеченов».

Свинаренко: Ну вот мы понимаем, за что они там отдают жизнь: законы гор, какие-то их традиции, старейшины, взаимовыручка, моральный облик их женщин, — можно себе как-то представить, что защищают они. А мы? Можешь сформулировать? Что нам дорого в нашем образе жизни, что мы хотели бы принести в другие земли? Когда чечены смотрят по ТВ, как наши олигархи друг на друга наезжают, мочат своих товарищей в информационных

войнах, как чиновники у нас охерели совсем, как Грызлов перед выборами винтит своих же собственных оборотней, которые у него на зарплате сидели, — понятно, какая реакция у телезрителя в Гудермесе.

— Да они сами друг дружку режут, и посильнее. И воруют, и взятки берут... Они не кристальные. А мы? Что мы... Ну есть некий принцип территориальной целостности, как некий фетиш. У Путина это выражено еще сильнее, чем у

Ельцина. И потом, у Путина очень убедительный повод начать войну: они же напали на Дагестан. А в 94-м году были большие проблемы с Татарстаном, с Башкирией. И с Уралом: Россель объявил Уральскую республику, а Наздратенко объявлял Дальневосточную. Большие проблемы были с Якутией, которая себя объявила субъектом международного права.

— **Забавно получается — за Чечню мы уцепились просто зубами, а что войска наши оставили Польшу, Германию и Прибалтику — это нас не беспокоило.**

— Да. Потому что Чечня — внутри России. Но есть еще версия. Что в самый последний момент Дудаев якобы согласился на татарский вариант, но ему ответили — поздно. Почему наши не пошли на соглашение с Дудаевым? Что там случилось?[1]

— **Увидишь Березу — спроси.**

— Не, Береза в 94-м не имел значения. Так что я не очень понимаю. Но я знаю одно. Степашин тогда был начальником ФСБ, нет, ФСК оно раньше называлось. Это он вербовал этих ребят, сажал их в танки, и они шли в Грозный под видом автурхановцев. И они штурмом взяли Грозный! И на их плечах человек по фамилии Ерин — министр внутренних дел — должен был ввести части внутренних войск, которые были на марше. Они должны были занять Грозный под предлогом того, что надо предотвратить кровопролитие. И когда наши танки вошли в Грозный и взяли его...

— **...то танки начали жечь.**

— Совершенно верно, началась большая мясорубка, но наши победили, вот в чем дело. Но Ерин развернул внутренние войска — и... увел их от Грозного. Вот и все. И тогда наши штурмовые колонны, без поддержки основных сил, разбили.

— **За бабки развернул?**

— Не знаю. Но все равно это странная история. Когда я со Степашиным начал про это разговаривать, он сразу покрылся пятнами, начал трястись — и всего только сказал, что Ерин его предал, что он его к такой-растакой матери и что, к сожалению, он всего рассказать не может. Но в частных беседах он такие вещи говорит, уши в трубочку заворачиваются.

— **Но, вообще говоря, понятно, что это удобно — иметь такую небольшую управляемую войну и все время слать туда бабки на восстановление, точнее, клепать бумаги, что якобы деньги туда ушли. И так раз за разом.**

---

[1] Есть версия, что в Первую мировую войну, перед самым началом, англичане будто бы в последний момент телеграфировали немцам, что во избежание войны принимают их условия. Однако немцы ответили: «Уже поздно отменять приказы». У всех тогда чесались руки. Воевать хотелось до чертиков. Наверное, и Грачев хотел навалять «зверям», чтоб неповадно было. Одним парашютно-десантным полком. Маленькая победоносная война. Для укрепления престижа власти... Так, скорее всего, и докладывал. Как Куропаткин в русско-японскую: «Накостыляем макакам!» (Вставка моя. — *А.К.*)

— Вот я тебе и говорю — первая война: это череда коррупции и фантастических предательств. Как пресса предала тогда русских! Практически вся! Холдинг Гусинского с завыванием подавал героев-чеченов. Моджахеды, типа, борются за независимость. А герои-моджахеды Масюк у Гуся украли, и Гусь должен был денег заплатить. И немало. Полное Зазеркалье какое-то.

— **Есть версия, что все это из-за нефти.**

— Хрен его знает.

— **Эту версию давал Азер Мурсалиев в «Коммерсанте». И он это очень убедительно делал. Когда решали прокладывать нефтепровод из Баку через Чечню, тут же следовало какое-то нападение. Тогда передумывали и решали в пользу Турции — в которой незамедлительно что-то творили курды. Тогда снова склонялись к Чечне — и так без конца. Даты совпадают с потрясающей точностью! Я ту заметку объявил лучшей во всем издательском доме и с удовольствием выплатил Азеру солидную премию. Вообще же небольшая компактная война — это очень удобная вещь. Сколько всего на нее можно списать! Сколько всего ею оправдать! Какие можно торги с Западом устраивать! А вот я еще как-то спросил себя: «Странно, была нефть по восемь долларов за баррель, а стала по тридцать. Как это?» И выработал такую версию. Некто арабы говорят нашим властям: «Мы понимаем, что вы не можете просто так взять и уйти из Чечни. Но вы уж тогда**

окажите нам любезность: не давите чеченов совсем. Пусть там так потихоньку все идет как идет». Наши отказываются. И тогда арабы делают предложение, от которого невозможно отказаться: цена на нефть чудесным образом поднимается до тридцати или даже до сорока, и плюс к этому — вот счастье-то! — ОПЕК допускает и нас до снятия сливок. То есть мы свою нефть начинаем продавать по тридцать-сорок! И, как легко догадаться, у нас растет ВВП. Такими темпами, что первое лицо делает серьезное лицо и призывает эти темпы даже и еще поднять! Но иногда античеченское лобби побеждает, в Чечне активизируются наши войска — и... в России случается теракт. И устраивают его скорей всего не или не только чечены, а в основном те ребята, которые получают комиссионные со сделки с арабами. Видимо, о чем-то таком тебе хотел рассказать Степашин, да не мог... И Манилов имел в виду что-то подобное... Но, как бы то ни было, это не наша с тобой война. Ведь мы не едем туда воевать. И ты не покупаешь танки на свои кровные и не шлешь их в Грозный. Как это делали передовые ткачихи в 1942-м.

— Ну почему, я налоги плачу, и война ведется на мои налоги.

— **Налоги — само собой, а вот патриотического добровольного почина у тебя нету. Не наша это война, мы не готовы пойти на нее и там умереть. Нам эта идея не кажется уместной.**

— Вот у Марио Пьюзо есть книга «Сицилиец». Она про парня, который стал как бы Робином Гудом. Он был, с одной стороны, бандит, а с другой — грабил богатых и помогал неимущим. И еще он был сепаратистом, хотел свободы и независимости Сицилии. И против него были двинуты войска, которые вели с ним боевые действия. Потом его предали...

— ...как водится...

— Да. Это документальная практически вещь! Это все происходило в действительности. И вот эта модель мне сильно напоминает чечен-

скую войну. Я думаю, что сицилийцы, корсиканцы и чечены очень похожи. В том смысле, что то, что внешним миром воспринимается как бандитизм, мафия, отсталость и сепаратизм, с их собственной точки зрения воспринимается как семейные ценности, доблесть, геройство и приверженность обычаям.

— И баски.

— Может, и баски — не знаю только, есть ли у них кровная месть? В общем, это я в комментарии изложу.

Комментарий **Коха**

КАК Я ПОНИМАЮ ЧЕЧЕНЦЕВ. ЧЕТЫРЕ ВЗГЛЯДА

Трудно быть чеченцем.
Чеченская пословица

Трудно быть евреем.
Еврейская пословица

Почему чеченцы — такой странный и необычный народ? Какие условия и исторические реалии сформировали их нрав и обычаи, так непохожие по жесткости и детерминированности на нрав и обычаи даже соседних с ними народов, не говоря уже о более отдаленных? Есть ли в мире народы, схожие по ментальности с чеченцами? Что общего у этих народов? Существует ли положительный опыт взаимодействия с этими народами? Что нужно делать, чтобы наконец прекратить это бессмысленное кровопролитие, которое чревато просто исчезновением этноса?

Данный комментарий нельзя назвать даже попыткой найти ответы на эти вопросы. Это всего лишь мысли вслух... Не более чем взгляд дилетанта на эту проблему.

ВЗГЛЯД ПЕРВЫЙ. АНАРХИСТЫ

«...История не знает края, который подвергался бы столь жестокому насилию. Как смерч, гуляла по острову инквизиция, не разбирая, кто беден, кто богат. Железной рукой покоряли крестьян и пастухов своей власти родовитые землевладельцы и князья католической церкви. Орудием этой власти служила полиция, в такой степени отождествляемая народом с властителями, что нет на Сицилии страшнее оскорбления, чем обозвать человека полицейским.

Ища способа уцелеть под беспощадной пятой самовластья, истерзанные люди научились никогда не показывать обиду и гнев. Никогда не произносить слова угрозы, поскольку в ответ на угрозу, опережая ее исполнение, тотчас последует кара. Не забывать, что общество — твой враг и, если ты хочешь сквитаться с ним за несправедливость, нужно идти... к мафии...» (Марио Пьюзо. «Крестный отец», книга VI)

«...При виде солдат Маттео прежде всего подумал, что они пришли его арестовать. Откуда такая мысль? Разве у Маттео были какие-нибудь нелады с властями? Нет, его имя пользовалось доброй славой. Он был, что называется, благонамеренным обывателем, но, в то же время, корсиканцем и горцем, а кто из корсиканцев-горцев, хорошенько порывшись в памяти, не найдет у себя в прошлом какого-нибудь грешка: ружейного выстрела, удара кинжалом или тому подобного пустячка?..» (Проспер Мериме. «Маттео Фальконе»)

«...Старики... собрались на площади и, сидя на корточках, обсуждали свое положение. О ненависти к русским никто не говорил. Чувство, которое испытывали чеченцы от мала до велика, было сильнее ненависти. Это была не ненависть, а непризнание этих русских собак людьми и такое отвращение, гадливость и недоумение перед нелепой жестокостью этих существ, что желание истреблять их, как желание истребления крыс, ядовитых пауков и волков, было таким же естественным чувством, как чувство самосохранения...» (Лев Толстой. «Хаджи-Мурат»)

Зачем эти цитаты? Не знаю... Мне кажется, что в них есть что-то общее. Что конкретно — сказать не могу. Может быть, восприятие любой государственности как вражеской силы?

В силу исторических причин у чеченцев не возникло собственной аристократии и государственности. Довольно подробно причины этого явления описаны у Эмиля Сулейманова в его статье «Общество и менталитет чеченцев», этому же посвящены труды известного этнолога Яна Чеснова. У чеченцев развился довольно своеобразный вариант с несколько комплиментарным самоназванием «горская демократия». Так или иначе, но родовой (как они называют — «тейповый») строй у них существует и поныне, и всякую попытку формирования регулярной государственности они расценивают как чужеземное нововведение, которому нужно либо сопротивляться, либо мимикрировать в нем для собственной (т.е. тейповой) выгоды.

В чем причины такого положения дел? Некоторые считают, что молодой чеченский этнос еще не дошел в своем историческом развитии до стадии государственности (Венцеслав Крыж), другие (тот же Эмиль Сулейманов) считают, что в связи с чудовищным по жестокости нашествием Тамерлана произошло постепенное переселение предков чеченцев с равнин в горы и их переход от земледелия к скотоводству. Поэтому у них исчезли ленные отношения, а значит, и потребность в иерархии и аристократии. Произошла ползучая «крестьянская революция», и чеченцы вытеснили свою аристократию в Кабарду, Осетию и Дагестан. Сами же организовались в сравнительно демократические, с выборными старейшинами, родовые общины-тейпы. Из государственных зачатков у них остались только тейповые суды-кхел, которые спорадически функционируют на основе обычного права — адата, а исполнять приговоры должен сам потерпевший. Максимум, чем ему может помочь тейп в восстановлении справедливости, это выказать молчаливое сочувствие и поддержку. Такая вот крестьянская демократия.

Я бы не торопился возмущаться ее примитивностью, а сначала обратил внимание на то, что подобным образом функционируют замкнутые горские сообщества на Тибете и цыганские таборы всего мира. Русская воровская субкультура также основана на отрицании государства и признает только суд воров по понятиям. Несколько столетий таким образом было организовано казачество. Уж не у них ли чеченцы переняли этот вид самоорганизации — казачий круг, с Дону выдачи нет, сарынь на кичку и прочая, прочая, прочая?..

И, наконец, самый яркий пример — кантональная швейцарская конфедерация — это сообщество общин, почти лишенное центральной государственности. Горцы Альп, хотя бы шиллеровский Вильгельм Телль (а уж не «Разбойники» ли эта вещь называется?) — если посмотреть на них трезвым взглядом — те же кавказские «звери», пардон, вольнолюбивые стрелки, как их любили изображать немецкие поэты-романтики. А уж лучших вояк, чем швейцарские гвардейцы, и представить себе было невозможно. Вон Папу Римского до сих пор охраняют. И армии у них никакой нет, зато — всеобщее вооружение народа (ополчение, милиция) — как у чеченцев.

Еще бы я вспомнил наших русских анархистов-теоретиков (Кропоткин, Бакунин) и анархистов-практиков типа Нестора Махно. Такой они видели Россию. Именно с этими идеями батькина армия штурмовала Перекоп. Гуляй-польская демократия так напугала товарища Сталина, что он и через тринадцать лет после окончания Гражданской войны, зная, насколько сильна в народе идея махновщины, уморил голодом всю Юго-Восточную Украину — кулацкое сердце России.

В исламе существует наиболее развитая, включающая в себя и иудаистскую и христианскую, классификация пророков и соответствующих им норм права. Наиболее часто встречающаяся исламская классификация выглядит следующим образом: Адам — Ной — Авраам — Моисей — Христос — Магомет. Иногда, в некоторых ее вариантах, присутствуют еще праотец арабов Измаил, третий иудейский царь Соломон, а также — Иосиф Прекрасный. Однако всегда — Ной и Моисей (например, Коран, Сура 17 «Ночной перенос»).

Если внимательно присмотреться к такой организации общества, как у чеченцев, то можно обнаружить, что отсутствие государственности при наличии начал судопроизводства соответствует так называемому «Ноеву Завету».

В Библии договор (завет) Бога с Ноем не описан подробно. Там лишь сказано, что после потопа, когда на Земле остались только Ной и его семья, Бог заключил с Ноем завет: «...И благословил Бог Ноя и сынов его и сказал им: плодитесь и размножайтесь и наполняйте землю... Я взыщу и вашу кровь, в которой ваша жизнь, взыщу ее от всякого зверя, взыщу также душу человека от руки человека, от руки брата его; кто прольет кровь человеческую, того кровь прольется рукою человека: ибо человек создан по образу божию; ...И сказал Бог Ною и сынам его с ним: вот, Я поставляю завет Мой с вами и с потомством вашим после вас...» (Бытие. 9:1—9).

Однако евреи в своих книгах отыскали более подробное описание «Ноева Завета»: «...шесть правил запрещающих и одно постановляющее:

I. Не отвергай Бога.

II. Не богохульствуй.

III. Не убивай.

IV. Не вступай в половые связи с кровными родственниками, животными, лицами своего пола и не прелюбодействуй.

V. Не укради.

VI. Не ешь мяса, отрезанного от живого животного.

VII. Создай суд для обеспечения выполнения шести предыдущих правил». («Сангедрин», 56а. Цитируется по: Раби Йосеф Телушкин. «Еврейский мир». Стр. 436).

Здесь интересно то обстоятельство, что Бог прямо велел создавать суды и не дал никаких указаний на необходимость создания правительств! Интересно, что иудаизм считает каждого нееврея, который следует Ноевым заповедям, праведным человеком, которому обеспечено место в грядущем мире. Вольно или невольно чеченцы буквально выполнили указания Бога для неевреев. Забавно...

ВЗГЛЯД ВТОРОЙ. ИХ СУД

Что же это за адаты такие, по которым судит чеченский тейповый суд-кхел? Адаты — нормы так называемого обычного права — сформировались у арабов еще в языческий период. Надо заметить, что адаты не есть чисто арабское изобретение. Они содержат в себе нормы права, возникшие еще до нашей эры на всем Среднем и Ближнем Востоке, а также в Средиземноморье. Рассмотрим наиболее распространенные адаты.

Куначество — побратимство. Не есть чисто чеченский или заимствованный чеченцами у арабов принцип. Побратимство было развито, например, у древних римлян. Колоссальное развитие в Древнем Риме получил другой схожий обычай — усыновление и удочерение. Тем самым достигалась та же цель, что и в случае побратимства, — два не связанных кровью рода объединялись. Тем самым цементировался союз родов.

Ях — кодекс мужской чести. Различные правила поведения для мужчин, направленные на воспитание в них мужества и храбрости, мудрости и хладнокровия, благородства и чести, существуют практически у всех народов мира. Интересная деталь, которая наблюдается у чеченцев и которая, на мой взгляд, многое объясняет, — это своеобразное отношение к оскорблению. У чеченцев есть редкая нравственная инверсия — они боятся оскорбления. Оскорбление в данном случае понимается в самом широком смысле слова. «...Горцами руководил не только и не столько страх перед физическим наказанием со стороны или плохо действующей, или совсем отсутствующей «центральной власти», а страх перед «оскорблением» своей семьи и тейпа, в случае несоблюдения строгих адатов перед лицом общества, и страх перед возможной неблагоприятной реакцией других тейпов. Чеченец Бейбулат Таймиев, попутчик Пушкина в его путешествии в Эрзерум, рассказывал поэту о своем непрестанном страхе, несмотря на свою безусловную храбрость: будет ли им гость доволен, не поведет ли он себя в гостях негоже и не оскорбит ли таким образом своего кунака (гостя, приятеля), сумеет ли сдержать данное им обещание. «Я боюсь позора, и поэтому я всегда осторожен. Нет, я не смелый».

В некоторых случаях опозоренным считалось не только отдельное лицо, но, в определенной степени, честь целого поколения. Если позор был серьезным, то во многих случаях «не смывался» в течение долгих десятилетий. Жизнь виновника становилась невыносимой, его собственный тейп, даже вся община, от него отрекались. Он оказывался, таким образом, вне закона, его дочь уже никогда не могла выйти замуж, его сына унижали, родители шли с позором в могилу. Жизнь в горах вне развитой системы взаимопомощи внутри общины была невозможной. Поэтому горцы часто выполняли так называемый «долг чести», хотя уже заранее знали, что это будет стоить им жизни...» (Эмиль Сулейманов. «Общество и менталитет чеченцев».)

Что-то мне это напоминает... Харакири у самураев? Пожалуй... А еще больше один эпизод из «Крестного отца», в котором Том Хейген говорит сидящему в тюрьме старому другу и члену «семьи», чтобы тот себя убил и тем самым спас честь мафиозо и клана. И тот вскрывает себе вены. Или упомянутый уже выше корсиканец Маттео Фальконе, который застреливает единственного сына, нарушившего обычай невыдачи гостя.

Детерминизм поведения чеченцев основан именно на этом страхе. Они не могут быть гибче, поскольку самый строгий их судья сидит не внутри них, а снаружи. Главный лейтмотив их поведения «Что скажут окружающие?». Имеются в виду, конечно же, другие чеченцы.

Кровная месть. Боже мой! Сколько про нее написано! Конечно же, это чистый Ноев кодекс. Дав людям заповеди и не обозначив способы контроля за их выполнением, господь отдал этот контроль в руки людей — создавайте суды и сами определяйте меру наказания.

Более того, даже в более позднем Моисеевом завете, в первой заповеди, господь установил коллективную и поколенческую ответственность за преступление индивида: «...Я господь, бог твой, бог ревнитель, наказывающий детей за вину отцов до третьего и четвертого рода...» (Исход 20:5). Правда, наказывать детей за отцов господь в Моисеевом кодексе позволил только себе.

Тем не менее упоминание ответственности поколений есть отголосок правила кровной мести, которое, без сомнения, присутствовало в практике суда по Ноеву завету, в частности его третьей заповеди. Эволюция кровной мести занимает огромный кусок истории человечества. Борьбе с ней посвятили свои усилия и прародитель евреев и арабов Авраам, и пророк и создатель ислама Магомет. Взамен был выдвинут принцип «талеона» — равного воздаяния — «око за око, зуб за зуб». В наиболее четком виде он присутствует в Моисеевом кодексе: «...а если будет вред, то отдай душу за душу, глаз за глаз, зуб за зуб, руку за руку, ногу за ногу, обожжение за обожжение, рану за рану, ушиб за ушиб...» (Исход 21:23—25)

Очевидна деструктивная роль кровной мести. Истребление мужского населения на Сицилии, массовая эмиграция и прочие явления — все это, конечно же, ее следствия. Чеченская разновидность вендетты также ничем не лучше и является чудовищным архаизмом. Но детерминизм чеченской морали не позволяет что-либо изменить в этой сфере. В современном чеченском обществе существуют процедуры примирения кровников, но эта процедура настолько необязательна, настолько необходима взаимная добрая воля, настолько силен страх оказаться «немужчиной», согласившись на примирение, что можно по пальцам пересчитать случаи эффективного и бескровного решения этой проблемы.

Есть изящные, не лишенные своеобразного юмора адаты. Например, по требованиям адата, молодой человек, умыкнувший девушку без ее согласия, обязан спросить, есть ли у нее парень, за которого она хотела бы выйти замуж. Если она отвечает, что есть, то похититель посылает тому человеку весть: «Я взял тебе невесту». Таким образом, он становился посредником, другом жениха. По-моему, неплохо, а?

Есть мистические правила, например, про особые цифры 7 и 8. Есть и абсурдные, доставшиеся от глубокого язычества адаты. Например, «адат о конокраде». Если конокрад упал с украденного коня и убился, адат называет виновным хозяина коня! В соответствии со строгим правилом кража есть меньшее зло, чем смерть. Поэтому родственники конокрада должны уплатить хозяину коня штраф за кражу, а затем убить его. Каково? Понятно, что на практике этот адат (эти архаичные, абсурдные адаты называются ламкерстами) не выполняется, но само его наличие дает хороший повод указать место чеченских адатов в истории права.

Архаичность ламкерстов позволяет сравнить их с одним из самых известных законов вавилонского царя Хаммурапи (начало 2-го тысячелетия до нашей эры):

«Если некто построил дом на заказ и дом рухнул и задавил хозяина дома, то нужно убить строителя, если задавил сына хозяина, то нужно убить сына строителя, если дочь хозяина, то дочь строителя...» (Всемирная история. Том второй. Бронзовый век. Вавилонское законодательство. М. С. 104.)

Законы Хаммурапи не содержат понятия несчастного случая, как и «ламкерст о конокраде». Нет, говорит древний законодатель, во всем есть смысл и умысел. Ничего не бывает случайно. Хозяин коня специально натренировал его убивать всех других, кто попытается на него сесть. А раз так, значит, он за кражу заранее предусмотрел убийство, а не штраф. Так тому и быть. Одни пусть ответят за кражу, другие — за убийство. И со строителем та же история. Ты, мил человек, сразу строй так, что если развалится, то на тебя подумают, что ты это специально. И ответишь, как говорится, по всей строгости.

Дикость? Дикость. Еще какая... Но где-то в уголке сознания выстраивается цепочка: Вавилон — Урарту — Армения — Спитак — украденный и недовложенный при строительстве домов цемент — землетрясение — огромные жертвы — никто не ответил...Э-хе-хе... Вот вам и цивилизация. А четыре тысячи лет назад на территории Армении действовали законы Хаммурапи. Это я серьезно, без шуток. Какие могут быть тут шутки? Зона-то сейсмически активна и тогда и сейчас. Следовательно, и ответственность строителя должна быть выше. Какие, к чертовой матери, случайности? У других стоит, а у тебя рухнуло, засранец. Ты, получается, либо мудак, либо злодей. По любому — преступник! Это потом напридумывали — случайность, непреднамеренность, отсутствие умысла... А вот русская поговорка — за нечаянно бьют отчаянно — она из тех древних, языческих времен.

Есть просто хорошие, достойные правила. Например, правило горского гостеприимства. Тут, собственно, и сказать нечего. Хорошо, да и все тут.

Однако горский обычай гостеприимства, как и все древние правила, обладает... как бы это сказать... не недостатком, нет... но излишеством, что ли... Какой-то он слишком обязательный, не предполагающий исключений. Ты не рад этому гостеприимству, поскольку оно обязательно. Будь на твоем месте самый чудовищный злодей и убийца, он пользовался бы такими же привилегиями гостя, как и ты. И выдать его — страшный грех. (Еще раз Маттео Фальконе вспомнился, будь он неладен.)

Детерминизм правил поведения взамен искреннему движению души характерен не только для приверженцев адата. Так, например, известный раби Йосеф Телушкин в своей книге «Еврейский мир» пишет: «...иудаизм велит вам отдавать 10 процентов своих доходов каждый год и от всего сердца. (Это на иврите называется — «цдака». Заметим, что в исламе есть такое же правило пожертвований — «закят». Вставка моя. — *А.К.*) Но если бы все зависело от ваших чувств, то, в большинстве случаев, ждать милосердия пришлось бы очень долго. Поэтому иудазм предписывает — дай, и если твое сердце возрадуется, прекрасно. А тем временем сделано доброе дело».

Очень глубокая вещь! Древний обычай не верит в доброту как в движение души: человек — это эгоистичный подонок. Вот обычай и говорит: наплевать, что ты там переживаешь — злобу, ненависть или, наоборот, сострадание. Это твое личное дело. Ты — раб Божий. Вот и слушай, что тебе говорят. Отдай бабки и иди с миром. Возрадовалось сердце — хорошо, не возрадовалось — тебе же хуже, будешь мучаться от жадности. А нищему — помог.

Железная хватка обычая загоняет человека в прокрустово ложе голых схем поведения. Он ничего не может в них поменять. Он живет по раз и навсегда заведенному клише. Что происходит у него на душе — никого не волнует. Постепенно и сам человек уже перестает интересоваться собственными переживаниями, поскольку они не являются пищей для принятия решений о поступках. Все заранее предусмотрено. Мужчина — мужественный. Женщина — скромная. Старик — мудрый и т.д. Вообразите себе чеченца — алкоголика? Как? У меня — не получается.

Чеченцу запрещено ошибаться. Поэтому однажды ошибившись (все мы смертны), он будет упираться и настаивать на собственной правоте до конца, хотя в душе будет прекрасно понимать, что выглядит глупо. От этого он будет еще сильнее злиться, в том числе и на человека, который поставил его в такое дурацкое положение. Подойти и сказать — извини старик, я ошибся, он не может. Может быть, и хочет, но кого это волнует? Нельзя. Старики, если узнают, — осудят. Когда мы жили в Казахстане, чеченский мальчик в детском садике отобрал у меня кубики. Я стал их забирать обратно, а он взял кубик и ударил меня по голове. У меня пошла кровь. Рана была небольшая, и было почти не больно. Кровь быстро остановилась. Но молоденькая воспитательница захотела заставить этого мальчишку извиниться. Мальчишка целый день простоял в углу, но так и не извинился. Когда за ним пришли родители, то его отец поднял такой хай, что воспитательница зарыдала и отказалась от своей затеи... А казалось бы, чего такого — возьми да извинись, раз не прав?

Запрещено проигрывать. Я помню, когда в молодости занимался борьбой, то на соревнованиях к нам подходили чеченцы и говорили: «Вот он завтра с тобой борется. Мы знаем — ты сильный. Но он должен выиграть, иначе мы тебя побьем». Назавтра, если кто-нибудь из наших побеждал, то мы, зная этот чеченский заскок, домой уезжали целой толпой, а то и ребят из «Динамо» с пушками просили проводить нас на вокзал. Дикость? Но эти молодые чеченцы, что они-то могут поделать? А яхь? Как это ты проиграл? Иди тогда и убей обидчика. Иначе — позор.

Запрещено совершать прекрасные безумства, запрещено выглядеть смешным. Запрещено. Запрещено. Запрещено... Эта тошнотворная серьезность каменных чеченских лиц. Эта стать и насупленность их церемониалов. Пугающая эстетика и энергия кругового танца-зикр. Этот транс, в который они впадают... Воистину, правы чеченцы, когда говорят — трудно быть чеченцем.

У меня складывается впечатление, что в чеченском мире удобнее всех жить старикам. Все остальные — дети, взрослые, мужчины, женщины — это всего лишь прислуга для обеспечения их комфорта. Все остальные должны исполнять перед стариками какую-то бессмысленную джигитовку без начала и конца. И не в силах что-нибудь изменить. Огромная чеченская диаспора — это следствие такого положения дел. Люди просто вынуждены уезжать, чтобы самореализоваться. Причем диаспора была всегда, а не только в последние десять лет.

Чеченцу запрещено прощать. Вот про прощение хотелось бы сказать особо. Эта тема стоит того.

Талмуд учит: «День искупления прощает грехи против Бога, а не против человека, пока потерпевшая сторона не получит возмещения» (Мишна, Йома, 8:9). В книге известного охотника за нацистскими преступниками Шимона Визенталя «Подсолнух» есть описание случившегося с ним реального события. В конце войны, когда Визенталь сидел в концлагере, охранники притащили его к умирающему эсэсовцу. Тот рассказал Визенталю, что в начале войны уничтожил евреев в одном польском местечке. Теперь, перед смертью, он понял чудовищность своего поступка и хочет получить прощение от еврея. Визенталь подумал и молча ушел в концлагерь. Спустя тридцать лет он направил описание этого случая христианским и еврейским ученым и спросил: «Был ли я прав, не простив нациста?» Христиане ответили — нужно было простить. Закон и справедливость — важные вещи, но одних их мало. Нужно еще уметь прощать. Прощение — это то, что Иисус Христос добавил к справедливости. Евреи же, опираясь на Талмуд, ответили — нет. Единственные, кто мог его простить, — это его жертвы, а они мертвы. Значит, прощение невозможно.

В русском, английском, немецком языках слово «милосердие» имеет корнем слово «сердце». На иврите слово «милосердие» звучит как «цдака», всего лишь женский род от слова «цедек». А «цедек» на иврите — «справедливость». В русско-чеченском словаре на 20 000 слов я не нашел ни слова «милосердие», ни слова «прощение». А слово «справедливость» — нашел. Я не утверждаю, что в чеченском языке нет слов «милосердие» и «прощение». Просто они почти не используются. Известно ведь, что первые по употребительности 20 000 слов покрывают 99,9% речи в любом языке. Ох... Трудно быть чеченцем.

Кстати, ислам тут ни при чем. Магомет, признавая Христа пророком, включил в свое учение и категорию прощения.

ВЗГЛЯД ТРЕТИЙ. СЕМЬЯ

«...рассматриваемые как нация, корсиканцы давно уже перестали участвовать в общем течении западноевропейской культуры. Они последовательно находились в подданстве у греков, римлян, арабских халифов, императора и Пизанской республики. Последней их властительницей была Генуэзская республика, выродившаяся в недостойную олигархию... Среди народа, обособленного не только в качестве островитян, но и в качестве горцев, старинные учреждения оказались до чрезвычайности живучими. Таким образом, кровомщение (вендетта) с сопровождающей его племенной организацией, сходной с... кланами, никогда совершенно не исчезало из корсиканских обычаев. ...Ссоры разрешались междоусобицей. Зачастую союзы нескольких кланов, охватывающие значительную часть Корсики, вели друг с другом беспощадные войны... При всем том корсиканец, с чисто биологической точки зрения, развивался и совершенствовался. Среднего роста и могучего сложения, черноволосый, одаренный острым зрением, изящными, ловкими, жилистыми членами, неукротимым мужеством и другими первобытными доблестями, корсиканец пользовался всюду репутацией отличнейшего солдата и встречался в армиях всех южно-европейских государств...» (В. Слоон. «Новое жизнеописание Наполеона». М. С. 12—13.)

Наполеон Первый Бонапарт, Император Франции, имел одиннадцать братьев и сестер, из которых четверо умерли маленькими. Таким образом, осталось их семь. Перечислим всех.

Жозеф Бонапарт — король неополитанский и испанский.

Люсьен Бонапарт — принц де Канино.

Элиза Бонапарт — принцесса луккская и пиомбинская, великая герцогиня тосканская.

Людовик Бонапарт — король голландский.

Полина Бонапарт — принцесса Боргези, герцогиня гвастальская.

Каролина Бонапарт — великая герцогиня клевебергская, позже — королева неополитанская.

Жером Бонапарт — король вестфальский.

Наполеон был корсиканец и, в соответствии с корсиканскими обычаями, тащил всю свою семью за собой. Он много времени тратил на своих бестолковых братьев, на взбалмошных сестер. Будучи сам человеком достаточно непритязательным, безумно много денег давал матери. Пристраивание родственников, перетаскивание их в столицу, подыскивание им теплых местечек, — одним словом, руководство кланом занимало не меньшее место в его распорядке дня, чем подготовка военных операций или дипломатических демаршей.

Обнаружив однажды связь между чеченцами, корсиканцами и сицилийцами, я не перестаю удивляться, насколько глубока эта связь. По любым чеченским законам Наполеон был образцовый чеченец. Смотрите. Храбрый и удачливый вояка. Преданный и заботливый сын. Пристроил всех своих родственников на королевские и герцогские престолы. Сам добился такой славы, о которой до сих пор вспоминают даже враги. В конце, конечно, проиграл. Но достойно. Никто не может его упрекнуть в том, что он бежал с поля боя, струсил и все такое. А подоспей корпус Груши в битве при Ватерлоо, еще неизвестно, чем бы это все закончилось. Его семья могла бы им гордиться! А то, что при этом было убито несколько миллионов людей, что пол-Европы лежит в развалинах, так это пустяк. Зачем на это обращать внимание, это же страдали не члены тейпа, да и вообще не чеченцы-корсиканцы...

Для меня в данном случае важно вот это клановое мышление, эта невозможность ощутить себя комфортно вне рода, семьи, клана, тейпа.

«...Такого душевного застолья Альберт Нери не знал с самого детства, когда живы были родители, которых он потерял уже в пятнадцать лет. Дон Корлеоне был само радушие, страшно обрадовался, когда оказалось, что родители Нери родом из деревушки всего в пяти минутах ходьбы от его собственной. Беседа протекала приятно, кушанья удались на славу, густое красное вино кружило голову. Нери поймал себя на мысли, что наконец-то очутился по-настоящему среди своих. Он понимал, что он здесь случайный гость, но чувствовал, что может занять прочное место в этом мире и жить в нем счастливо...

...Альберту Нери не понадобилось и трех дней, чтобы принять решение.

Он понимал, что его обхаживают, — но он понял и кое-что другое. Что семейство Корлеоне одобряет поступок, за который общество осудило и покарало его. Семейство Корлеоне сумело его оценить, общество — нет. Он понял, что в мире, созданном Корлеоне, ему будет лучше, чем в мире, где он жил до сих пор. И еще он понял, что Корлеоне, в пределах этого созданного ими мира, превосходят общество силой...» (Марио Пьюзо. «Крестный отец».)

Растворить свое индивидуальное «я» в клане, роде, семье, тейпе. Снять с себя ответственность за принимаемые решения. Полностью довериться принципу «все, что хорошо для семьи, — все правильно». Ставить интересы семьи выше собственных. Вообще, единицей измерения считать не личность, но род. Вот та ментальность, которая пугает нас своей необычной эффективностью в жизненной конкуренции.

Да, конечно, человек со стандартной европейской ментальностью также заботится о своей семье, ему тоже небезразлично отношение к нему его родственников и вообще — окружающих его людей. Но, в моем представлении, у чеченцев это все имеет гипертрофированные размеры.

Чеченская ментальность напоминает матрешку, в которой самая маленькая, неделимая матрешка — это не индивидуум, как у нас, например, а род, который находится в тейпе, который, в свою очередь, находится в чеченской нации. И все. Других матрешек нет. Далее — люди, чьи интересы можно учитывать, можно не учитывать — от этого тебе не будет ни позора, ни благодарности. Более того, если ты этих, других, антиподов сумеешь обмануть, одурачить, обокрасть для пользы тейпа — делай это не задумываясь. Если нет, то веди себя как хочешь. Хочешь быть с ними в хороших отношениях — пожалуйста. Но только если при этом не затрагиваются интересы семьи и тейпа. Если же затрагиваются — то ты не волен выбирать стиль отношений. Интересы семьи и тейпа — безусловный приоритет. Если ты думаешь иначе — убирайся к черту и будь ты проклят!

Известный психотерапевт Зигмунд Генрих Фоулькес, занимаясь в 1942—1946 годах в Англии излечением пациентов госпиталей от «военных неврозов», обнаружил поразительный эффект. Оказывается, эти заболевания быстрее излечиваются методами групповой психотерапии. Он развил теорию, в соответствии с которой человек представляет собой лишь элемент в некоторой замкнутой системе коммуникаций. Замкнутая же система коммуникаций — группа — является особой металичностью, обладающей действенной силой, использование которой способно привести к излечению.

В дальнейшем теорию металичности развивали американские исследователи в различных университетах Калифорнии. Они научились подавлять индивидуальное сознание и инстинкт самосохранения у солдат спецназа, научились их мотивировать на общий результат. Научились строить удивительно эффективные научные команды исследователей, в которых каждый был лишь элементом целого. Научились формировать экипажи долго и продуктивно работающие в замкнутом пространстве. Люди, поработавшие элементами металичности, потом отказывались от какого-нибудь другого способа функционирования. Настолько осмысленным и радостным был процесс растворения своего «я» в команде.

В некотором роде чеченский тейп, мафиозная семья или корсиканский клан являются такими металичностями. Они, эти металичности, обладают потрясающей живучестью и сопротивляемостью враждебному окружению.

Если индивидуальная личность смертна, то металичность бессмертна. Она выше закона, она сама себе — закон. Ей наплевать на окружение, она довольствуется собственными моральными оценками своих элементов. Она заботится о них существенно лучше, чем общество. Металичность обладает синергетикой, которой не обладает просто некоторое количество индивидов. Нахождение внутри металичности доставляет огромное удовольствие, как от игры в футбол в хорошо слаженной команде, где все игроки любят друг друга и готовы бегать как угорелые на общий результат.

Ишь, как разошелся... А вот на тебе: христианское (и иудаистское, и мусульманское) понимание индивидуальной ответственности перед Богом не приемлет понятия металичности. Ты один. Ты сделан подобно Богу.

«...Что за мастерское создание — человек! Как благороден разумом! Как беспределен в своих способностях, обличьях и движеньях! Как точен и чудесен в действии! Как он похож на ангела чудесным постиженьем! Как он похож на некоего бога! Краса вселенной! Венец всего живущего!» (В.Шекспир. «Гамлет. Принц Датский».)

Ты, именно и лично ты несешь весь груз своих поступков на своих плечах. И думать ты должен о спасении своей души. «И жизнь ваша в этом мире — забава легкая да тщета, и лишь в приюте будущего мира — истинная жизнь. О если бы они это знали!» (Коран. Сура 29 «Паук», аят 64.)

Как говорят евреи, «нет посланца в деле греха» (Талмуд. «Кидушин» 42б). То есть если тебе отдали греховный приказ, ты не можешь сослаться на то, что ты — лишь посланец, исполнитель чьей-то воли. Если ты выполнил этот приказ, значит, ты за исполнение и ответишь. «Мне велели, честь клана, я должен был зарезать», — все это говно для красивых виршей стихоплетов. Тоже мне — орден меченосцев. Эсэсовцы доморощенные. Помните: «...честным, порядочным, благородным ты должен быть только по отношению к людям своей расы...» Генрих Гиммлер, между прочим.

Короче. Убил — в ад. Точка.

ВЗГЛЯД ЧЕТВЕРТЫЙ. РАЗБОЙНИКИ

«...три атамана донских и волжских казаков, навлекших на себя царскую опалу, в 1579 году совещались в низовьях Волги, куда им укрыться от царского гнева. Старший из них, Ермак Тимофеевич, потянул на север, к именитым людям Строгановым, и сделался завоевателем царства Сибирского, остальное казачество выплыло в море и, разбившись на два товарищества, направилось к Яику, а большинство — к... Тереку, в глухое приволье..., где с давнейших пор заведен был разбойничий притон для всех воровских казаков. Там они остановились и построили свой трехстенный городок, названный Терки, куда и стали собирать себе кабардинцев, чеченцев, кумыков и даже черкесов. Разноплеменная смесь всех этих элементов впоследствии и образовала из себя... Терское войско».

«...в царствование Алексея Михайловича, около 1669 года, знаменитый волжский атаман Стенька Разин приплыл на стругах к берегам Дагестана и произвел там такой погром..., который живет и поныне в памяти прибрежных жителей... Три дня грабил атаман окрестности города, а затем сел на струги и уплыл громить Персидское царство...». (В.А.Потто. «Кавказская война». Том 1. М. С.)

«...с Дону, во главе 700 новых удальцов, поднялся Сережка Кривой, разбил высланный против него отряд стрельцов и ушел к Разину в море; появляются затем Алешка Протокин, Алешка Каторжный, с не меньшими отрядами. Стенька в это время грабил дагестанские берега, разорял города и превращал их, как, например, Дербент, в груду развалин. В Реште Стенька предложил свою службу персидскому шаху. Переговоры по этому поводу затянулись. ...Разин отплыл из Решта в Фарабад... Пять дней казаки мирно торговали с персиянами, а на шестой Степан Тимофеевич поправил на голове шапку. Это было условленным знаком: казаки бросились на беззащитных жителей, часть их перебили, часть взяли в плен...» (Энциклопедический словарь Брокгауза и Ефрона. Т. 51. С. 159—160.)

Господи! Свят, свят, свят! Так и вижу эти рожи — Сережку Кривого да Алешку Каторжного. Вот они, красавцы — казаки-разбойники. Джигиты, ничего не скажешь. А вот еще одна неплохая цитата из того же ряда:

«...Населяли Кавказ различные племена, modus vivendi которых всегда был война всех против всех. Следует сказать, что этот край весьма беден, особенно горные области, и разбой являлся постоянной статьей дохода населяющих его племен. Кровавые столкновения происходили постоянно, набеги хищников, сопровождаемые убийствами и самыми гнусными преступлениями, прочно вошли в обиход туземных племен. Не существовало никаких законов, не работали никакие договоры, сила и коварство решали все, воровство и убийство были возведены в доблесть. На Кавказе было обычным делом, когда объединялись два заклятых врага, чтобы общими силами погубить третьего, а после начать страшную резню между собой. «Ты не можешь украсть даже барана», — таково самое страшное оскорбление для чеченца. И вот они, чеченцы, возвращались из похода, увешанные оружием, забрызганные кровью, волоча за собой награбленное добро и связанных пленников, и все соплеменники восхищались ими. Почти ничего не изменилось в менталитете чеченцев с того времени; как только в Чечне пала власть центра, тут же возродилось Средневековье, с постоянными набегами, грабежом, убийствами, заложниками и работорговлей...» (Венцеслав Крыж. «Чеченский синдром». М.)

Исследователи вывели даже целую теорию. Мол, горная Чечня очень сложная для проживания местность. Земли там бедные, урожаи низкие, скотина на их пастбищах вырастает тощая, посему они вынуждены были из столетия в столетие заниматься набегами, вот и сформировалась такая специальная набеговая культура. Со своим фольклором, эстетикой, героикой и ментальностью. Что же теперь поделать?.. Ничего, мол, не поделаешь... И все, понимаешь, у них Тамерлан виноват — загнал с равнин в горы. Из исследования в исследования склоняют хромого Тимура почем зря.

А вот я хочу неудобные вопросы этим теоретикам набегов задать. Например, такой вопрос: казачки́ жили на плодороднейших донских и волжских черноземах, а триста лет грабили так, что любой чеченец позавидует. Это как? Нестыковочка получается. Опять же грабили, грабили, а к концу XVIII века последний раз Емелька Пугачев погулял — и все. И с тех пор — опора престола. Земледельцы. Исследователи. Защитники отечества (в том числе и от горцев, кстати).

Или, например, аварцы. Ведь именно аварцем, а не чеченцем был Шамиль — имам Чечни и Дагестана, — столько лет ведший войну с русским царем. И Хаджи-Мурат был аварцем. И вообще — аварцы тоже адепты набеговой культуры. Достаточно почитать «Мой Дагестан» Расула Гамзатова (царствие ему небесное, хороший был писатель). И пастбища у них ничуть не лучше, чем у чеченцев. И воевали они с русскими даже дольше, чем Чечня. Но ведь они не отрезают головы англичанам, которые приехали проводить им телефонную связь. И своих собственных милиционеров не убивают. Не уверен, что аварцы испытывают какие-то чрезвычайно нежные чувства к русским. Для такой любви у них нет особых оснований. Но они, способные к разбою не хуже чеченцев, как-то ведь себя сдерживают. Как-то понимают, что XXI век, человечество вышло в космос, то да се. Мол, хватит, наигрались.

Да что аварцы, вон братья-вайнахи — ингуши — и те как-то пытаются устроится в современном мире. Кто золотишком в Сибири приторговывает, кто шабашит по русским деревням, кто в Москве дурью мается, а кто и дома, в Ингушетии, землю пашет. Но ведь они не отрубают пальцы ворованным детям, не отрезают головы под видеокамеру и не обвязывают себя тротилом, чтобы разорваться на мелкие кусочки. У них что, не набеговая культура? И не воровали они у гяуров красивых невест себе? И не грабили они благодатную Грузию? Еще как воровали и грабили. Просто сейчас время изменилось.

Я отнюдь не пытаюсь оправдать действия русской армии в Чечне ни сейчас, ни 150 лет назад. Я тем более не пытаюсь оправдать сталинскую депортацию. Сам не понаслышке знаю, что это такое. Я просто хочу сказать, что представителям набеговой нации неплохо бы провести такой мысленный эксперимент. Вот вообразим себе, что не русская армия и внутренние войска, а, допустим на минутку, какая-то непреодолимая инопланетная сила, смерч духа, меч господень заставляет чеченцев изменить свои представления о добре и зле, о мужестве и милосердии, о доблести и чести. Да, отказаться от дорогих сердцу истин, да, «потерять лицо», как говорят японцы, но — сохранить нацию! Представьте себе, что неуклюжая и бестолковая русская армия — всего лишь орудие божественного Провидения. Быть может, это кто-то там, наверху, вам подсказывает — поменяйтесь, время не то, все уже по-другому, вы разве не видите? Что? Все равно — до последнего чеченца?[1]

А вот имам Шамиль, мне кажется, такой эксперимент провел. И даже ответил на все вопросы, которые возникли по ходу эксперимента. Как ответил? Да вы знаете...

Как меняться? А кто его знает... Может быть, сначала ответить на более простые вопросы. Например, почему у большинства наций на войне: застрелил врага — да и все, а у чеченцев надо как-то покровавее, с отрезани-

---

[1] Пророк Иеремия вот как описывал Божий гнев на народ Израиля и говорил, что вавилонская армия — есть бич бога:

[7]«...Выходит лев из своей чащи, и выступает истребитель народов: он выходит из своего места, чтобы землю твою сделать пустынею; города твои будут разорены, останутся без жителей.

[8] Посему препояшьтесь вретищем, плачьте и рыдайте, ибо ярость гнева господня не отвратится от нас.

[9] И будет в тот день, говорит господь, замрет сердце у царя и сердце у князей; и ужаснутся священники, и изумятся пророки.

[10] И сказал я: о, господи боже! Неужели Ты обольщал только народ сей и Иерусалим, говоря: «мир будет у вас»; а между тем меч доходит до души?

[11] В то время сказано будет народу сему и Иерусалиму: жгучий ветер несется с высот пустынных на путь дочери народа Моего, не для веяния и не для очищения;

[12] и придет ко Мне оттуда ветер сильнее сего, и Я произнесу суд над ними.

[13] Вот, поднимается он подобно облакам, и колесницы его — как вихрь, кони его быстрее орлов; горе нам! ибо мы будем разорены.

[14] Смой злое с сердца твоего, Иерусалим, чтобы спастись тебе: доколе будут гнездиться в тебе злочестивые мысли?

[15] Ибо уже несется голос от Дана и гибельная весть с горы Ефремовой:

[16] объявите народам, известите Иерусалим, что идут из дальней страны осаждающие и криками своими оглашают города Иудеи. ...» (Ветхий завет. Посл. Пр. Иер. Гл. 4; 7—16).

ем головы, да по телевизору, да кишки на забор, а голову на кол? Или почему чеченцы любят себя сравнивать с волком? Почему считается, что это красивое сравнение? Почему такая странная эстетика?

А я мечтаю, чтобы наступило когда-нибудь такое время, когда чеченская мать, убаюкивая своего маленького сыночка, свою кровиночку, споет ему колыбельную песню не про кровавый набег на гяуров и не про героя-абрека, а про плюшевого мишку, красивый цветочек и коровок на лугу. Вот тогда все и случится.

С в и н а р е н к о: С Чечней пора бы определиться. Или с ней по-хорошему, или по-плохому...

— А когда у нас было по-хорошему? Всегда по-плохому. Только Наполеона сделали, тут же на Кавказ пошел Ермолов, в 1816 году. И до тех пор, пока русские Шамиля не приняли.

— **И все-таки что заставило Хрущева вернуть чеченов? Ну сказал бы, что вопрос рассматривается, ждите, партия заботится о вас...**

— Бессмысленно это осуждать.

— **Солженицын. Мы его сегодня уж немало цитировали. А вот сам факт, что он вернулся в Москву, в Россию, — как на тебя тогда подействовал?**

— Я очень люблю Солженицына. Мне было приятно, что· он приехал.

— **И мне было приятно. А прежде, все те годы после 91-го, я думал — а чего ж он все не едет? Казалось бы, самое место ему на баррикадах у Белого дома... Но он, может, знал — как и многое угадал наперед, — что не очень он тут нужен. Этому народу. Который любит Жирика и Киркорова. И вот он тянул, тянул...**

— Я его очень хорошо понимаю.

— Ну, мы — ладно. А массы его не понимали.

— **Что такое массы? А Набокова массы понимают?**

— **Ну, Набоков — писатель, а Солж — политик и мыслитель. Он приехал, рассказал все умное, а ему говорят: ну и что?**

— Вот я удивляюсь, вы меряете людей по их общественной значимости, как вас учили в учебнике «Родная речь».

— **А тебя по каким учебникам учили? Не по тем же разве?**

— Может, он просто помереть захотел на родной земле? Он раньше не ехал, потому что не чувствовал, что умирает. А в 94-м ему показалось, что он скоро умрет, и он вернулся. Захотел умереть в России.

— **Но скажем и вот что: он не востребован.**

— Ну и что? Я тоже не востребован, и что мне теперь, вешаться? Я востребован своими детьми, своей женой, близкими и любимыми людьми...

— **Солж должен быть, к примеру, экспертом правительства...**

— Почему?

— **Потому что умный. Энергич-**

ный. Зрит в корень. Дает точную оценку явлениям и ситуациям. Не поддается на разводки. Не ловится на бабки. Не убедительно? Потому что все его прогнозы сбываются, наконец. Остальные-то вслепую идут, а этот знает, куда. Хорошо б иметь такого поводыря нашему начальству, которое как-то вяло руководит, и не сказать чтоб последовательно или хотя б эффективно.

— Может, в правительстве мудаки?

— Путин должен его вызывать на заседания в верхах и спрашивать: «А что думает товарищ Жуков? (Только вместо Жукова у него будет Солженицын.) Что, он еще не в курсе? А чего ж вы мне проект постановления суете, когда Александр Исаич его даже не видел? Все, идите по домам, двоечники, и к следующему уроку подготовьтесь получше».

— Значит, докладываю тебе. Ельцин хотел ему дать орден «За заслуги перед Отечеством». А Исаич обратился к нему с просьбой не вручать ему эту награду, потому что он ее не примет все равно, откажется — и тем поставит Ельцина в неудобное положение.

— **Вот это красивый поступок! Причем он не стал дожидаться вручения, чтоб там устраивать шоу. А тонко поступил, аккуратно. Тонкий человек. О чем я тебе и толкую.**

— Путин оказался хитрее. Он сам к нему поехал. А вот Исаич, говорят, принял его достаточно сухо. Разговаривать с ним фактически отказался. Поговорил перед каме-

рой на общие темы, и все. А на приглашение нанести ответный визит вроде бы не откликнулся.

— А орден ему Путин туда привез? Так из кармана внезапно выхватить и — опа! — приколоть. И ничего уже не сделаешь, приплыли. Все.

— Да, незаметно на спину приколоть.

— **И человек зашкваренный.**

— Первой степени.

— **Различной степени.**

— С бриллиантами и бантами.

— **Или так: «Я тебе, Солж, привез списки чекистов, которые мучили честных диссидентов. Что с ними делать? Погоны оторвать? Или того? Как скажешь, так и будет. Хочешь — расстреляю их к такой-то матери. У меня их тем более полно. И все они требуют, чтоб я их устроил получше…»**

— Не, я думаю, он к нему приехал с другой речью.

— **Типа — похвали меня, и все будет хорошо?**

— Нет. «Ну что, старый козел, видал? Все равно наша взяла. Поэтому я тебе предлагаю: давай, чтоб атмосферу не портить, ты меня как демократического Президента прими и расскажи, как все замечательно. Вот ты орал на весь мир — КГБ, КГБ. А вот меня народ избрал! Не Сахарова какого-то, а меня. С этим народом надо только так. Ты слезу лил, жалел. А хули его жалеть?»

— **И говорит: «А хочешь, я тебя еще раз посажу?»**

— Думаю, не случайно были утечки в Интернете: типа Солж стукачом был в лагере...

— **Это и при советской власти гнали. Кэгэбэшные утки. Хитрые такие.**

— Помнишь, Сталин сказал Надежде Константиновне: «Ты сегодня вдова товарища Ленина, а завтра мы ему получше можем вдову подыскать, — если ты болтать будешь много лишнего». Так и тут — они его за Можай загонят и умрет он стукачом, а не великим писателем. Посадят его — и народ будет улюлюкать: «Смерть сталинскому жополизу!»

— **Это кто — сталинский?**

— А Солженицын! Так пресса подаст. (*В момент написания главы Лесин был министром. А сейчас нет. Но влияние на процессы имеет. — Прим. авт.*). Лесин даст команду — и нет великого писателя. Зато есть стукач.

— **А-а-а! Пресса! Пресса — она может...**

— Ну да. На легкой работе, лагерный придурок, и всего какой-то червонец отмотал. Не разговор.

— **И жену бросил — тоже припомнят.**

— Тоже — темка. И вообще он никакой не Солженицын, а Солженицер... Так они и расстались, придерживаясь нейтралитета.

— **А вот еще у нас регистрация партии обманутых вкладчиков. В народных массах это все в одном ряду — приватизация, «МММ».**

— Да пошел ты на хер! Ты меня с Мавроди сравниваешь! Мне не интересно настроение масс.

— **Почему это — не интересно?**

— А я так устроен. Мне не интересны мнения народных масс и вообще заблуждения. Я, как человек разумный, должен стремиться к истине.

— **Ни хера себе. Ты же писатель! И вдруг декларируешь, что тебе настроения народных масс неинтересны.**

— Мне правда интересна. Как сказал вышеупомянутый Солженицын, «а ищет сердце правды».

— **Значит, ты не писатель, а философ и мыслитель.**

— Народные, понимаешь ли, массы. Да если б в Средние века шарообразность Земли поставили бы на голосование, что б было?

— **Хуже бы не стало.**

— Но и лучше б не стало. Ты б вот не смог мобильным телефоном пользоваться. И космической связью. Если б считалось, что она плоская.

— **Наоборот, так было б лучше: поставил антенну одну на всю Землю, и звони хоть из Китая.**

— Но Земля-то на самом деле круглая! Она не подчиняется заблуждениям большинства! Антенна-то не работала бы. А ты в нее деньги вложил.

— **А может, она б работала? Откуда ты знаешь! Ты что-то сильно умный сегодня, как я посмотрю!**

БУТЫЛКА
ЧЕТЫРНАДЦАТАЯ

1995

Хит 1995 года — залоговые аукционы. Про то, как делили богатства страны, откровенно и беспристрастно рассказывает Кох. Свинаренко в этот год всего лишь путешествовал по планете и командовал первым русским глянцевым журналом.

Бутылка четырнадцатая
1995 год

— Алик! Чем ты занимался в 95-м?

— Я что, на допросе?

— Хорошо. Ты не на допросе. Хорошо! Протокол ведь не ведется... Разве только мы сами себя пишем... Ну да ладно, я скажу. Занимался я тем же, что и в предыдущий год. Глянцевым журналом «Домовой» занимался.

— А «Лучшее перо «Коммерсанта» — это было уже в прошлом? К тому моменту?

— Да нет же. «Домовой» тогда был — не знаю как сейчас — в составе Издательского дома «Коммерсант».

— А в каком году ты последний раз написал в «Коммерсант»?

— В 99-м.

— А я — в 2003. Это была заметка про Ирак. Помнишь?

— Ну. Хорошая заметка была, бодрая. Так ты все-таки чем занимался в 95-м? Весь год залоговые аукционы проводил?

— Нет, они проводились один месяц. А к ним целый год шла подготовка. Версталась нормативная документация, выпускались всякие указы президента...

— А ты был кто у нас на тот момент?

— Первый зам председателя Госкомимущества. А начальником был Сергей Беляев.

— Что касается повестки дня, то есть года, то залоговые аукционы — самая интересная тема не только 95-го, но, может, и всей книги. Читатели ждут этого. Иные — со злорадством. Они говорят мне: «Ну-ка, ну-ка! И как же вы будете выкручиваться?» Вот ты меня обвиняешь, что я их поминаю всуе...

— А давай все-таки в режиме диалога действовать! Дай и я скажу. Вот ты считаешь, что это — кульминационный момент книги.

— Таково мнение ряда читателей. И они потирают руки в ожидании. Предвкушают.

— А, как мы отмоем черного кобеля? А я хочу сказать о своих ощущениях: мы же книгу не на потребу публике пишем, а для себя — мне кажется, дело писателей и война олигархов 97-го года...

— **...были повеселее, да?**

— Конечно! И для страны последствия были более значимыми. И в моей личной биографии это большее значение имело... После залоговых аукционов, какими бы скандальными они ни были, моя карьера даже пошла в гору — я после этого стал министром, потом вице-премьером... А после писательского дела я, напротив, пошел

в отставку, получил уголовное дело... Поэтому субъективно события лета и осени 97-го года имели большее значение — для меня лично. Вот. И для страны, мне кажется, тоже. Потому что худо-бедно, а после залоговых аукционов образовался этот класс олигархов, который обеспечил приход Ельцина к власти в 96-м... А когда они переругались все в 97-м и началась эта война — все в конечном счете закончилось дефолтом, и я готов это доказать. Так вот, мне кажется, что кульминацией книги будет 97-й год. Хотя, безусловно, залоговые аукционы — яркое событие, оброс-

Главный редактор журнала «Домовой» (первый слева) с личным составом. 1995 год

шее своей мифологией, разделившее общество на две неравные части. Ярых сторонников и ярых противников. Так что, конечно же, об этом нужно говорить, и я готов выслушать твои претензии...

— **Мы тут не будем брать в расчет позицию демонстраций под красным флагом...**

— А были ли они, эти демонстрации?

— **Я не раз видел митинги у музея Ленина. Флаги, пожилые люди с горящими глазами...**

— Ну, это не залоговые аукционы. Это и «МММ», и ограбление народа, и «Эльцина под суд»... Все вместе. Разворовали страну... Это с ваучеров началось!

— **Что касается лично меня, то я вот сейчас, пытаясь восстановить свои ощущения, могу сказать, что пробегал глазом все те заметки — а много про аукционы ведь писалось. И мое мнение было такое, что акулы что-то делят, кто-то кого-то объе...вает, — ну и пусть они этим занимаются, если им интересно. Кто-то пытался поймать за полу действующих лиц, кто-то орал, что некто подсудил кому-то... В «Коммерсанте» некоторые из писавших про экономику чуть не дрались в коридорах, обвиняя друг друга в пристрастности, в работе на кого-то из олигархов. Типа — «Мой олигарх выше и честней твоего, а я бесстрастней и бескорыстней тебя!»**

— А у обоих в глазах доллары светятся...

— **После бескорыстные репорте-**ры один за другим всплывали в пресс-службах нефтяных и прочих олигархов... Забавно было это отслеживать. Что же касается попыток борьбы с джинсой, так Яковлев к этому без энтузиазма относился. Типа — а, пускай...

— Я помню, кто-то тогда выдвинул идею — в Минфине ввести мундиры. Со знаками различия — это менатеповцы, это потанинцы, чтоб сразу было понятно!

— **Лично я относился к этому спокойно. Всегда что-то дербанят — нефть, шмефть. Холодно я смотрел на это, полагая, что такое было и будет всегда. Ну, чисто в рамках фантазий я думал, что хорошо б мне позвонили и сказали: «Игорь Николаич, зайдите, получите вашу долю от торговли нефтью».**

— Вот помнишь, в одноэтажной Америке Ильф с Петровым взяли в машину хичхайкера, мальчика-социалиста, подвезли его. И он им рассказывал, что надо все отобрать и поделить поровну. А миллионерам оставить только по одному миллиону долларов. После мистер Адамс объяснил нашим писателям про этот миллион, который надо оставить: потому что этот мальчик-социалист втайне тоже хочет быть миллионером.

— **А ты знаешь, что этих наших путешественников звал к себе на рыбалку Хемингуэй?**

— Знаю! Звал, а они не поехали. И написали про это.

— **Ну, видимо их заставляли с коммунистами встречаться. Так вот,** я на участников аукционов смотрел как на фарцовщиков. Ребята сперва джинсы перепродавали, бабки делили — ну и пускай. Я смотрел на приватизаторов как на людей, которые идут в торговый институт, чтоб после вставлять золотые зубы и жрать икру. Ну, такой был образ, штамп: товаровед обувного отдела наживается на туфлях, а сам ничего не делает. И вот фарцовщики подросли и пошли к вам на аукционы рвать куски. Я ездил в свое время по Сибири, видел, как бурят скважины. Люди живут в тайге неделями, буфетчица им жарит чебуреки, и ее, видимо, еще ебут

на свежем воздухе, под комарами... И вот они там кормят комаров, а кто-то потом делит заработанное ими.

— Ну и что ж изменилось? И дальше так смотри на это!

— Но ты же требуешь от меня любви к капиталистам. При том, что при советской власти никто от меня не требовал любви к завмагам с золотыми зубами! Им самим это в голову не приходило! Я смотрел на них и думал — ну и х... с ними!

— Я прошу как раз именно такого отношения: «Ну и х...с нами». Оставьте нас в покое! Я не прошу любви, но не надо нас ненавидеть.

Кох на народном гулянии в Японии

Комментарий ▊▊▊▊ **Свинаренко**

Грех тебе, Алик, говорить, что я не люблю бизнесменов, тем более в рамках конъюнктуры. Что типа я погнался за последней модой — ругать бизнесменов. А вот я тебе дам кусок из моего старого интервью с Авеном — это задолго до посадки Ходорковского! Итак, поехали.

«**А в е н:** Путин не любит нас — бизнес-элиту. Да и не только Путин... Мы это чувствуем...

С в и н а р е н к о: А за что ему вас любить? Бабки из воздуха, дети за границей, на Рублевке уже полтинник сотка стоит... И когда мы читаем, как молодой неженатый бизнесмен летит в Куршевель или на Лазурный Берег на одном самолете, а за ним летит второй, груженный веселыми девицами... Вот если б вы были бородатые староверы, вместо публичных домов в храмы бы ходили (ты как человек, безусловно, высокоморальный — не в счет), строили б приюты и школы, как старые купцы — тогда б вам стоило удивляться: «А что это нас Путин не любит? И еще много кто нас не любит?»

А.: Да, Путин, который ассоциирует себя со страной, с народом — ему бизнесменов любить не за что. Безусловно, приоритет национальный у наших бизнесменов находится не на первом месте. Это чистая правда. Это мы видим по масштабам меценатства, точнее, по его отсутствию. Мы это видим по масштабам воровства... Это так.

С.: Ну да! Кого он должен поддерживать? Покажите мне русского Генри Форда (я приношу свои извинения за этого бедного Форда, которого уже совершенно измусолил всего. — *И. С.*), который построил завод, делает качественные дешевые автомобили для народа и сам по цехам мотается в промасленной спецовке... (А у нас если автозавод, то сразу там «BMW» и джипы собирают.) Нет — наш Генри Форд летит с блядями на курорт! Кто победней или кого жена не пускает — те завидуют... Кого из куршевельских курортников не упомянула Алена Антонова (светский обозреватель), те обижаются, дуются...

А.: Ты в чем-то прав. И он управляет заводом, который не построил, а... скажем так, приватизировал. Мне нечего возразить.

С.: Или б вы сказали: «Смотрите, мы построили город! Вот он, красавец!» Как китайцы. Вон мы с ними торгуем, но у них с этой торговли строят города с небоскребами, как у взрослых, а у нас бабки куда-то деваются — да в тот же Куршевель. У нас городов не строят! Вон разве только Манежный комплекс отгрохали да на Рублевке коттеджей наставили.

А.: Да, у нас дикие сейчас совершенно диспропорции. Фантастическая разница в доходах. Которая, кстати, и непонятно, на чем основана. Все правильно ты говоришь...

С.: Так что не очень убедительно получается, когда начинается разговор о необходимости поднять абстрактную общественную мораль. А если б ты

163

сказал конкретно: «Братья-бизнесмены! Прекратите себя вести как гондоны! Давайте будем скромнее!»

А.: Да ну, куда! У нас с элитой сейчас большая проблема. Ну, чего ты от меня хочешь услышать? Я ж не спорю...»

К о х: Я прошу: оставьте нас, предпринимателей, в покое! Не относитесь к нам ни хорошо, ни плохо.

— Алик! Я все-таки оставлю за собой право относиться к вам хорошо. Что и делаю. Я на вашей стороне. Я голосовал, в конце концов, за СПС на последних выборах (понимая, что шансов у вас немного). Я говорю о вас хорошее куче разных людей — от Проханова до Иртеньева. Я не собираюсь ни при каких раскладах идти работать на коммунистов. Но при этом я оставляю за собой и такое право: не стоять на обочине Кутузовского, ожидая, когда вы промчитесь мимо — чтоб помахать казенным флажком и глянуть вслед со слезой восторга. Я хотел бы по-прежнему смотреть на вас непредвзято и трезво. И говорить, что хочу — здесь и сейчас (а не после — в Стамбуле или на Колыме, где правящий класс, увязший в ошибках в прошлый раз, доживал неудавшуюся после 1917 года жизнь). Если тема личной скромности или нескромности правящего класса меня волнует, а вы не дадите мне высказаться, то вы мне будете совсем не интересны. Вот, к примеру, завмаги при советской власти вели себя, сука, скромно. Они себя держали в рамках.

— Да-а-а...

— Когда они строили дом в два этажа, их заставляли второй этаж сносить.

— Ну и что в этом хорошего? Это же просто зависть. Так где же либерализм, если просто завидно, что второй этаж?

— Да мне-то все равно, пусть будет два этажа! Ты как в первый раз слышишь мои претензии. Ты вообще мою часть книги читаешь невнимательно. Я писал, что олигархи своей личной нескромностью доведут всех до цугундера... Лично я не пойду воевать на новую гражданскую, уж тем более за красных. За белых, может, пойду, хотя вряд ли, а вот за красных — точно нет. Я писал, что у миллионеров не будет проблем, их повесят на фонарях — и все, а я буду в очередях маяться! За водкой. За папиросами. Мы будем менять скрипки на муку.

— А миллионеры, может, и в Парижик сбегут... Эта наша личная нескромность, насчет второго этажа... Я ж не в дачном кооперативе построился, где слесарь дядя Вася увидел мой второй этаж! Я его построил отдельно и далеко от дяди Васи. И дяде Васе мой этаж глаз не колет. Он не ездит мой второй этаж смотреть (это ж надо не полениться, сесть на автобус, поехать на Рублево-Успенское шоссе). А вы, пиздюки-журналисты, — ездите. А потом один из вас, у которого тоже есть второй этаж, и квартира в центре Москвы, и многотысячный доход, и счет кругленький, — что делает? Он говорит: «Вот тебе лень, дядя Вася, на Рублевку ездить, так я тебе все расскажу про этих пидорасов». Я-то ладно, если не эмигрирую, то меня повесят на первой осине. Со мной все ясно. А вот журналиста-то этого тоже за яйца подвесят. Уже не за мой, а за его собственный второй этаж и за галстуки красивые, дорогие. И за привычку отдыхать на Капри. И в очередь поставят, за костлявой говядиной и колбасой. И за папиросами, овальными, без фильтра. «Астра» называются.

— Да ладно. Не подвесят. Он будет себе работать на новую власть. Хоть и на коммунистов.

— А! Без второго этажа? И будет в претензии, что я его в очереди поставил и папирос лишил? А не сам ли он себя таким образом за яйца подвесил?

— На самом деле, когда один этаж — это, может, и удобней. Вон у Жечкова один этаж, но ведь богатый же дом. И даже удобный.

— Да, да. Но некоторые журналисты почему-то не стесняются дразнить людей и вызывать классовую ненависть. Я ничем не выдаю себя! Я нигде не тусуюсь! Никуда не лезу! Я свой домик глубоко в лесу спрятал и пишу себе книжечки! А меня журналисты выкопали в Куршевеле, наврали, что я по 4000 трачу каждый день, а потом будут удивляться, что я их папирос лишил!

— Ну так куренье — яд, табак — отрава.

— Тогда чего и расстраиваться? В очередь, сукины дети! Как я, парировал?

Заметка Александра Кабакова из «Московских новостей»

Кирилл КАЛИНИКОВ

ЗВЕЗДЫ ПРЕССЫ

Игорь Свинаренко – один из столпов Издательского дома «Коммерсантъ», такая же неотъемлемая его часть, как твердый знак, но важнее. Последние годы Игорь посвятил журналу «Домовой», одному из самых удачных проектов мощной media группы, и уловлению человеков для работы в ней. То и другое получалось неплохо, что подтверждает: из отличного репортера может в отдельных случаях получаться неплохой журналистский начальник.

Приятная полнота и русский с донбасским акцентом производят обманчивое впечатление (преднамеренное). На нескольких европейских языках говорит чисто. Характер мягкий, но целеустремленный. Гурман.

— Ну, парировал. Но это ж не мой был пафос. А другого журналиста.

— Кстати, все мои знакомые мне позвонили и сказали: «На х... был нужен такой репортаж из Куршевеля?» Все! Говорят: «В офисе уборщицы только об этом и разговаривают: пидорасы, наворовали, по 500 евро чаевые дают...»

— **Я, кстати, тоже от ряда капиталистов выслушал подобные гневные** пассажи. И они у меня спрашивали: «А где ж у прессы ответственность?»

— Вот ты в драных штанах на «Ниве» ездишь, так от тебя, завзятого либерала и правого, я в принципе стерпел бы такой репортаж: «Ну, Игорек выпендрился, ему, в конце концов, ничто человеческое не чуждо. Он же постоянно с нами ужинает, ездит куда-то за границу, ему, может, обидно, что эти козлы прожигают жизнь, когда народ нищает».

Комментарий ▓▓▓▓ **Свинаренко**

КУРШЕВЕЛЬ И ПРОЧ.

Я с восторгом отмечаю непременную деталь мозгового устройства миллионеров. Всякий человек, у которого нет денег, ну хотя бы пяти миллионов, рассматривается ими так: «Конечно, он всю жизнь только для прикрытия врал про умное, а на самом деле в глубине души мечтал разбогатеть, только стыдился признаться. И вот теперь, когда живет на одну зарплату, он чувствует себя несчастным и завидует всякому, у кого денег больше, и готов перед ним прогнуться. Стоит только посулить бабок». Я понимаю, что при отсутствии у меня капиталов трудно глянуть на ситуацию со стороны. Может, и правда, я зря прожил жизнь? И от самого себя скрываю, что чувствую себя мудаком от того, что не пошел сразу колотить бабло все равно из чего?

Что же касается знаменитого телерепортажа из Куршевеля, там Леня Парфенов показал себя честным журналистом! Напомню. «Намедни» рассказало о богатом отдыхе олигархов, после которого многие обвинили журналистов в социальной безответственности, в разжигании страстей, при том, что люди должны бы по идее защищать правящий класс. Парфенов трудится, рискуя личным благополучием. Выполняет свой журналистский долг. А людям удивительно — как это он еще не продался?! Некоторых это возмущает, бесит. Как же! «Ведь все приличные люди давно уже продались... Ведь это главное в жизни — прикрыть свою жопу! И срубить бабла! И создать такую обстановку, чтоб оно и дальше рубилось!» Ну да, конечно... А как же иначе... С чем вас и нас поздравляю. А «не могу молчать»? А как же «J'accuse»? Что, Леня не может на себя примерить тогу, напялить белые одежды морального лидера поколения? Только потому, что он из upper middle class? Гм... Я как-то спросил знакомого журналиста, тоже из upper middle class: «Вот дети вырастут и спросят тебя: как же так, папа? Другие журналисты за идеалы боролись, в тюрьме сидели за правду, — а тебя только деньги интересуют?..» Так он вдруг разозлился и говорит: «Что я им скажу? А я им скажу: ну-ка отдавайте мне квартиры и машины, которые я вам купил, и идите сами работайте, если вы такие умные!» Я, собственно, в шутку спросил, не ожидая такой реакции. Но она меня развлекла. Тем более что журналист этот, погорячившись, забежал слишком далеко вперед: дети его только недавно букварь прошли, они пока в детской комнате помещаются в папиной квартире.

К о х: Я не понимаю журналистов, у которых ботиночки и галстуки дороже моих — и при этом они работают на разжигание классовой розни. Они же сук пилят, на котором сидят!

— **И ты к протоколу подошьешь вырезку из «Медведя» за март 2004 года... Со своей статьей, где ты это все изложил. Я могу объяснить тебе, почему пресса перестала быть ответственной. Вот она была таковой при коммунистах, защищала статус кво. А почему? По одной простой причине: за это ей платили! ЦК КПСС не скупился! Журналистам «Правды» давали лучшие зарплаты, квартиры и дачи!**

— Ну, так они работали на тот класс! А эти — против!

— **Так о чем и речь. Миллионеры возмущаются, что пресса их не поддерживает. А вы эту прессу содержите? Вы дачи даете журналистам и квартиры? Ни х... На что ей жить? И вот журналисты пытаются поднять свои рейтинги. Если получается, им несут рекламу. Они вынуждены!**

— Ну, что значит вынуждены? Вынуждены ради рейтинга положить

на наковальню свои яйца? Вы — глаза нации, и вы дали это увидеть, — так что пеняйте на себя. Вот вы бы лучше замазали себе глаза, как в Америке! Там толстые американцы жрут бигмаки, смотреть на их баб противно и тошно — но журналисты им всякие «Голливуды» показывают, — что они тонкие и спортивные, и что вся нация их — веселая и патриотичная. И красивая, с хорошими прическами. А вздрачивают народ наши журналисты. Они сеют классовую рознь. И пускай, сука, они первыми под обломками и погибнут.

— **То есть ты уже приготовился к тому, что добром это дело не кончится...**

— Я думаю, что если так будет продолжаться, если пресса будет гнать волну и репортажи про плохих пидорасов-бизнесменов — то, конечно, все это навернется.

— **А, типа страну развалили журналисты.** *(Свинаренко смеется.)*

— Конечно.

— **Ну ты даешь! Раньше жиды и студенты были унутренние враги, а теперь, значит, репортеры во всем виноваты!**

— Конечно. Конечно! А я абсолютно уверен, что мир вообще виртуален. Абсолютно точно. Безответственные журналисты и развалят страну.

— Еще раз объясняю. Вы ж им не даете денег, чтоб они были ответственные. А коммунисты содержали масс-медиа. Вон Гусь держал свое ТВ, и оно его хвалило. А вы ни х… для этого не делаете. Вы поставили ТВ в позицию, что оно независимо, должно зарабатывать само. Делать бизнес. Вот оно и зарабатывает рейтинги как может. Старается, чтоб ему несли рекламу. А если б вы сказали: «Бабок дадим, плевать на рейтинги. Хвалите нас — и все. Не показывай про нас правды». Ну, кто ж прессе понесет рекламу, если она начнет исполнять: «Ребята, давайте жить дружно!» Это уже будет не журналистика.

— Да послушай! Секундочку! И поэтому журналисты придумали врать! Чтобы рейтинги поднять! И для этого соединили два репортажа — про Куршевель и про прапорщика, который живет в автомобиле «Москвич»! Умалчивая при этом, что у того есть квартира! А где же правда?

— **Ну так журналистика — это же не поиск истины, это всего лишь отрасль шоу-бизнеса!**

— И не врите мне, что журналистам не платят! Все равно даже ради рейтинга врать нельзя! Журналист, чтоб поднять рейтинг, должен врать — да или нет? Если да — то все, у меня вопросов нет.

— Ну, тут есть одна тонкость. Одни видят в журналистике искусство, другие — бизнес. Некоторые хотят получать много денег и при этом оставаться в журналистике… Вообще, Алик, мне очень дорог твой пассаж насчет того, что журналисты обрушат государство. Это прекрасно! Вот кто виноват во всем! И не надо никакой политики с экономикой, морали и нравственности. Я принял к сведению, что в обрушении страны будут виноваты журналисты. Спасибо.

— Я, кстати, согласен с твоим тезисом, что класс должен платить. Абсолютно с тобой согласен. С каждым твоим словом. Более того. Я скажу, что, когда Кремль в начале 2003 года стал базу создавать для разжигания классовой ненависти, он начал журналистам платить. И они начали писать. Но вопрос не в том, почему журналисты за бабки пишут. Я же не идиот, прекрасно все понимаю. Я только хочу сказать: «Вы тогда в претензии к нам не будьте, когда вас в очередь поставят и папиросы отнимут».

— **Ну я-то могу быть в претензии?**

— Нет. Нет! И ты не можешь! А те журналисты, которые достигли высокого уровня благосостояния и комфорта и любят это свое благосостояние, они-то уже должны не за бабки защищать, они должны свою шкуру защищать! Я могу больше сказать (в данном случае «я» — это собирательный образ некоего предпринимателя от среднего и выше): я на этот случай захеджировался и имею некий сценарий действий на всякий случай. И поэтому на ситуацию смотрю более хладнокровно. Но я ничего не делаю для того, чтобы страна развалилась!

— Но я все-таки валил бы не на журналистов, а на вас. Когда я вижу американских миллионеров в джинсах и у них галстука даже нет...

— Это стиль просто такой национальный. А ты немецких миллионеров вспомни. Они в джинсах не ходят. Они сидят в своих замках, и х... ты их увидишь. Сименсов разных.

— Но американцев я вижу в джинсах, и они сами за рулем! И англичане тоже. Я читал заметку, что Пол Маккартни живет в пятикомнатном доме и обходится без прислуги. А он миллиардер, у него денег больше, чем у тебя!

— Да врет он. У него в этом доме, может, и нет прислуги, так у него этих домов сто.

— Когда я в Штатах захожу в супермаркет и вижу, как пенсионерка, и учитель, и одноногий негр спокойно ходят с полными тележками и выбирают, какую б ветчину им из тридцати сортов выбрать, — я испытываю глубокие чувства. Причем мы понимаем, что эти люди туда не на экскурсию пришли, чтоб на чужую богатую жизнь посмотреть, — мы понимаем, что это их рутина, они тут реально покупают еду каждый день. И когда я вижу субботним утром американских пенсионеров, которые на своих «Кадиллаках» съе-

хались в «Макдональдс» и сидят там болтают о своей жизни — это мне по-человечески близко, я отношусь к этому очень тепло. Миллионер в джинсах за рулем, а пенсионер обжирается ветчиной. Это — да. А русский миллионер с самолетом блядей и учителя, которые мотаются по помойкам, — это мне, должен сказать, неприятно.

— Угу.

— И мой вопрос к миллионерам такой. Я не требую от тебя, чтоб ты жил, как я. Но как-то бы вам надо сбавить обороты. В чем-то. Пойдут ли бедные американцы, бросив посреди супермаркета наполненные товаром тележки, громить своих миллионеров? Едва ли... В этом суть. И за будущее американских журналистов я там более или менее спокоен — не придется им в очередях стоять за «Беломором» и осетинской водкой.

— Ну, американскую историю мы пересказывать не будем. Русская же история XX века такова. Сидели, сидели, чесали репу и вдруг решили: «А пойдем-ка мы накостыляем мартышкам!» Собрались, всю армию с Запада на Восток перевели. Через Атлантику и Тихий океан эскадры перегнали. Получили в итоге пиздюлей и революцию...

— Минуточку. Это ты будешь рассказывать людям, которые придут тебя жечь?

— Да нет, это я тебе рассказываю. Ну так вот. Потопили страну в крови. Потом чуть оклемались, более-менее начали куда-то расти.

Столыпинская реформа... Потом племянничек Ники объявил войну дядюшке Вилли. Дядюшка его шесть раз просил — образумься, не делай этого! Нет — шапками закидаем. «Когда наши в Берлине будут?» Получили Гражданскую войну. В крови утопили два миллиона казаков. Под нож! Офицерство — под жопу пинком. Священникам щеки и ноздри рвали. Церкви разрушили. Коллективизация: все крестьянство в лагеря. Война — сорок миллионов населения...

— Еще раз спрашиваю: ты про это намерен рассказывать пьяным матросам и восставшим пролетариям?

— Нет. Это я тебе. Так вот, зная русскую историю, ты удивляешься, что одноногий негр и учительница в американском супермаркете отовариваются, а наша учительница на помойке валяется. Да как же ей на помойке не валяться, когда страна вот так прожила сто лет? Когда американцы кирпичик к кирпичику, ни одной войны на своей территории? И в обе войны, которые у нас тут были, их на вожжах затаскивали? И я не понимаю, почему валяющаяся на улице учительница — это претензия ко мне? К человеку, который честно платит налоги? А почему это претензия не к тем госслужащим, которые катаются на яхтах и покупают себе каждые полгода новые «Мерседесы»? Они такие же бюджетники, как эта учительница! Почему у разного окраса генералов дачи на Рублевке, где сотка за двадцать тысяч стоит, — в Барвихе, в Жуковке? Почему? Почему «честные» журналисты про то, как я отдыхаю, делают репортажи, а как рядом со мной, ну вот буквально в соседней гостинице, зам. министра — нет? Или депутат Госдумы? И почему это не претензия к МПС? Посмотри, какой у них офис! Как Эрмитаж! Все мрамором цветным отделано! И мебель резная из драгоценных пород дерева! Почему это не претензия к Лужкову? Который построил город для богатых, а учительницы на помойках? Почему это претензия к нам, налогоплательщикам, а не к власти? Почему эта учительница с упорством маньяка голосует за Лужка? Почему она Путина любит? Аж в букварь его включили... (*О, глубина моего предвидения! Через месяц после этих фраз правительственные чиновники и депутаты подняли себе зарплаты в разы, а учительницам и врачам — оставили прежнюю. И не то чтобы сейчас в бюджете денег не было. Есть деньги. Профицит ведь. А просто — забыли как-то. Не до них сейчас... Вставка моя. — А.К.*).

— Ну, в общем, это продолжение дискуссии о том, кто правильнее — СПС или «Яблоко». И в результате оба пошли на хер хором. Вот приблизительно та же картина.

— Эту дискуссию ты начал. А не я. Я никак не могу понять, почему вина за все беды этой страны валятся на предпринимателей. Которые честно исполняют свою обязанность, а именно — алчно наживаются. Именно для этого они и созданы! Ну почему вы от волков хотите, чтоб они сено ели? Вы же их специально завели, чтоб они естественный отбор устраивали! Вы бы хотели волков сильных, красивых, но чтоб они ели сено.

— **Видишь ли, нам больше нравится американская порода волков.**

— А вот эти госслужащие?

— **Тоже козлы — отвечу я тебе.**

— Так, может, лучше на госслужащих направить народную ненависть, наконец?

— **Понимаешь, у государства есть пресса, которую оно содержит. А у вас нет ни хрена. Вы экономите. На спичках.**

— Но эту-то книжку мы пишем не на государственные деньги.

— **Ну. Тут важно что: вот я — за капитализм. Но лично мне симпатичней его американская модель, где они пытаются как-то сократить это расстояние между полюсами.**

— Хотя бы внешне.

— **Если даже это игра — то пускай это будет хотя бы игра. И то хорошо. Тем более что это игра красивая, мудрая и полезная. А русская версия капитализма — при том, что я заклятый либерал и только в ранней юности имел левые настроения...**

— А, когда ты хотел за Сальвадора Альенде воевать.

— **Ну да. Я тебе признавался в этом. Было дело. И дедушка у меня был чекист. Но я тем не менее абсолютно за капитализм. Вас должно**

это волновать — что даже люди, которые на вашей стороне, начинают к вам обращаться с вопросами. Почему вы не хотите построить американскую модель?

— Ну, при чем тут я? Вот скажи, чем таким я тебя сильно раздражаю?

— **Я говорю не о тебе.**

— Но что я могу сделать? Могу я заставить какого-то олигарха не возить самолет с блядями? Не могу.

— **Ну, почему же? Вон Авен худобедно что-то гонит в газетах про мораль, про, типа, ответственность бизнеса...**

— Ну перестали они уже на самолетах возить блядей, как президент им замечание сделал. Перестали. Бляди теперь поездом ездят. Ну а ко мне какая претензия? Если б все бизнесмены себя так вели, нормально б было?

— **Ну, ты в целом симпатичный. Ниче было б.**

— А, ниче? А НТВ все равно показывает — 4000 евро... Куршевель, б... Я же тихий, спокойный, не свечусь, веду себя скромно... Общаюсь с такими не очень обеспеченными людьми, как ты, который не очень симпатично относится к классу предпринимателей. Но все равно меня освещают как ворюгу, как пидораса!

— **А ты договорись с ТВ, что ты им компенсируешь потери от падения рейтинга. И они будут про вас делать политкорректные передачи,** которые никто не будет смотреть. ТВ станет полным говном. Скучным.

— А так оно веселое — просто уссаться.

— Однако мы отвлеклись. Давай вернемся в 95-й. Фарцовщики выросли, подняли аппетиты и взялись за нефтянку на налоговых аукционах. Получилось как-то не очень красиво. Не буду тебе цитировать мнения по этому поводу левых радикалов и маргиналов, а поцитирую-ка я тебе твоих же братьев-капиталистов. Из числа наших знакомых. Вот тебе Лисовский, это отрывок из интервью, которое я у него когда-то взял: «Все прекрасно знают, что недра должны принадлежать стране! Потому что они были у страны украдены! Именно украдены! Капиталов таких ведь не было тогда ни у кого. Эту кражу назвали приватизацией... А надо об этом сказать ясно и прямо. Ну ладно, тогда дали украсть, ну хорошо, люди заработали денег. Но сейчас-то пусть они недра вернут! Я не говорю — сажать приватизаторов, нет. Но надо придумать какую-то технологию, как вернуть украденное, надо найти справедливое решение...» Ничего так, да? А теперь даю тебе мнение Фридмана, он мне его на словах изложил. Значит, так. Он сказал, что залоговые аукционы — это перебор, это вредное явление для общества, что общество это восприняло как воровство...

— Опять же с подачи журналистов, заметь.

— Неважно, с чьей, важен факт.

Фридман говорит, что не верил тогда, что государство это все легализует. Он был уверен, что такого не может быть — чтоб государство отдало богатства за бесценок. А помнишь, Путин, перед тем как посадить Ходорковского, говорил на встрече с олигархами: не надо забывать, что люди не сами по себе стали миллиардерами, просто им разрешили таковыми стать, назначили, и все. Видимо, он ту ситуацию и имел в виду, с залоговыми аукционами, когда людям говорили — «ты бери, а ты не лезь».

— Понятно. А кто Вяхирева назначил миллиардером без всяких залоговых аукционов? А Смоленского — кто? А Гусинского? Тоже без всяких залоговых аукционов! Он говорил, что никогда не участвовал ни в какой приватизации, — только у него вдруг бесплатно частота для канала оказалась, без всякого конкурса. Он это почему-то не считает приватизацией! И он, с пафосом, раздувая ноздри, кричал про несправедливую приватизацию! А кто миллиардерами назначил массу других людей?

— Я откуда могу знать?

— Значит, все-таки не залоговые аукционы их назначали! А между прочим, Потанин и Ходорковский к залоговым аукционам подошли, имея каждый больше ста миллионов денег. Кто их назначил? А кто Сосковца назначил богачом? Или того же Святослава Федорова? Уж это точно долларовый миллионер...

— Так миллионер, не миллиардер же.

— А с точки зрения учительницы, которая на помойке валяется — у нас же это собирательный образ народа, — один хер, миллионер или миллиардер.

— Ну, в общем, да.

— А любимый президентом Сережа Пугачев как стал миллиардером? Ни в одной приватизации не участвовал. Ни в одной! Только с бюджетными деньгами работал. Как банкир.

— ОК. Насколько я понял из твоей **прочувствованной речи, залоговые аукционы — это кристально чистая, честнейшая операция. На пользу Родине. Типа, там нищие умные энтузиасты поделили громадные богатства совершенно бескорыстно. Поделили между посторонними людьми. Великодушно. Им хватило морального удовлетворения. Счастье же не в деньгах. Себе никто ничего не взял. Такое происходит сплошь и рядом. Это естественное человеческое поведение. Мы же все-таки гомо сапиенсы, а не какие-нибудь волки позорные.**

— Я уже устал спорить на эту тему. Язык не поворачивается.

— **Я, кстати, тут пока не спорю. Я формулирую твою позицию, как я ее понял, а ты подтверди или опровергни.**

— В режиме диалога доказывать это бессмысленно. Я напишу комментарий. Подробненько расскажу, как это получилось. И почему получилось именно так.

— **А подсуживание на аукционах, о котором столько писали?**

— Хм, хм, хм... Подсуживание...

— **Ну что ты хнычешь? Взрослый ведь уже мальчик.**

— Да. А конкретные примеры подсуживания есть?

— **Да ты лучше меня должен помнить, кого больше долбали. И за что. Вот у меня «Связьинвест» всплывает в памяти.**

— А это не залоговый аукцион! Это ж 97-й год! Во, во, блядь, видишь, какой он, национальный миф! Так и хочется в тебя телефоном запустить.

— **Я, кстати, про эти аукционы тогда не писал.**

— Но ты носитель этого мифа.

— **Я в этом не спец и по этому вопросу с Фридманом совещался. Он объективно о них может судить — как человек, который в них не участвовал.**

— Ты его слушай больше. Еще как участвовал! Он был допущен до аукциона, но не внес задатка. Денег не было. А без задатка ему не дали участвовать. И еще потом в одном он участвовал. Вместе с Потаниным.

— **А мне один госчиновник сказал: «За то, что Фридман не участвовал в залоговых аукционах, он в расстрельных списках будет последним». Ну, как?**

— А он сам, по его версии, какой будет по очереди в расстрельных списках?

— **Я думаю, он полагает, что будет эти списки редактировать. По специальности будет задействован.**

— Я понял, понял!

— **Значит, говоришь, за писательское дело тебя сильней давили.**

— Конечно. Меня за аукционы

вообще не ебли. Только задним числом их приплели к писательскому делу, потому что писательское совсем разваливалось, и начали это туда тащить.

— А помнишь, ты говорил, что чувствуешь себя мудаком оттого, что не брал взяток, когда работал в правительстве? Это ты залоговые аукционы имел в виду?

— В том числе, конечно.

— А там какая была механика?

— Ну, это долго описывать.

— Ну так и опиши. Я так понимаю, что ты в теме и я тебе не должен подкидывать наводящие вопросы?

— Я абсолютно в теме.

— Ну, смотри же, не подкачай. Всю правду расскажи.

— Да, да. Я все расскажу.

Комментарий   **Коха**

ЗАЛОГОВЫЕ АУКЦИОНЫ, ИЛИ АЛЬФРЕД КОХ ПЕРЕД СУДОМ НАРОДОВ

Это только кажется, что правда с борется ложью. На самом деле, это одна правда борется с другой правдой.

Нильс Бор

Я не могу даже перечислить все претензии, которые есть у публики по отношению к залоговым аукционам. И распродали по дешевке, и рассовали по своим, и черта в ступе. В принципе что-то в этом духе я предполагал в самом начале. Я готовился к жесткой полемике. Оттачивал аргументы. Выстраивал логику. Я был в форме. Я был готов. Но... Полемики не получилось. То есть она бы получилась, если бы она была. Но ее не было. Все вдруг сразу решили, что и спорить тут нечего: воры-взяточники — и точка.

А заготовленные аргументы так и пылились на полках памяти. И неумолимая логика так и осталась не умоленной, поскольку никто даже и не пытался ее услышать, найти изъяны, предложить другую взамен этой.

Забыли многие из государственных деятелей, кто непосредственно участвовал в этом мероприятии, что они в нем участвовали. Что по окончании — звонили, благодарили. Говорили, мол, герой, спас страну, Родина тебя не забудет. Так и было. Не забыла. Лучше б забыла... Ей-богу. Ну да ладно. Давайте все по порядку. Несомненно, лучше поздно, чем никогда.

СТРАНА ЕСТЬ, И ОНА ЕСТ. ПРИЧЕМ КАЖДЫЙ ДЕНЬ

Что такое 1995 год? Мы помним — это был год парламентских выборов. Это год, предшествовавший президентским выборам (об этом особо — в следующем, 1996 году). Когда практически в самом его начале, ночью

1 января 1995 года, начался штурм Грозного. Это год, когда коммунисты и жириновцы полностью контролировали Думу. Это год... Да, впрочем, чего это я. Все помнят, что это был за год. Всего девять лет назад. Постойте, как девять? Боже мой! Неужели уже девять? Да, да, девять. Дети, которые родились в этом году, сейчас уже ходят во второй класс. А мне тогда было 34 года. Какая прелесть...

А что было со страной? С нашей страной — Россией. Вы, нынешние наши критики, взахлеб распинающиеся в верности нынешнему правителю, вы помните, что с ней было? Какая она была? Или «распродали-рассовали, воры-взяточники» — этого достаточно, чтобы спокойно пинать Ельцина? Мешать с дерьмом Чубайса? Меня, грешного, поминать недобрым словом? Или все-таки попробуем разобраться, что и у кого украли, кому и куда рассовали? Небезынтересно, правда ведь? Или настоящим патриотам знать историю собственной страны необязательно? Или это знание заменено трескучим «ату, держи вора»? А вам не рассказывали, кто эту фразу кричит громче всех?

Бюджет. Да вот хотя бы и он, родимый. Куда без него? Например, доходы бюджета в 2004 году — около 96 млрд. долларов, расходы — 93 млрд.,

Просто Кох

профицит, соответственно, — 3 млрд. А что было тогда, в 1995 году? Тогда было веселее: доходы — около 37 млрд. долларов, расходы — примерно 52 млрд., дефицит, таким образом, — 15 млрд. А страна-то все та же — 145 миллионов народу. Тогда даже чуть больше было.

Наши оппоненты, конечно, могут взять и соврать. Например, так: мол, у вас такой маленький бюджет был, потому что вы хреново налоги собирали. Вот мы надавили на олигархов — и нате, пожалуйста, в два с половиной раза больше собираем. Наиболее очевидное возражение с нашей стороны хорошо известно: в 1995 году баррель нефти стоил около 15 долларов, а сейчас — 34 доллара. Но ведь даже если не использовать этот самый убойный аргумент про мировые цены на основные статьи нашего экспорта — нефть, газ и металл, то и без этих аргументов не стыкуется у них. Не стыкуется в главном.

А главное заключается в том, что в 1995 году олигархов не было. В промышленности сидели «красные директора», которые годами (!!!) не платили ничего. Держали огромную социалку и, прикрываясь ею, ныли об отсрочках, льготах и прочей дребедени. Рассказывали, что за ними многотысячные коллективы, что мы — мальчики в розовых штанишках, что реальной жизни не знаем. Черномырдин в меньшей степени, а Сосковец и все отраслевики в правительстве были за них горой. Коржаков с Барсуковым их прикрывали, не давали в обиду. Сами же директора, эти матерые товаропроизводители, и сейчас живут неплохо, поскольку воровали они на каждой тонне, на каждом кубометре. А вот бюджет был такой, какой был. Сковырнуть этих архаровцев усилиями собственника-государства было невозможно ни под каким предлогом. Они постоянно ползали из кабинета в кабинет по Белому дому, по Кремлю, по Старой площади и лоббировали, лоббировали, лоббировали. Клялись в любви к Ельцину, демократии. Говорили, что подход у них государственный — какой и должен быть. Да разве ж мы не понимаем? Реформы, рынок... Всю жисть, отец родной, только об этом и думали... Госплан паскудный — вот ведь гадость какая! То ли дело — рынок. Ну, первое время — трудности, понятное дело. А как же без них? Мне бы освобождение от налогов, а? В связи с неизбежными трудностями. Я ведь объяснил — город на мне. Детсады, ясли, свинокомплекс, дом отдыха в Крыму. Как зачем? Всем миром строили, жалко отдавать — пропадет. Ну, хоть отсрочку... Можно? Спасибо! Огромное! Рынок, рынок... А как же? Без рынка никуда! Господи, счастье-то какое — демократия, рынок. Сбылось, наконец. Ой, батюшки, а время-то сколько. Ну вот, везде опаздываю... Век бы с вами сидел разговаривал. Да бежать надо. Ну, я пошел? Ладушки? Все, убегаю...

А вот у Зюганова они вели другой разговор. Не тушуйся, мол, Андреич. Поддержим. И деньжат дадим, и коллективы сориентируем. Так что — не ссы. Сковырнем дерьмократов, только их и видели. На Колыме. Ха-ха-ха...

Надежды на этих «мужиков» не было никакой. Рвачи, неграмотные краснобаи, сибариты, выпивохи. Люди, лишенные минимальных нравственных ориентиров. Пришедшие в кресло генерального директора из секретарей парткомов, из камсы, из трибунных реформаторов — «прорабов перестройки». Они подсидели старый, суровый и основательный, еще косыгинский, директорский корпус в самый угар «перестройки и ускорения», то есть в годах 87-м — 88-м. Вот видите, и в кадровой политике видны хрущевские замашки непоседливого Михал Сергеича.

Безусловно, были среди них и дельные люди. Ну, так они и сейчас работают. Некоторые — олигархи. Алекперов, Богданов, в оборонке с десяток человек. Вот и все. Прямо скажем, негусто.

Я уже много раз писал, что в то время был миф: без директорского корпуса — никуда. Они есть соль земли русской. Самые что ни на есть настоящие человеки, элита нации. Ну, вот, как нынче — кагэбэшники. Мы супротив них считались все равно что плотник супротив столяра. Была даже целая эстетика, свой словарь. «Заводчане», «добре», «три коротких, два длинных, ура, ура, ура, у-рр-аа, у-рр-аа!».

Надо было всю эту шелупонь гнать поганой метлой. Иначе — катастрофа. Причем независимо от того, какой строй, извиняюсь за тавтологию, строить. Ныне горячо любимый товарищ Сталин поставил бы эту шушеру к стенке в 24 часа. Уверен: ни минуты бы не колебался.

Как от них избавиться? Есть один способ: раз тебе самому не дадут их уволить, то надо завод продать, а новый хозяин пусть сам избавляется от этих «элитных производителей». Понятное дело, что, продавая предприятие с такой «нагрузкой», нужно было делать скидку с нормальной цены. Ведь предприятия, под чутким руководством этих «справных мужиков», были в долгах как в шелках, обремененные невыгодными, воровскими контрактами, левыми кредитами, огромной бюджетной задолженностью. На предприятиях висела не отданная в муниципалитеты социалка, сокращающая их налогооблагаемую базу.

Да нет, я не жалуюсь. Я просто пытаюсь объяснить, что нынешний эффективный и прагматичный менеджерский корпус вырос оттуда, из этой борьбы. Я хочу объяснить, что если бы мы тогда не выиграли эту войну с «красными директорами», если бы не свалили, ну например, директора «Норильского никеля» Филатова, если бы не доказали, что мы сила и власть, то собираемость налогов сейчас была бы другой. А может быть, и страна тоже была бы другой. И президент другой. Смею предположить — звали бы его Геннадий Андреевич. Не сомневайтесь, точно. И «вертикали» бы не было... За «вертикаль» как-то особенно обидно. Кошмар просто!

Сейчас большинство из этой «элиты» — почтенные буржуа. Давно наслаждаются они сколоченным капитальцем, отошли от дел. Внуки там, большое имение, а то и за границей. Англия им нравится, Испания. Бог им судья. Вреда они принесли много. Но могли принести еще больше. И на том спасибо.

Но вернемся к бюджету. Так или иначе, но дефицит в 29,5% — это, говоря честно, уже катастрофа. Если копнуть чуть глубже, то масштабы этой катастрофы становятся еще яснее. Буквально несколько штрихов. Доходы от продажи государственной собственности в бюджете 1995 года были запланированы более чем в 1 млрд. долларов. Это чуть больше 3% доходной части. Примерно столько же, сколько было запланировано получить от подоходного налога (2,17%) и налога за пользование природными ресурсами (1,38%), вместе взятыми! Нынешние радетели резкого повышения природной ренты, где вы? Ау! И вы голосовали за этот бюджет. Бюджет, который делал неизбежным «распродажу Родины».

А вот еще несколько интересных деталей. Средства земельного налога — 0,25% доходов бюджета (это про одну седьмую часть планеты). Еще веселее: лицензионный сбор за право хранения, розлива и оптовой продажи алкогольной продукции — 1,23%. Акциз на водку около 3%. А как же иначе? Коржаковскому «Национальному фонду спорта» надо льготы дать? Надо! А Церковь наша торгует льготным спиртным? Торгует! И табаком тоже! Эти льготы кто, Чубайс придумал? Нет! Это ведь Дума одобрила. И коммунисты — прежде всего.

А вот как финансировался дефицит бюджета. 6,3 млрд. долларов нужно было найти внутри страны. Это, в том числе, прибыль ЦБ, но прежде всего — ГКО. Пирамида, она ведь не от хорошей жизни росла и росла. И тоже — где депутатская принципиальность? Когда эта пирамида рухнула, не те же самые люди, которые утвердили объем внутренних заимствований, дрожа лицом, гневно клеймили врагов и радели за народ? Еще 8,7 млрд. долларов нужно было найти внешнего финансирования. Это при наличии уже к тому времени неподъемного горбачевского долга.

Я утверждаю, что альтернативой приватизации как источнику дохода в тот момент было либо увеличение дефицита бюджета, либо ликвидация основных льгот — аграриям, северу, производителям и торговцам алкоголем, табаком. Увеличение и так безобразно огромного дефицита бюджета было невозможно по макроэкономическим соображениям. Устранение льгот было выше наших сил. Потому что противостоящая сторона (или, если угодно, стороны) оставалась — и в аппаратном, и в политическом смысле, — очевидно, сильнее. Забегая вперед, скажу, что открытое столкновение с ними произошло в следующем, 1996 году. И про это будет особый разговор.

А как расходовались эти крохи? Может быть, отрывая от себя последнее, продавая крупные куски собственности, государство тратило вырученные деньги на малоимущих, сирых и убогих, на тех, кому тяжелее всего, на детей? Ничуть! Посчитайте сами: национальная оборона — 19,75% расходов, правоохранительная деятельность и обеспечение безопасности государства — 6,08%, федеральная судебная система — 4,33%, госуправление — 1,82%. Итого, 31,98% бюджета тратило государство на само себя. Треть государство занимало, и тут же этой третью само себя финансировало.

Страна воевала. Крупномасштабная война в Чечне; с привлечением авиации, танков, целых армий и дивизий, с большими потерями с обеих сторон, она ведь не бесплатная, она здесь, в этой трети расходов бюджета. Эту войну кто придумал? Чубайс? Черномырдин? Нет. Это Грачев нам рассказывал про полк ВДВ, про один день, про «шапками закидаем». Сразу вспоминается Русско-японская война в начале XX века. Там тоже было: и «зададим макакам», и нужна «маленькая победоносная война», и прочий мудацкий бред. А вместо этого была Цусима, гордый «Варяг» и «на сопках Маньчжурии».

Сколько этих «варягов» было в Чечне? Сколько наших солдат было предано и брошено на произвол судьбы в плену, в окружении, без оружия, боеприпасов, ранеными? Сколько денег от «распродажи Родины» было украдено из солдатских котелков, из их одежды? Сколько денег было потрачено на патроны и снаряды, которые в конечном итоге оказались у чеченцев? Это кто так распорядился бюджетными деньгами, которые выделила им страна, оторвав от детей и стариков? Оторвав от нашей культуры (0,62% расходной части), здравоохранения (1,3%), образования (3,66%)... Кто? Опять Чубайс, который, по «меткому» выражению Ельцина, «во всем виноват»? Похоже, что и в этот раз обошлись без него... Тогда кто? Нет ответа... Только солдатские могилы по всей России. Тонкие, детские еще косточки самых бедных, самых бесправных крестьянских детей тысячами закопали в землю толстенные генералы с лампасами. И от этого посева образовались у них дачи, «Мерседесы», жопастые внуки в Швейцариях. И отчего никто не зовет их к ответу? Отчего не они виноваты в наших бедах? Отчего по-прежнему именно они зовут нас служить в их армии, под их началом, учат нас гордиться страной? Может быть, если этой войны не было, то и «распродавать Родину» не было бы нужды? Как-нибудь обошлись бы.

Сейчас тех, кто начал эту войну, не найдешь. Коржаков валит все на Филатова с Савостьяновым. Те, в свою очередь, валят на Коржакова с Барсуковым. Каким-то боком поминаются еще Грачев, Завгаев, Степашин, ныне покойный зам главы Администрации Президента Егоров. А где она, правда-то? Одному богу известно. Одно всеми признается безоговорочно — никто из «молодых реформаторов» (вот еще тоже кликуху придумали) к этому не причастен.

Так или иначе, «прорабов духа» нужно было снимать, а этот миллиард долларов зарабатывать. Войну ведь не остановишь — она уже шла. Запад денег не дает, говорит, что на войну у него для нас денег нет. А возможности внутренних заимствований исчерпаны. Что остается? Честный и непредвзятый аналитик должен сказать — продавать собственность. Что мы и сделали.

НЕСКОЛЬКО СЛОВ О БЮДЖЕТНОМ ИНТРИГАНСТВЕ

В конце первого полугодия 1994 года закончилась чековая приватизация. И мы начали готовиться к денежной. Делали прогнозы, изучали рынок. По всему получалось, что при определенных, отнюдь не запредельных, усилиях мы в состоянии дать в федеральный бюджет около миллиарда долларов.

Во втором полугодии начался бюджетный процесс. Правительство подготовило проект бюджета и представило его в Думу. В нем содержался этот самый злосчастный миллиард долларов от приватизации. Здесь я бы хотел специально оговориться и сообщить следующее: для того чтобы дать в федеральный бюджет миллиард долларов, нужно выручить от продажи собственности почти в два раза больше, поскольку значительная часть средств от приватизации перечислялась в региональные и местные бюджеты. Таким образом, когда мы говорим о миллиарде в федеральный бюджет, нужно понимать, что в действительности имеется в виду почти два.

Коммунисты встретили нас с распростертыми объятиями. Они тоже не спали и преподнесли для нас домашнюю заготовочку: чековая приватизация, мол, кончилась, будьте любезны давать бюджетную эффективность. А мы и не возражали — вот, пожалуйста, предусмотрен целый миллиард. Коммунисты задумались и взяли тайм-аут. И здесь они сделали ход, достойный великого комбинатора: они внесли поправку в бюджет, которая, по недосмотру Минфина, отвечавшего за прохождение бюджета в Думе, прошла.

Цитирую: «...Статья 12. Установить, что в 1995 году при приватизации не осуществляется досрочная продажа закрепленных в федеральной собственности пакетов акций нефтяных компаний, созданных и создаваемых в соответствии с указами Президента Российской Федерации и постановлениями Правительства Российской Федерации.

Установить нормативы отчисления в федеральный бюджет на 1995 год средств от продажи принадлежащих государству и не закрепленных в федеральной собственности акций указанных нефтяных компаний в размере 55%. ...Доходы от продажи государственной и муниципальной собственности — 4785,4 млрд. руб. ...»

А мы как раз и собирались досрочно продавать эти самые пакеты. И не от злого умысла, а потому что больше продавать было нечего. Фактически к тому моменту непроданными оставались только акции оборонки да вот эти нефтяные и частично металлургические пакеты, закрепленные в федеральной собственности.

Таким образом, к весне 1995 года мы находились в довольно странном положении. С одной стороны, мы получили то, что просили, — задание по приватизации в миллиард долларов. С другой — у нас не было источника получения этого миллиарда, поскольку законодатель запретил продажу как раз того имущества, которое мы и планировали продать для получения указанной суммы. Решение проблемы лежало на поверхности — если нельзя продать, то нужно заложить под кредит. Вот так и появились залоговые аукционы.

НЕСКОЛЬКО СЛОВ
О СОГЛАСОВАНИИ ИНТЕРЕСОВ

Впервые идею заложить государственные акции в банки для получения кредитов озвучил на одном из заседаний правительства в марте 1995 года приглашенный Сосковцом Владимир Потанин. Было дано протокольное поручение Госкомимуществу совместно с Минфином разработать необходимую нормативную документацию для проведения этого мероприятия.

Я не буду описывать чисто бюрократическую сторону подготовки необходимых документов. Скажу только, что сразу стало ясно — необходим указ президента, постановлениями правительства не обойтись. Следовательно, в разработку документов были включены и структуры Администрации президента. Прежде всего, правовое управление и его руководитель — Руслан Орехов и еще, конечно, экономические службы, конкретно — Александр Лившиц и Антон Данилов-Данильян.

Первоначально схема выглядела просто. На открытых аукционах мы выставляем залоги. Потенциальные кредиторы участвуют в них. И побеждает тот, кто под какой-то конкретный залог предлагает самый большой кредит. Однако сразу возникло множество вопросов.

Вот некоторые из них. Под какую процентную ставку брать кредиты? На какой срок? Кто управляет акциями на период залога? Вопросы эти, при кажущейся их банальности, на самом деле были очень даже не простые.

Например, вопрос о ставке кредитования. Рыночные ставки в то время были настолько высоки, что брать кредиты на этих условиях, да еще закладывая акции, было невыгодно. Действительно, разница между ставкой кредитования и доходностью ГКО была настолько небольшой, что сама залоговая схема становилась не очень нужной. Действительно, зачем огород городить и проводить какие-то залоговые аукционы, если у банков можно занять денег через механизм ГКО под чуть больший процент и без всяких залогов. Да и не очень понятно, зачем банкам кредитовать правительство под несколько меньшую ставку, если можно у того же заемщика купить ГКО с более высокой доходностью?

Интерес появлялся, если мы говорили, что на период действия кредитного договора управление залогом осуществляет кредитор. А-а-а, — говорили банкиры. Тогда сообщите нам, как долго мы можем управлять этими залогами? Насколько велики у нас стимулы инвестировать в эти предприятия? Или, если сроки будут измеряться месяцами, то не проще ли нам банально «раздербанить» эти заводы? А ведь это не входит в ваши планы, уважаемое правительство? Не правда ли?

Короче, вопросов было множество, но к сентябрю Госкомимущество, Минфин и Администрация президента родили наконец согласованный документ. Схема была сложная, громоздкая. Однако интересы и правительства и банков в той мере, в какой это было возможно, в ней были учтены. На два аспекта я бы обратил особое внимание.

Во-первых, всякие расчеты с банками либо по возврату кредита, либо по переходу залога в собственность кредитора начинались только во втором полугодии следующего, 1996 года, то есть после президентских выборов. Эта конструкция была предложена Александром Лившицем. Мы сразу оценили изящество схемы и тот политический подтекст, который был в нее заложен. Действительно, поскольку основной и единственный конкурент Бориса Николаевича в президентской гонке — коммунист, то понятно, что приди он к власти, ни о каком возврате кредитов или отдаче залогов речи не будет. Идите, скажет, господа банкиры, подобру-поздорову. Радуйтесь, что живые остались. Следовательно, кредиторы, которые дадут правительству денег на этих условиях, станут нашими естественными союзниками в предстоящей президентской гонке. Очевидно, что шансы вернуть свои деньги или получить имущество у кредиторов появлялись только в случае победы Ельцина.

Во-вторых, к аукционам не были допущены иностранные инвесторы. Автор этого пассажа неизвестен. Поговаривали, что это Коржаков, но точных данных у меня нет. С одной стороны, это была старая песня про «национальную безопасность». Как будто эти компании можно положить в карман и унести к себе в далекие, страшные «заграницы». С другой стороны — это сразу настроило прессу, прежде всего западную, против залоговых аукционов, что сыграло негативную роль в скандальной мифологизации этого процесса. Потом, когда в 1997 году началась война с «молодыми реформаторами», то медиа, подконтрольные Гусинскому и Березовскому, без конца цитировали западных журналистов как истину в последней инстанции, создавая видимость объективности. Как будто западный журналист не может быть предвзятым и не информированным. Справедливости ради нужно сказать, что интерес иностранных инвесторов к российским активам тогда был очень низкий. Посудите сами, зачем инвестировать в страну, где коммунисты триумфально выиграли парламентские выборы и находятся в пяти минутах от победы на президентских выборах? Поэтому указанная норма фактически была мертвой, но фон создавала нехороший.

Но, так или иначе, согласованная и минимально работоспособная схема аукционов была выработана, и стало можно приступать к их проведению.

НЕСКОЛЬКО СЛОВ О ТОМ, КАК ПРОХОДИЛИ АУКЦИОНЫ

Собрав все предложения от потенциальных кредиторов, мы составили список предприятий, чьи акции будут выставлены на залоговые аукционы. Не буду углубляться в детали, скажу только, что состоялось всего 12 аукционов. Приведу их результаты.

3.11.95. Выставлено 40,12% акций «Сургутнефтегаза». Победил негосударственный пенсионный фонд «Сургутнефтегаз». В общей сложности заплачено 300 млн. долларов США.

17.11.95. Выставлено 38% акций РАО «Норильский никель». Победил ОНЭКСИМ Банк. Заплачено 170,1 млн. долларов США.

17.11.95. Выставлено 15% акций АО «Мечел». Победило ТОО «Рабиком» (к тому моменту — владельцы большого пакета акций). Заплачено 13,3 млн. долларов США.

17.11.95. Выставлено 25,5% акций «Северо-западного речного пароходства». Победил Банк МФК. Заплачено 6,05 млн. долларов США.

7.12.95. Выставлено 5% акций «Лукойла». Победил сам «Лукойл». Заплачено 141 млн. долларов США.

7.12.95. Выставлено 23,5% акций «Мурманского морского пароходства». Победило ЗАО «Стратег» (фактически — банк МЕНАТЕП). Заплачено 4,125 млн. долларов США.

7.12.95. Выставлен 51% акций «Сиданко». Победил банк МФК (фактически — консорциум из МФК и «Альфа-групп»). Заплачено 130 млн. долларов США.

7.12.95. Выставлено 14,87% акций «Новолипецкого металлургического комбината». Победил Банк МФК (фактически — «Ренессанс Капитал»). Заплачено 31 млн. долларов США.

8.12.95. Выставлено 45% акций «Юкоса». Победило ЗАО «Лагуна» (фактически — банк МЕНАТЕП). Заплачено 159 млн. долларов США.

11.12.95. Выставлено 20% акций «Новороссийского морского пароходства (Новошип)». Победило само пароходство. Заплачено 22,650 млн. долларов США.

28.12.95. Выставлено 15% акций АО «Нафта-Москва». Победило ЗАО «НафтаФин» (фактически — менеджмент самого предприятия). Заплачено 20,01 млн. долларов США.

28.12.95. Выставлен 51% акций «Сибнефти». Победило ЗАО «Нефтяная финансовая компания» (фактически — консорциум Березовского и Абрамовича). Заплачено 100,3 млн. долларов США.

В общей сложности было получено в бюджет около 1млрд. 100 млн. долларов США.

Что запомнилось? Несколько скандалов, которые до сих пор не дают покоя нашим оппонентам.

Первый — по «Норильскому никелю». Скандал состоял в том, что мы не допустили до аукциона ТОО «Конт», за которым стоял банк «Российский кредит».

Причины недопущения банальны. Обязательным условием участия в аукционе являлось предоставление соответствующей всем необходимым требованиям банковской гарантии на стартовую цену. Необходимые требования заключались прежде всего в том, чтобы собственный капитал банка, выдавшего гарантию, был как минимум не меньше размера гарантии.

На мой взгляд, это требование находится просто на уровне здравого смысла. Действительно, чтобы не было соблазна срывать аукционы, победив, а потом отказавшись платить, мы не только ввели большие задатки, но и для подтверждения платежеспособности участников потребовали с них предоставлять гарантии, что они в состоянии заплатить хотя бы стартовую цену. Об этом нашем требовании, в соответствии со всеми необходимыми нормами закона, заранее и публично мы предупредили всех. Также заранее мы предупредили, что невыполнение этого требования влечет за собой «снятие с пробега». Были оговорены также требования, которые законодательство предъявляет к гарантии. Требования эти банальны — гарант должен располагать собственными средствами в размере не меньшем, чем сумма, которую он гарантирует. Однако банк «Российский кредит» предоставил ТОО «Конт» гарантию на 170 млн. долларов, в то время как собственный капитал банка был меньше.

Банк не мог не знать наших требований. Также он не мог не знать, что его собственный капитал меньше чем 170 млн. долларов. Фактически это был подлог, фальшивка. Мы, естественно, отстранили от участия в аукционе ТОО «Конт». Причем решение об отстранении было принято единогласно всей комиссией по проведению аукциона. А ведь среди членов комиссии были такие профессиональные люди, как Андрей Казьмин, тогда — заместитель министра финансов.

Однако руководители банка «Российский кредит» (они же — представители ТОО «Конт») начали настоящее шоу. Виталий Малкин вскочил, взял со стола комиссии свою заявку. Вскрыл ее и заявил, что они были готовы заплатить 350 млн. долларов.

Вот что было делать в этой ситуации? Давайте проанализируем все возможные варианты действий.

Вариант 1. Допустить до участия в аукционе ТОО «Конт». Тогда другой участник аукциона, у которого гарантия соответствовала требованиям закона, подает на нас в суд, и суд, с вероятностью 100%, отменит результаты аукциона. Мотивировка проста — вы допустили до участия в аукционе компанию, которая не выполнила существенные условия участия (Гражданский кодекс, статья 449, пункт 1). Причем независимо от того, в состоянии ТОО «Конт» заплатить обещанные 350 миллионов или нет. То, что такое решение суда неизбежно, знает любой выпускник юрфака.

Вариант 2. Не допустить ТОО «Конт» до участия в аукционе. Тогда получить иск от него. Однако шансы сохранить результаты аукциона в этом случае также 100%. Правда, шумиха, которая поднимется в прессе, конечно, не поддавалась оценке. Кто там будет разбираться? Скажут просто: им предлагали 350 миллионов, а они признали победителем того, кто предложил 170,1! Ну не жулики?

Таким образом, перед нами была задача: либо взять для бюджета 170,1 млн. долларов и получить скандал в прессе, либо допустить до аукциона ТОО «Конт» и получить судебное решение об отмене результатов аукциона и, следовательно, ничего не получить в бюджет.

Мы начали анализировать резоны и риски. В принципе можно было попробовать договориться с Потаниным, чтобы он не опротестовывал победу ТОО «Конт». Шансы на это были небольшие, но все же, как говорится, попытка не пытка. Однако, для этого нужно было быть твердо уверенными в том, что у ТОО «Конт» эти деньги есть. А вот в этом-то как раз никакой уверенности не было.

За несколько дней до аукциона ко мне приходили руководители «Российского кредита» Виталий Малкин и Борис Иванишвили. Они интересовались деталями проведения аукционов и задали мне вопрос, который тогда мне показался малозначительным: «Вот у вас, по правилам, деньги победитель должен заплатить в течение десяти дней. А что, если он заплатит чуть позже, например, через пятнадцать?»

Теперь я начинал понимать смысл заданного вопроса. Смотрите: если бы мы признали их победителями, а они не заплатили бы деньги, то 28.11.95 мы бы объявили новый аукцион на акции «Норильского никеля» и 28.12.95 провели бы его еще раз (тридцать дней от момента объявления до подведения итогов — требование закона). Если же, идя навстречу их просьбам, мы даем им еще три — пять дней, то мы вылетаем в 1996 год. А действие указа президента про залоговые аукционы распространяется только на 1995 год! Соответственно, аукцион сорван безвозвратно. И бюджет не получает никаких денег.

Мне наконец стало понятно, почему такие квалифицированные люди допустили такой ляп с банковской гарантией: они и не хотели побеждать! Они пришли сорвать аукцион. Никаких 350 миллионов у них не было и в помине. Зачем это было им нужно? На этот вопрос сейчас, я думаю, уже никто не сможет ответить. Ходили слухи, что их подрядили прежние руководители «Норильского никеля», поскольку срыв аукциона означал продолжение их «царствования» в Норильске. Но это всего лишь слухи.

Впрочем вот, например, косвенное доказательство того, что «Российский кредит» действовал по заказу менеджеров «Норильского никеля». Сам «Российский кредит» не оспаривал результатов аукциона в суде, а сделали это как раз вышеназванные менеджеры. Ну и проиграли, конечно.

Так или иначе, но комиссия подвела итоги аукциона, признали победителем ОНЭКСИМ Банк, и казна получила столь необходимые деньги.

Есть ли у меня досада на Виталия с Борисом? Нет. Они действовали прагматично, жестко, но в рамках правил. У них был свой интерес, а у нас — свой. Это была хорошая партия, и в ней нужно было принять правильное решение. Я до сих пор уверен, что мы тогда его приняли.

Кстати, Счетная палата, проведя через пять лет проверку, признала результаты приватизации «Норильского никеля» законными. Да и генпрокуратура пошумела, пошумела, а в суд — не пошла. Также имеются многочисленные заключения оценщиков, например Финансовой академии при правительстве РФ, о том, что сумма, полученная под залог этих акций, «не является заниженной».

Сейчас, когда капитализация наших крупных компаний измеряется миллиардами долларов, мы уже и не помним, что осенью 1995 года акции этих самых компаний стоили копейки. Вот, например, сколько стоили в РТС 38% акций «Норильского никеля» в день проведения аукциона 17 ноября 1995 года? Ни за что не догадаетесь. 147 млн. долларов. Да и откуда взяться высоким ценам в стране, где отечественный капитал еще не набрал сил, а иностранный — смотрел с опаской на Россию, в которой вот-вот к власти придут коммунисты. Да и участвовать в аукционах им запретили.

Второй скандал был при проведении аукциона по «Юкосу».

Я предполагал, что по «Юкосу» все будет достаточно скандально. Так оно и получилось. Началось все с того, что сама компания выступила с неожиданной инициативой: задаток для участия в аукционе должен быть 300 млн. долларов! Я так и обалдел — где это видано, чтобы в то время у людей были такие деньжищи? И потом, мне было непонятно, почему при стартовой цене аукциона в 150 млн. долларов задаток для участия в нем должен составлять 300 миллионов?

Надо заметить, что тогдашние юкосовцы (Муравленко с Генераловым) всегда ко мне на встречу ходили с Константином Кагаловским, менатеповцем. Кагаловского я знал давно. Мы с ним еще в Чили вместе ездили. Потом он работал в Международном валютном фонде директором от России. После он устроился работать к Ходорковскому в МЕНАТЕП. Понятно было невооруженным взглядом, что менеджмент «Юкоса» спелся с МЕНАТЕПОМ и спал и видел, чтобы тот стал владельцем компании.

В принципе в этом не было ничего противоправного. Но уж больно все это было странно: все ныли, что задатки большие, а эти, наоборот, хотели, чтобы задаток в два раза превышал стартовую цифру. Они там рассказывали про то, что компания нуждается в инвестициях, то да се, но сразу было ясно, что большой задаток они придумали, чтобы отсечь потенциальных конкурентов.

И это их начинание было, строго говоря, с их позиций рационально. Действительно, если бы мы в аукционе по «Норильскому никелю» установили задаток ну хотя бы в размере стартовой суммы, то скандалов, например с «Российским кредитом», не было бы. Тем не менее, когда на заседании комиссии мы обсуждали вопрос о размере задатка, то у многих членов возникли большие сомнения в том, что такой аукцион вообще может состояться.

В то время действовало правило, что если от компании, акции которой выставляются на аукцион, поступает какое-то предложение по порядку его проведения и это предложение соответствует действующему законодательству, то мы не вправе были это предложение отвергать.

В предложении «Юкоса» ничего, кроме его необычности, противозаконного не было. Поэтому мы были вынуждены с ним согласиться. Тут следует отметить, что по «Юкосу» неожиданную активность проявил Виктор Степанович. Он вообще-то сторонился обсуждать со мной залоговые аукционы. Чутье старого волка подсказывало ему — нужно от этого дела быть подальше... Нет, если бы мы сорвали бюджетное задание, то уж тут он, конечно бы, на нас выспался. Молокососы, мол, страна вам доверила, мы понадеялись и т.д. ... А пока он держался в стороне.

А тут вдруг взялся названивать, интересоваться, проявлять удивительную осведомленность. Все вокруг да около... Вы там смотрите, компанию не обижайте. Что, говоришь, инициатива от них по задатку? Странная? Но ведь по закону? Ну, так и делай, как они предлагают! Давай, давай... Понимаешь? Все, говоришь, понимаешь? Ишь, какой, понимает он. Хе-хе. Понимаешь, когда вынимаешь! Ну-ну, не обижайся, шучу... Ну, ладно, так к тебе Муравленко зайдет? Ну и молодец. Правильно, только по закону, а как же иначе?

Так мы и утвердили условия аукциона. С этим странным задатком. Что ж мы, совсем без понятия? Параллельно формировался консорциум в пику МЕНАТЕПу. Создавали его все тот же «Российский кредит», «Инкомбанк» и «Альфа-Банк». Я по мере сил старался помочь тому, чтобы этот консорциум состоялся. Я, конечно, понимал, что условия по задатку были тяжелыми. Это сейчас 300 миллионов долларов для того же «Альфа-Банка» — раз плюнуть. Но тогда это была огромная сумма. Чтобы такое привести в качестве сегодняшнего аналога? Ну вот хотя бы так. Индекс РТС тогда был 50. Сегодня он 750. Значит, капитализация российского рынка за этот период выросла в 15 раз. Я думаю, что было бы правильно утверждать, что 300 миллионов осенью 1995 года — это примерно 4,5 млрд. долларов сейчас.

Созданный консорциум выступил, в свою очередь, с инициативой — разрешить задепонировать в качестве задатка ГКО на 300 миллионов долларов. В этом предложении была своя логика — ведь задаток является некоей гарантией платежеспособности перед владельцем залога. Значит, собственные долговые обязательства владельца залога, в данном случае — государства (ведь ГКО это как раз долговые обязательства государства), должны признаваться этим государством как деньги.

Предложение, конечно, было спорное — ведь у ГКО разные сроки погашения, и значит, их нужно дисконтировать, но это уже детали, которые можно было бы утрясти, если бы прошла сама идея. Я не специалист в тонкостях денежного обращения. Я написал запрос в Центральный банк с просьбой разъяснить, можно ли в этих условиях считать ГКО полноценным задатком. Петр Авен, который, наверное, больше меня в этом соображает, утверждал, что он легко убедит Дубинина в том, что идея консорциума имеет право на жизнь. Я вручил ему свое письмо, и он отправился в ЦБ. И получил однозначный ответ — нет. За подписью Сергея Дубинина, тогдашнего председателя ЦБ. Ой, не иначе Черномырдина опять посетил приступ любопытства...

С таким разъяснением нечего было и думать принимать в качестве задатка ГКО. И тут меня сразил Кагаловский. Он пришел ко мне с копией ответа Дубинина. Откуда у него она взялась, догадайтесь сами. Все было кончено. Прими мы задаток в виде ГКО от консорциума, и результаты аукциона, при наличии у МЕНАТЕПа разъяснений ЦБ, были бы отменены в суде мгновенно.

Приоритет бюджета заставил нас пойти на то, чтобы провести аукцион с такими странными условиями. После ходили слухи, что МЕНАТЕП для кредитования правительства деньги брал у самого правительства. Будто помогал в этом им Андрей Вавилов, тогда первый заместитель министра финансов. Правда это или нет, судить не берусь — документов не видел.

НЕКОТОРЫЕ ИТОГИ

Какие выводы я сделал для себя после всей этой эпопеи?

Первый и самый главный — что не нужно было бюджетный приоритет ставить во главу угла. Мы каким-то непостижимым образом сами для себя решили, что этот пресловутый миллиард нужно получить любой ценой. А это было ошибкой. Ну, недофинансировали бы мы бюджет. Ну что бы случилось? Кому надо, те все получили бы сполна, а вот врачам-учителям опять бы недоплатили, задержали бы им опять зарплату месяцев так на пять. Ну, да им не привыкать...

Тогда мне казалось, что моя личная репутация не сравнима с нуждой этих людей. Что мои начальники поймут, что я рисковал своей карьерой, добрым именем, товарищескими взаимоотношениями ради достижения поставленной мне цели. Поначалу, как я уже говорил, так оно и было. Меня все хлопали по плечу, говорили — молодец, герой... А вот потом, в 97-м году, когда меня начали гнобить олигархи, большинство хвалильщиков куда-то разбежалось...

Сейчас я не знаю, прав ли я был? Может, и нет, а может, и да.

Еще одна ошибка, на мой взгляд, состояла в том, что я слишком близко подпустил к себе участников аукционов. Я входил в их положение, старался им помочь, чем мог. Они, зная, что я встречаюсь не только с ними, но и

Благодарность

Президента
Российской Федерации

Уважаемый

Альфред Рейнгольдович Кох!

Благодарю Вас

за заслуги перед государством,

связанные с завершением первого этапа

чековой приватизации.

Б. Ельцин

Москва, Кремль
10 марта 1995 года
№ 117-рп

с их конкурентами, в положение которых я тоже входил, как говорится, «садились на измену», думали, что их оппоненты коррумпируют меня, а оппоненты, в свою очередь, думали так же...

Поэтому вся залоговая история обросла огромным количеством мифов и легенд. И я в этой истории кажусь уже отнюдь не героем, как мне поначалу казалось, а чистым мудаком, который, стараясь сделать как можно лучше, сделал хорошо всем, включая Ельцина, кроме себя.

Но в 1995 году я все еще был героем. «Жулика-вора» из меня Гусь с Березой сделали позже, в 1997 году. Когда я им не продал «Связьинвест». Э-хе-хе. Знал бы, где упадешь, соломки бы подстелил.

Комментарий   **Свинаренко**

В 1995 году пропал мой товарищ — Саша Сидоров, он же Розанов. Это был очень важный для меня человек. В восьмидесятые он командовал нашей бригадой самиздата. Одного только Евангелия мы тогда выпустили 70 000 экземпляров — неплохо для начала. Как сейчас помню, отпускная цена была 18 рублей, а розничная — 25. 25 — такой был, грубо, дневной заработок рядового самиздатчика. Тоже неплохо. Сашу после поймали доблестные чекисты и посадили. Сидел он полтора года. Время отсидки он не считал потерянным — говорил, что всюду жизнь, везде люди живут... На воле он принялся торговать, само собой, компьютерами, а после уж и куриными окорочками. Конкурировал с самим «Союзконтрактом». Решив расширить бизнес, назанимал денег — 5 миллионов долларов. Ему легко давали взаймы: как же, честнейший человек, за правду сидел! Ну, не за просто так дали, а под залог продуктовой базы, которую он как раз приватизировал (sic!). И вот Саша везет сотрудников своей фирмы в круиз на яхте... На каком-то из испанских островов он с женой на пару дней откалывается от коллектива и пропадает из виду (может, как раз счета открывал?)... А в этот момент его зять, оставленный в Москве на хозяйстве, залезает в отчетность и обнаруживает, что денег у фирмы нету. Он начинает думать о том, что вот скоро к нему приедут бандиты с паяльниками — долги выколачивать. Но — молчит. И вдруг в начале сентября Саша возвращается в Москву! Зять успокаивается. Даже если денег и не будет, отвечать не ему. Далее вдруг пропал один из кредиторов нашего бизнесмена. Как позже оказалось, бесследно. Сам Саша снова — и на этот раз тоже окончательно — пропал в декабре. Кредиторы всполошились, залезли в компьютер, нашли там много престранных платежей... Найти удалось процентов десять от потерянного. А что акции продбазы, под которую и давали кредит? База, оказалось, давно перезаложена.

От Саши пришло после странное письмо про то, что он сам ищет деньги и появится, как только выяснит, где они. Может, его это письмо кто-то заставил написать?

Если кто вообще помнит, в тот год обрушилось немало бизнесов. Потому что инфляция замедлилась и уже нельзя было делать деньги из воздуха. Возможно, Саша просто «поплыл» на процентах. Многие бизнесмены, вернувшись той осенью из отпусков, просели.

И еще вот что интересно. Саше, как я уже говорил, люди легко верили. Его сотрудники отдавали ему добровольно большую часть зарплаты как бы в рост. Начисляли им по пятьсот долларов, а выдавали по двести. Некоторые вообще квартиры продавали, чтоб дать Саше взаймы. Кто-то после рассказал, что видел, как Саша, оставив первую жену и троих детей от нее в Москве, садился в идущий на Украину поезд. Хотя — можно ж отъехать на поезде от вокзала, пересесть на машину, махнуть в Шереметьево — и оттуда улететь на Запад.

Ну так что, его подставили, заставили назанимать денег — и убили? Или он таки украл, кинул людей? Тяжелейший вопрос...

В 95-м я продолжал путешествовать. Съездил в Венецию на карнавал — довольно вялый, впрочем. На старых дрожжах он разве что и держится. В тот заезд я встретил на Сан-Марко твоего друга Леню Парфенова и тогда еще простого тележурналиста Костю Эрнста. Днем мы работали, а по вечерам выпивали в простых заведениях не для туристов, таких, где собирались местные. Вино там, к примеру, из кувшинов разливали... Мне такая стилистика вообще близка. Выпив, мы ходили по ночным улицам и пели русские песни. Так-то народ там рано ложится спать, но наш ор терпели — карнавал же, пусть хоть кто-то пошумит, развлечет туристов, покажет, что веселье таки бывает в тех сонных краях.

В 95-м я в очередной раз слетал на вручение «Оскаров» в Калифорнию. Я это пытался описать повеселее, но на самом деле это все голый бизнес. Они так подогревают интерес к продажам своего кино — и, в общем, они правы... Хотя сама Калифорния — роскошное место. Все эти океанские пляжи, и горы вблизи, и тепло, и синее небо, и особенная расслабуха местных... Хорошо там.

В тот год, кстати, «Оскара» получил наш Никита Михалков. За «Утомленных солнцем».

Кроме всего прочего, в Лос-Анджелесе я повидался со своим кузеном, который там трудился компьютерщиком. Жилось ему там несладко, и я его немного развлек, поводив по тамошним кабакам. Без денег в Америке, чтоб ты знал, намного скучней, чем у нас. Не зря кузен мой вернулся на родину. Ничего, жизнью вроде доволен. Вот, опять женился — значит, есть же интерес к жизни. Чего-то человеку еще хочется.

Еще в тот год я впервые съездил в Англию и ЮАР и в очередной раз — в Париж. У меня даже создалась иллюзия, что это не чужой мне город, а даже как-то освоенный мною... Иллюзия, а все приятно. Ездил я туда, вообще говоря, на свадьбу. Моя свояченица вышла за француза. Жерар, кстати, оказался милейшим парнем, что б про французов ни говорили. Французские свадьбы —

они без гармони, и никто не нажирается. Сперва все пошли в костел, там венчание, после на улице под навесом, стоя, долго пили шампанское... Ближе к вечеру особо приближенные гости пошли на большой ужин, в ходе которого не столько пили, сколько танцевали и как-то запросто веселились, — у нас так взрослые редко умеют. Причем накануне вся родня, включая мужиков, всю ночь резала салаты, — вместо того, чтоб нажраться. О как! Бывают же страны, где между людьми складываются нормальные человеческие отношения, и никто там такому не удивляется.

Но, конечно, не из одних только загранпоездок состояла тогда моя работа. Немало я в тот год писал про роды в воде, на которые была тогда мода среди продвинутых читательниц журнала «Домовой», каковой я имел честь возглавлять. Рожать приличным людям тогда полагалось в море, для чего энтузиастки целыми командами уезжали на Черное море и там ожидали разрешения от бремени в палаточных городках. На худой конец, разрешалось рожать в джакузи, причем не в Москве, а хотя бы в Жуковке — все подальше от цивилизации и загрязненной среды. Как сейчас помню, главной повитухой была Юля Постнова — очень увлеченная и энергичная дама. Она меня убедила в том, что рожать надо не лежа, а сидя или даже лучше стоя на четвереньках — и действительно, лучше ведь, когда сила тяжести помогает, а не мешает. И пузырь прокалывать раньше времени не надо, лопнет сам — и выступит в роли смазки, и дитя выскользнет в наш мир без лишних мучений. И так далее и тому подобное. Я был настолько подкован в этом вопросе, что, заставь меня тогда принять роды, я б не испугался и решительно б взялся за дело. За что особое спасибо Юле Постновой, так это за Станислава Грофа, к чтению которого она меня пристрастила. Это такой чех, который сбежал от коммунистов в Штаты и там написал с десяток захватывающих книжек про деятельность мозга.

В конце 95-го в «Коммерсант» вернулся Вася (Андрей Васильев). Это было для меня важным событием. Когда-то мы вместе работали в старом «Коммерсанте», Вася был там начальником отдела. Вася много сделал для газеты, кстати. Все те смешные заголовки он придумывал. Яковлев сперва на смешное не соглашался, требовал умных. Но после сдался. После Вася ушел, официальная версия такая: у него взгляд на газету перестал совпадать с яковлевским. И я все эти годы, с 92-го по 95-й, говорил Яковлеву, что Васю надо вернуть. Какими б ни были личные переживания. И вот Вася был-таки возвращен — может, это я Яковлеву плешь проел.

Кстати сказать, в 95-м начал выходить журнал «Медведь»! Не могу сказать, что я предугадал будущее, нет, я тогда, конечно, не знал, что с «Медведем» у меня что-то будет. Но отчетливо помню, что подумал тогда: хорошо б заняться мужским журналом!

БУТЫЛКА
ПЯТНАДЦАТАЯ

1996

В президентские выборы оба автора работали на одной стороне баррикад: они страстно желали коммунистам поражения. Хотя официально Кох не входил в предвыборный штаб, за судьбоносными событиями наблюдал вблизи. К примеру, участвовал в освобождении Евстафьева с Лисовским: помните знаменитую «коробку из-под ксерокса»?

Забавно, что, поехав тем летом на выходные в Турцию, Кох был там посажен в тюрьму. И отсидел в ней одну ночь. Свинаренко тоже съездил в Турцию, но приключений на его долю там не выпало.

Соавторы совершают поучительные поездки по Чечне; правда, порознь. Причем, что интересно, Свинаренко путешествовал с генералом Шамановым, а Кох — с Березовским и Басаевым.

В остальное время Кох занимается своей любимой приватизацией, он «вкалывал круглые сутки на работе». Свинаренко формирует команду «золотых перьев» «Коммерсанта». После чего уезжает в США — работать собкором журнала «Столица» в городе Москва, штат Пенсильвания.

Бутылка пятнадцатая
1996 год

— Ну, Алик, как обычно, давай коротко обсудим твою жизнь в 96-м...

— Жизнь моя в 96-м... А мы будем только мою жизнь обсуждать или твою тоже?

— Мою — тоже будем, не ссать. Как обычно. Но сперва твою — я же первый спросил.

— Ладно... Ну что? Детей у меня новых не родилось, жен у меня новых не появилось...

— А работа у тебя что? Как?

— Новая — не появилась. Что ж у меня было интересного? Да ничего. Вкалывал круглые сутки на работе.

— На какой?

— Я был первым заместителем председателя Госкомимущества. В 96-м, в январе, Чубайса выгнали. Тогда Ельцин и произнес вошедшую в века фразу: «Во всем виноват Чубайс». Так он дал старт своей избирательной кампании — у него ж летом выборы. И его политтехнологи, коими тогда были Коржа-

ков, Барсуков и Сосковец, сказали ему: «Теперь пришла пора все свалить на Чубайса, и ты тогда беленький и чистенький...»

— А что на него свалили тогда?

— Да все. Обнищание масс, обесценивание вкладов, «МММ» с Мавроди — все на него свалили. Вплоть до того, что чеченскую войну на него чуть ли не свалили.

— Фамилия подходящая, чтоб все валить.

— Да, и фамилия подходящая. Да. Правда, непонятно, чем фамилия Сосковец лучше... Ха-ха-ха. Кстати, Сосковец тогда рассматривался как преемник Бориса Николаича.

— Серьезно?

— Да-а-а.

— Президент России — Сосковец, президент Америки — Дукакис. Два друга — колбаса и волчий... хрен.

— Да-да-да. А тогда это модно было: Вольский, Скоков, Союз товаропроизводителей, Союз промышленников и предпринимателей. И вот они все нас поучали, говорили, что

195

мы не умеем экономикой управлять... Что этим должен заниматься директорский корпус. И тогда Миша Леонтьев выдумал такой собирательный термин, который мне очень нравится, — «матерые товаропроизводители и их лидер Сосковец». Короче, они Борису Николаичу сказали: «Старик, ты, типа, спокойненько побеждаешь — мы все просчитали. Ты светоч демократии, все в порядке. Поэтому не бзди. А если вдруг что, мы Думу разгоним и выборы все отменим. А Чубайса ты выгони, скажи, что он во всем виноват. И тогда все будет замечательно». Чубайса и выгнали. Это я про личное рассказываю, такие у меня были тогда личные переживания... Выгнали, значит, Чубайса, и возник кризис жанра. Надо ж кому-то во вражеские ряды с острой сабелькой врубаться. Вот... А только-только прошли выборы в Госдуму, и Сережа Беляев, Председатель госкомимущества, ушел в Думу лидером фракции «Наш дом — Россия». Так у нас возникло в команде две вакансии. Тогда была выдвинута мною идея — о том, что период бури и натиска закончился, что мы достигли некоего рубежа, и надо на этом рубеже закрепиться, подтянуть обозы, перегруппироваться — для следующего рывка. Генералы, которые вели нашу команду вперед, они хороши в наступлении. А вот в обороне — еще неизвестно. В обороне нужны люди другого склада. И у нас в команде есть такие генералы — генералы от

обороны. Не менее заслуженная, между прочим, воинская специальность; ну, не Багратион, но Барклай де Толли. И вот так мной был выдвинут Александр Иванович Казаков. Он стал председателем Госкомимущества — вице-премьером. Вот. И эта кандидатура была утверждена! Борис Николаич подписал указ!

— **Иваныч — видный футболист.**

— Да. Ты его с этой стороны знаешь, а я еще и с других. Он очень многогранный! Сейчас вот он сенатором трудится от Ростовской области.

— **Ты ж тоже был сенатором. Тебе не в падлу было. Значит, нормальный уровень.**

— Я полгода пробыл. Меня так и не затвердили в Совете Федерации. Мы еще вернемся к этому разговору когда-нибудь.

— **Значит, вот ты какого воспитал человека — Иваныча.**

— Я его не воспитывал. Иваныч старше меня. Это он меня воспитывал! Вот. Назначили его, и я стал у него первым замом. Итак, значит, фортификация, инженерия, артиллерия. Редуты под стенами построить, рвы копать, лучников расставить, котлы со смолой приготовить... Другая история! Тогда такое интересное было время. Сосковец и Каданников были первыми вице-премьерами, а Казаков — просто вице-премьером.

— **А кто вообще такой Сосковец? Почему он так поднялся?**

— Я сам не очень хорошо понимаю, как это произошло. Вообще-то он казахстанский. В застойные времена был директором Карагандинского меткомбината. Кстати сказать, у него главным инженером в те времена был Володя Лисин — олигарх и владелец Новолипецкого металлургического.

— А также — газеты «Газета». Хорошее название. Баден-Баден. Уйди-уйди. «На фиг, на фиг!» — закричали пьяные пионеры. Газета «Газета», орган Баден-Баденского обкома партии. А еще мощнее было бы — газета «Газета-Газета». Учиться, учиться и учиться.

— Да. Значит, Сосковец — из Казахстана. А потом, во время горбачевской ротации, когда началось избиение старых кадров, Горбачев взял его союзным министром металлургии. Он же такой импозантный, крупный.

— И он приватизировал…

— Ничего он не приватизировал! Подожди, это ж еще горбачевские времена. Потом, когда Союз развалился, он сбежал обратно к себе в Казахстан, и его Назарбаев чуть ли не премьером сделал — или первым вице-премьером, я точно не помню. Он там работал-работал — и не сработался. Вернулся в Москву. И в самые последние секунды успел получить русский паспорт. Он был сначала руководителем комитета по металлургии, а потом его Коржаков у Ельцина пролоббировал первым вице-премьером. При Черномырдине — он тогда появился. И очень сильно Сосковца Ельцин любил. Опять же потому, что он крупный, потому что он мощный, потому что он может много

выпить, потому что он говорит безапелляционно. Он от сохи, руководил заводом, все понимает… И так далее и так далее. Не хочу о нем говорить ни хорошо, ни плохо — он продукт того времени. Тогда всех директоров этих носили на руках и считалось, что это они, собственно, и есть соль земли русской. А оказалось, что никакая на хер не соль.

— Да. Директора тогда были соль земли, а журналисты несли свет истины.

— Да. Директора — соль земли, а журналисты — сахар земли русской.

— А писатели — это вообще пророки.

— Пророки? Не, не, в то время это уже было не так очевидно, уже началось размытие этих понятных и четких истин. Они уж не такими истинами и казались. Но директорская тема прожила больше, чем журналистская или писательская. Она где-то в году 95-м начала умирать, когда залоговые аукционы прошли и красных директоров по одному месту мешалкой выгнали. На этом все закончилось — вся их фронда, все эти Вольские с их РСПП. Скоков куда-то растворился, товаропроизводитель матерый…

— Я, кстати, раньше думал, что журналисты — крайняк, люди совсем уж никакие, нечего с них взять и спросить с них нечего. Но потом я походил на писательские тусовки, посмотрел — и подумал: «Не, ну журналисты ладно, еще ничего»…

— Журналисты хотя и лишены морали, они себе какую-то особую мораль придумали, облегченную…

Ну не вытянуть им «не лжесвидетельствуй»...

— **Но с журналистами еще какие-то темы можно обсуждать адекватно.**

— Они хотя бы в материале, хоть знают, что в стране происходит.

— **А с писателями вообще невозможно разговаривать.**

— Ну да, они газет не читают и ТВ не смотрят, у них от этого, типа, стиль ухудшается.

— **С писателями надо разговаривать очень осторожно. Они такие важные. Пьют как-то иначе, тяжелее, в отличие от легких на подъем легкомысленных журналистов. Один к одному с писателями не поговоришь, надо думать, что сказать. А то они не так поймут. Это сильно утомляет. Так что журналисты не так плохи. А еще же есть художники! Это публика еще тяжелей. Против них даже писатели кажутся милейшими людьми. И я на этом решил остановиться. Не расширять дальше свой кругозор. Чтоб совсем уж не за-**

бредать в дебри. А то же есть еще, к примеру, музыканты... Много мудрости — много печали...

— Короче, они насрали в голову Борису Николаичу бочку арестантов, и тот выгнал Чубайса. Который во всем виноват. Но буквально через месяц, как известно, Чубайс стал у Ельцина начальником избирательного штаба. Это в 96-м, в феврале месяце было. Это так незаметненько произошло. А к июлю, ко второму туру, уже Сосковца, Коржакова и Барсукова, типа, малой скоростью ссадили.

— **В коробку из-под ксерокса.**

— Она как раз к тому времени освободилась. Прокуратура изъяла вещдок — коробку с деньгами — и обратила в пользу государства.

— **Да... Ты хорошо помнишь ту коробку?**

— О-о-о... Я про нее комментарий напишу. Я же в этой истории, собственно, по полной программе участвовал...

Комментарий **Коха**

ЕХИДНЫЕ ЗАМЕЧАНИЯ, СПЛЕТНИ И ОДИН РЕАЛЬНЫЙ СЛУЧАЙ

Итак, начали...

Раз...

1996 начинался весело. В самом начале, по-моему, в январе, был уволен Чубайс[1]. Ельцин фактически плюнул ему вслед, а слова «во всем виноват Чубайс» стали с тех пор крылатыми.

---

[1] Вместо Чубайса был назначен Владимир Каданников, директор и главный акционер Волжского автозавода. Он был моим земляком из Тольятти, однако наши пути в Москве почти не пересекались. Каданников хорошо знал моего отца, они много лет вместе проработали, и поэтому мы с ним мило здоровались, когда виделись на различных совещаниях. Начальником мне был назначен Александр Иванович Казаков. Вот с ним мы трудились душа в душу, и у нас не было даже тени противоречий.

Чубайс меня тогда, в очередной раз, удивил. Он развел целую философию, лейтмотивом которой было бессмертное лоханкиновское «так надо».

«Так надо!» — говорил Чубайс, а мне хотелось сразу продолжить: «быть может, из этого испытания я выйду отчищенным?» (История про «Васисуалия Лоханкина и трагедию русского либерализма» сейчас, в марте 2004 года, получила неожиданное продолжение, но об этом пока не буду... Западло.) Порка на кухне подействовала на реформатора классически. Чубайс упивался своим стоицизмом, раздавал направо-налево интервью о величии Ельцина, разъезжал по городу на лохматой «пятерке» времен царя Гороха и носил короткий овчинный полушубок. Он был похож на преуспевающего фарцовщика семидесятых: «жигуль» и дубленка — предел мечтаний. В таком виде сорокалетний Чубайс производил оглушительное впечатление на официанток в тех ресторанах, в которые мы ходили после его отставки.

Домашняя заготовка с отставкой Чубайса, плод мозговой атаки (мозговой ли?) «dream-team» Коржакова — Сосковца, не проканала. Публика как-то вяло прореагировала на «всенародный аллерген» и не поверила, что он во всем виноват. Вопреки ожиданиям ельцинского штаба рейтинг действующего президента не шелохнулся и твердо держался своих пяти процентов.

С гусинских СМИ не вылезал Явлинский с идеей, что поскольку у него рейтинг в три раза выше, чем у Ельцина, то он должен быть единственным кандидатом от демократических сил, что всем людям доброй воли его нужно поддерживать, а те, кто думает иначе, есть враги молодой и хрупкой российской демократии.

Молодая и хрупкая... Как это сексуально... И он, такой кудрявый... Но! Вернемся к нашим баранам.

Зюганов вообще считал себя уже президентом. У него появилась невиданная доселе у коммунистов толерантность. Например, он начал признавать многообразие форм собственности. И, о чудо (!), вдруг посчитал допустимой даже частную собственность. Легионы профессоров-марксистов перевернулись в гробу, а ему хоть бы хны — признаю, говорит, частную собственность, да и дело с концом. Смелый, б... Ревизионист, одним словом, либерал (тьфу, черт, привязалось). Но с частной собственностью у него было все не так просто. У него были хорошие частные собственники и плохие. Как их различать, я, откровенно говоря, не знаю до сих пор, но Геннадий Андреевич это все очень лихо объяснял, и мы поняли так, что уж он-то точно знает, как отличить овец от козлищ.

Совершенно очевидно, что из чистого любопытства предприниматели повадились ходить к Зюганову за разъяснением: кто хорош, а кто не очень. Мелькали там, в этой очереди к вождю, и некоторые из нынешних олигархов. Все возвращались оттуда очень довольные: видать, им повезло, их отнесли к хорошим. Благодарные хорошие частные собственники наполняли предвыборный фонд коммунистов честно заработанным на эксплуатации человека человеком всеобщим эквивалентом. Зюганов начала 96-го года напоминал мне Энди Таккера, играющего с продвинутыми фермерами в «скорлупки».

Настолько казалась неизбежной победа коммунистов, что сказка про «хорошую частную собственность» оказалась востребованной трусливым ухом российских коммерсантов. Что так же, мол, как существует плохая и хорошая частная собственность, существуют хорошие и плохие коммунисты. Вот, например, нынешние коммунисты — хорошие. Самообман и самогипноз, которому подвергли себя российские предприниматели, начинал принимать патологические и необратимые формы. Пора было сушить сухари.

Зюганов, видя такое дело, еще пролил елея и заявил, что Иисус Христос — коммунист. И что коммунисты никогда не были против Христа и его учения, против православия, народности и т.д. и т.п. ... Десятки тысяч замученных и убитых священников, разрушенные храмы и монастыри, сожженные иконы, тысячи и тысячи людей, посаженных в тюрьму за распространение Святого Писания, всего этого как бы не было. А есть вот это: коммунизм и христианство — близнецы-братья. Да и сам я, Гена Зюганов, крещеный. Вот, смотрите, крестик. Написано: «Спаси и сохрани».

И земля не разверзлась, и тысячи замученных не завопили диким голосом, и не запела иерихонская труба... И порча на него не напала, и язык не отсох. Люди, доколе же мы не будем падать в обморок от такой лжи? Ну ведь если нам вот так врут, а мы и не замечаем, то, может, мы и не люди вовсе? Но... Вернемся к нашим баранам.

Воинствующий материалист превратился в махрового клерикала. Начал ходить в храм, истово креститься, подпевать молитвы, поститься. А наши иерархи церковные — они его пустили. Без покаяния. И руку дали. И крест он целовал. И причастился. И не рухнул мир... Ужас. Ленин в Мавзолее, наверное, обоссался от смеха. А потом сказал: «Молодец, товагищ Геннадий. Улавливаешь политический момент. Идешь вместе с массой. С пгостым габочим и кгеястьянином. Таков и должен быть вождь мигового пголетагиата. Однако же, батенька, нет ничего гнуснее и отвгатительнее, чем сказка «пго боженьку». Узнаете, Геннадий Андреевич? Это я вам цитирую вашего кумира, упыря Ульянова. Д-а-а. Похоже, надо бы сухари отставить. Пора было лоб зеленкой мазать.

А вот, кстати, Григорий Алексеевич Явлинский. Некоторые пуристы от демократии до сих пор в претензии, что мы поддержали не его, а Ельцина. Дискуссия, конечно, содержательная. Ничего не скажешь. Меня лично интересует ответ на такой, например, вопрос: выдержал бы Явлинский противостояние с коммунистами? Не с нынешними, полуразвалившимися, дезориентированными, стареющими, а с теми, восьмилетней давности. За коммунистами — поддержка огромного числа людей, которым за пять лет демократические СМИ подробно и доходчиво объяснили, что их плохая жизнь не есть закономерный результат восьмидесятилетней истории, а исключительно и только следствие отвратительных ельцинско-гайдаровско-чубайсовских реформ. За коммунистами — молчаливая поддержка силовиков в МВД, ФСБ и армии. За коммунистами — безграничный цинизм и беспринципность, типа неожиданно проснувшейся религиозности или признания частной собственности. За коммунистами — поддержка региональных князьков (почти сплошь — первых секретарей обкомов). За коммунистами — симпатии среднего звена госаппарата. А что за Явлинским? Ну? Что? Есть ответ? Молчите? Ну так я за вас отвечу — ничего.

Можно, конечно, рассуждать в том духе, что если бы Явлинского раскручивали так же, как в ту весну раскручивали Ельцина, то у него голосов было бы еще больше, чем у Б.Н. Но, помилуйте, есть же все-таки и объективные обстоятельства. Поддержка одного только демократически настроенного электората? Максимум — 10 процентов. Это я еще лишку хватил. При том еще, что половина из них на выборы не ходит. Новый, народившийся класс предпринимателей? Еще процент. Их и сейчас больше нет. Просто симпатизирующие Явлинскому и прозападно настроенные избиратели? Ну, пускай еще 5 процентов. Откуда пять? Не знаю... Да берите, мне не жалко. Итого — 16. Ну пусть двадцать. Пусть даже тридцать! Уже самим смешно. А надо — 51 процент.

Явлинский — без шансов! Очень скоро это начал понимать даже Гусинский, которого с Явлинским связывало некое подобие дружбы-спонсирования. Напомню, что по окончательному раскладу Явлинский не оказался даже третьим. Третьим оказался Лебедь.

Посудите сами. Для того чтобы победить на таких выборах (да, впрочем, и на любых других) нужно главное: перетянуть на свою сторону колеблющихся людей. Я даже готов согласиться с тем, что собственный, как говорят социологи, «ядерный» электорат у Ельцина и Явлинского был примерно одинаковый. Однако в части привлекательности для патерналистски настроенного совка (именно этот удивительный тип «homo soveticus», ностальгирующий по мебельной стенке «Хельга» и сервизу «Мадонна», нужно было завоевать и оторвать от ставшего вдруг добрым дядюшки Зю), Ельцин был ближе Явлинского и по возрасту, и по биографии, и по мироощущению.

Помимо этого, вряд ли вокруг Явлинского удалось бы сплотить такую команду, которую удалось собрать в штабе у Ельцина. Не забудьте: результаты залоговых аукционов гнали наших нуворишей в объятия действующего президента. Впрочем, лично я не исключаю и некоторого идеализма в их поведении. Березовский и Абрамович, Потанин с Прохоровым, Ходорковский с Невзлиным, Алекперов. Плюсуйте сюда Черномырдина с Вяхиревым — а куда ж эти-то денутся с подводной лодки?

И, наконец, Гусинский, со своей четвертой кнопкой, тоже пришел поддерживать Ельцина. Как его удалось переманить? До сих пор удивляюсь. Говорят, Березовский уломал. А скорее всего, сами советники и помощники Владимира Александровича (сплошь бывшие работники КГБ и ЦК КПСС) объяснили ему, что если не Ельцин, то Зюганов. Что никаким Явлинским и не пахнет. А комми, они только в оппозиции плюралисты. Приди они к власти, первое, что они сделают — поставят к стенке вместе со всеми. Разбираться не будут, кто участвовал в приватизации, а кто нет. У них ведь все просто: богатый — значит, вор. Отобрать да поделить, а самого буржуя в расход. В овраге гнить будешь, мухи по тебе ползают, вонь... Жену — в Сибирь, детей — в детдом. В соответствии с привычным распорядком. Работники КГБ (или, как они сами, по странной каннибальской наклонности, любят себя называть — «чекисты») — они ж знают, что говорят.

Справедливости ради нужно отметить, что коммерсанты пришли и организовали некое подобие штаба несколько позже, где-то в конце февраля — начале марта. А сначала у Ельцина как кандидата в президенты был его официальный штаб. Входили в этот штаб Коржаков, Барсуков, еще кто-то, сейчас не помню — кто. А возглавлял этот штаб Олег Николаевич Сосковец. Просуществовал этот штаб чуть ли не до второго тура выборов. Делал он чего-нибудь или нет, сейчас сказать не берусь — не знаю. Но два подвига этого штаба знают все. Первый подвиг, слава богу, оказался лишь намерением: они хотели в конце марта (или в апреле?) разогнать Думу и отменить выборы президента. Об этом их поползновении подробно рассказал Ельцин в своей последней книжке. Второй подвиг — арест Евстафьева и Лисовского — также хорошо известен и об этом ниже.

Два...

Я не был членом ни одного из штабов. Ни формального, ни настоящего. Однако часто виделся с Чубайсом и Евстафьевым, общался с другими членами неформального штаба, и поэтому у меня сложилось определенное представление о том, как этот штаб создавался и работал.

У меня нет ни тени сомнения, что идея создания настоящего штаба, состоящего из реальных людей, а не статусных генералов и вице-премьеров, принадлежит Березовскому. До него первого дошли две, теперь уже очевидные, мысли. Во-первых, если победит не Ельцин, то никакой «Сибнефти» у него (Березовского) не будет. Во-вторых, если ничего не предпринять, а оставить президентскую компанию на Сосковца с Коржаковым, то они либо снова устроят какую-нибудь поножовщину в центре Москвы, либо Ельцин (с их помощью) с треском проиграет выборы.

Нет, это не так святочно — мол, пришел добрый волшебник Березовский, и все шестеренки закрутились в правильную сторону, президентская компания Ельцина набрала обороты, бездарные царедворцы были посрамлены и впоследствии изгнаны из рая. На самом деле, все сложнее и жизненнее.

Какие договоренности и отношения были у Березовского с Коржаковым, известно только им двоим. Однако, судя по тому, что мне рассказывал Березовский (соврет — не дорого возьмет), дело было так. Еще в начале 1995 года Березовский пришел к Коржакову и сказал, что через год президентские выборы, и если есть задача их выиграть, то нужно брать контроль над СМИ и прежде всего над телевидением. До этого в масс-медиа кто только не упражнялся. Федотов, Полторанин, Попцов, всех и не упомнишь. Коржаков, видимо, посоветовался с кем-то, хотелось бы думать, что с Ельциным, и было принято решение создавать Акционерное общество «Общественное российское телевидение» на базе первого канала. 51 процент акций оставить государству, а 49 процентов отдать консорциуму бизнесменов. В консорциум входили и Олег Бойко со своим банком, и «Альфа-групп», и МЕНАТЕП, и еще кто-то, сейчас я уже и не помню кто. Первую скрипку в консорциуме играл Березовский — это они между собой специально оговорили и договоренность свято соблюдали.

Таким образом, еще за год до описываемых событий Березовский подрядился заниматься выборами, и, следовательно, все выглядело не так, что в один прекрасный день, в Давосе, в феврале 1996 года утром Березовский проснулся, и его осенило. Нет, он обязался перед властью сплотить бизнес-сообщество для помощи Ельцину на выборах, а власть под это передала ему контроль над ОРТ (и в некотором смысле над «Сибнефтью»). Это было его «общественное поручение» от власти. Поручение, которое он сам хотел получить и получил еще за год до описываемых событий.

Итак, Березовский приехал в Давос и начал обработку бизнесменов, которые там были. А прилетели, как вы понимаете, все. Плюс Чубайс в своей овчине. Даром что не в кирзе.

О! — подумал Береза. Вот и руководитель группы есть, спасибо Б.Н.! Раз Чубайс во всем виноват, пусть и разгребает все это добро, которое натворил. Все равно ему делать нечего. Уж Чубайс-то в победе Ельцина заинтересован как никто. Его-то коммуняки первого к стенке поставят[1],

---

[1] Кстати, фраза «поставить к стенке» это не оборот речи и не для красивости и драматичности. Это печальная констатация. Да, у коммунистов действительно существовали расстрельные списки. Я даже их видел. И свою фамилию в них тоже видел. Дважды. Один раз мне такие списки показывали после октябрьских событий 1993 года. Их нашли в кабинете Хасбулатова. Второй — весной 96-го. Ельцин, Гайдар, Чубайс... Вот Коржакова, Барсукова, Сосковца, Грачева я что-то в этих списках не помню. Врать не буду, может, они там и были. Как-никак «расстрельщики российского парламента»... Но... не помню. Себя — видел. Хрен их знает, может, подделка. Для острастки. А может, и правда. Скорее всего. Очень похоже. Ощущения — неприятные. Такая бздиловатость подкатывает. Но — не сильно. Терпеть можно.

чуть ли не первее Ельцина. Справедливости ради давайте все-таки скажем, что низкий рейтинг Ельцина в начале 1996 года определялся не только бездарной войной, ангажированностью СМИ и гротеском, который он любил по пьяни устраивать (типа дирижерских экзерсисов), но и издержками реформ, в том числе и чубайсовских. Чего уж греха таить.

Дальше Березовский рассуждал следующим образом. Так, первый канал у нас есть. Второй — и так казенный, никуда он не денется. Третий — у Лужкова. Этому, после 93-го года, тоже путь назад отрезан. Пятая кнопка — в Питере. Тоже ничего. Красные там не появятся. Остается четвертый канал — НТВ. Красные не красные, а гадить Гусинский может очень даже хорошо. Одна его позиция по Чечне чего стоит. Процентов десять-пятнадцать из-за этой позиции Ельцин теряет. Значит, хочешь не хочешь, нужно мириться с Гусем. Противно (они были заклятые враги), но делать нечего. Березовский позвонил Гусинскому, они встретились и обо всем договорились. С остальными было проще. Сухаревская конвенция была подписана, и по возвращении в Москву работа закипела. Засели они в здании московской мэрии (бывшее здание СЭВ), в помещении, которое арендовал МЕНАТЕП. Там же, только на другом этаже, был офис Гусинского.

Какие особые козни они там придумали и осуществили, мне неизвестно. Но сейчас вспоминаются два проекта. Один назывался «Голосуй сердцем». Его вел Михаил Лесин со своим «Видео Интернэшнл». Другой — «Голосуй или проиграешь». Это был проект Сергея Лисовского и «Премьер-СВ». Первый проект был направлен на повышение привлекательности Ельцина, второй — на высокую явку, прежде всего молодежи.

Помимо этого, был еще проект по раскрутке Лебедя, с тем чтобы он отбирал голоса у Зюганова. Была, конечно, и закулисная работа с губернаторами. Была «антикоммунистическая истерия». Много чего было. Результат — известен. Ельцин победил. Коммунисты не прошли.

Чубайсовский штаб работал фактически круглосуточно. Впечатление это производило очень сильное. Прямо «штаб революции Смольный». Бесконечные совещания, какие-то люди входят-выходят. Только что солдатика, ищущего кипяточка, не хватало. Чубайс был в своей стихии. Как рыба в воде. Большевик. За что и любим широкими массами либеральной интеллигенции.

Мне показалось, что в штабе были три ключевые фигуры. Чубайс, Березовский и Гусинский. Стараниями Березовского в штаб пришли Валентин Юмашев и Татьяна Дьяченко. Появился неформальный, альтернативный канал связи с Ельциным. Традиционные, официальные каналы контролировались Коржаковым и Барсуковым, а это сильно мешало, поскольку они изначально предвзято и ревниво относились к работе своих «помощников».

Вот это было удивительно. Фактически «штаб олигархов» создавался по договоренности и в помощь официальному штабу. Однако стоило ему показать хотя бы минимальную эффективность, как он тут же вызвал дикую ревность царедворцев. Хотелось крикнуть: идиоты, вашу же задницу спасают! Ведь если Ельцин проиграет, то вы уже не будете царедворцами! Да вы на этих коммерсов молиться должны, а вы им палки в колеса ставите! Договоритесь же наконец! Да, впрочем, что тут удивительного... История учит, что она ничему не учит...

Гусинский обеспечил неформальный контакт с Лужковым, у которого был высокий рейтинг, что помогало вытягивать и рейтинг Ельцина. Всю Москву завесили плакатами Ельцин + Лужков. Также в этом русле работал и Василий Шахновский. Еще. Гусинский привел Малашенко, который, как многие говорят, усилил креативную работу штаба.

Но еще раз подчеркну: я говорю как наблюдатель со стороны. До конца внутреннюю кухню знали только эти трое. Наступит время, когда они сами — и Чубайс, и Березовский, и Гусинский — расскажут о том, как это было. Я думаю, тогда мы узнаем много интересного. А может быть, и они тогда наконец поймут, что это были едва ли не лучшие дни в их жизни. Может быть... Поймут... Хрена лысого они чего-нибудь поймут. Беда...

Три...

Сразу после первого тура выборов, когда стало понятно, что Борис Николаевич скорее всего побеждает, коржаковская «dream-team» решила, что теперь можно уже и не делать даже видимость сотрудничества с чубайсовским штабом. Настала пора от них избавиться и почивать на лаврах еще четыре года. Самое простое — найти что-нибудь незаконное в финансировании избирательной компании, раскрутить громкое уголовное дело, пересажать всех, и дело с концом[1].

Сижу дома, часов девять вечера. Звонок. Приемная Чубайса:

— Не знаешь, где Аркаша (Естафьев. — *А.К.*)?

— Нет. Звонил сегодня, но уже давно, еще с утра... А что случилось?

---

[1] Есть, правда, одно маленькое «но»: все схемы финансирования согласовывались с Коржаковым и Барсуковым заранее. И ими визировались. В связи с этим представляю себе некий вымышленный диалог:

— Ну, это пустяк. Это к делу не пришьешь. Ничего не знаю и дело с концом.

— А совесть?

— Совесть? Какая, на хер, совесть! Они ж народ разграбили!

— Вместе с тобой «грабили-то»...

— Со мной? Чушь какая-то. Вот истинный крест. Я всегда был против, но меня не слушали.

— Это тебя-то не слушали? Тебя попробуй, не послушай...

— Да вы преувеличиваете. Я маленький человек. Охранник — и все. А это — воры, воры, воры...

— Да, братец, эко тебя колбасит!

— Ничего не знаю. Всех этих «коммерсов» — в тюрьму.

— Видишь, как у тебя все просто! Загляденье...

— Ничего не знаю. Не хочу. Не знаю, и все. В тюрьму. Во: у нас просто так не сажают... Виноваты — пусть ответят. А нет — так их выпустят. Короче, там разберутся.

— Где там? Ты что, дурак? Это ж у тебя самого, а не где-то там. В общем, не о чем с тобой разговаривать...

— Да так, ничего... Просто нужен, а мы его найти не можем.

Десять. Опять звонят.

— Не звонил?

— Нет. Ну что вы там мычите. Говорите.

— Ммм...

— Ладно. Понял. Сейчас приеду.

Приезжаю.

— Похоже, повязали. И Серегу Лиса — тоже.

— Где повязали-то?

— Да ушли с утра в Белый дом, и с концами. Ни слуху ни духу.

— А на проходной спрашивали?

— Спрашивали... Говорят — вроде нет. Но всех и не упомнишь. Вроде нет, не выходили.

— Так что получается — им прямо в Белом доме ласты скрутили, что ли?

— А черт его знает! Похоже, что да.

— А Чубайс где?

— У Березы в доме приемов на Новокузнецкой. Сидят, думают, что делать. Может, это... того, жене ты позвонишь? Вы ж друзья.

— Да хорошо. Позвоню... Ира? Привет, это Алик.

Сразу в ответ:

— Что с Аркашей? Алик, говори, не молчи!

Боже, как в книжках. Первый раз в такой шкуре:

— Да я сам толком не знаю. Только ты не волнуйся... Я сейчас узнаю. Схожу.

Художественный фильм какой-то. Тошно. Куда схожу? Чего я несу?

— Ну... тут... это... Аркашу в милицию забрали, — выпалил я.

В ответ облегченно:

— Вы что, напились, что ли? Нашли время... Ну и где он?

— Да нет. Не в этом смысле. Тут... Да не знаю я ничего. Знаю только, что забрали. А кто, что, ничего не известно. Сейчас пойду узнавать.

Решил — пойду прямо в приемную Черномырдина. У него в здании людей арестовывают, он не может не знать, что происходит. В штаб подъезжает Володя Платонов. Наш безопасник. Действующий резерв. С волыной. Я ему говорю:

— Пошли в приемную к ЧВСу!

— Пошли!

На КПП в Белом доме даже не обыскивали. Платонов прямо с пистолетом в приемную к премьер-министру России и завалил. Приходим. В приемной секретарь. Фамилия — Ротов.

— Где Степаныч?

— Уехал домой. Отдыхают.

— Когда?

— Да часов в шесть и уехал. Устал, видать.

— Рановато устал. А тут у вас ничего такого не случилось?

— Да нет, а что?

— Да Евстафьева с Лисовским тут у вас в Белом доме арестовали.

— Кто?

— Кто, кто... Конь в пальто. Откуда я знаю.

Вижу: заерзал. Глаза прячет.

— Ротов, ты не темни. Если чего знаешь, говори. Я — не продам.

— Да Степаныч как узнал, что Аркашу повязали, — руки в ноги и на дачу. Меня — нет, говорит. Заболел...

— Опа! Мудрый. Надо у него учиться.

— Ребят, идите отсюда, Христа ради. Кабы что не вышло. Вон у Вовки пистоль, я по глазам вижу. Идите подобру-поздорову.

— Ладно, сейчас уйдем. Только ты скажи — их вывезли или еще здесь, в Белом доме, держат.

— Я не знаю... Не думаю, чтобы вывезли. У нас здесь у ФСБ есть пост. Мне кажется, их там держат. Не знаю... Идите. Все. Я и так вам много сказал.

Возвращаемся из Белого дома обратно в мэрию, в здание напротив, в штаб. Сидим. Тупое оцепенение. Что делать? Где искать? В ментовку звонили, там ничего не знают. Позвонил Чубайс:

— Ну, что-нибудь удалось разведать?

— Да похвастаться нечем... Но вроде они еще здесь, в Белом доме.

— В Белом доме, говоришь? Это важно. Значит, торговаться будут. Это хорошо. Торговаться — это хорошо. Ну, смотрите телевизор. Сейчас мы начнем отвечать. Нам уже терять нечего.

— А какой канал смотреть-то?

— НТВ, экстренный выпуск. Сейчас Киселев выступит.

— А что не ОРТ?

— Ну, тут сложности. Березе, видите ли, неудобно Коржакова иметь по каналу, который тот ему дал.

— А-а-а... Ишь как неказисто. И РТР по этой же причине?

— Ну, вроде того. Государственный канал. Неудобно. А вдруг не мы победим. Отвечай потом.

— Ясно. В общем, все как обычно. Удивляться нечему.

— Ну да.

— А Гусяра — молодец. Не зассал.

— А ему тоже, как и нам, до фени. Его все равно, если что, Коржаков приморит. Ты же знаешь, они давнишние «друзья».

— Ну, хоть повеселитесь напоследок. Уж не подкачайте. Ждем серьезную развлекуху.

Поздно. Где-то часа в два. Началось. Экстренный выпуск «Сегодня».

Тревога и гнев на лице Евгения Алексеевича. Предпринята попытка государственного переворота... Арестованы сотрудники избирательного штаба Ельцина... Реставрация не пройдет... Попытка будет пресечена... Силы реакции...

В голове — какой переворот? Что он несет? Боже мой, какая чушь! А потом мысль — все правильно. Содержание не имеет значения. Главное, жути нагнать. Эти шопенгауэры в погонах должны услышать то, что они ни в коем случае не предполагали услышать. Вот то, что они заговорщики, — для них новость. Такого хода они не просчитывали. Теперь они находятся в состоянии ступора.

Они ведь как думали. Повяжем этих коробейников. Чубайс приползет на брюхе их спасать, все сдаст и тихо отвалит. Вот и славненько, вот и чудненько. Катись колбаской... Уноси ноги, пока жив... Скотина. Или все-таки посадить? Или так...

А тут на тебе: где «на брюхе»? Нет «на брюхе»! Где «все сдаст»? Нет «все сдаст»! Что-то мы не так рассчитали... Что теперь делать? Спокойно... Не психовать! Как-то все не так развивается. Не в ту сторону. Что-то эти подонки-коммерсы задумали. Кабы знать.

СМИ подхватывают. «Эхо Москвы», Интерфакс, другие радиостанции. Наконец уже и ОРТ, и РТР со ссылкой на НТВ. Западники зашевелились. Ой-ой-ой, в России опять переворот. То ли он украл, то ли у него... Коржаков с Чубайсом застрелили Ельцина... Березовский с Гусинским объединяют бизнесы, и, на самом деле, это один и тот же человек... Медведи, которые, как известно, спокойно расхаживают по улицам русской столицы, взбесились и съели своих дрессировщиков: Аркадия Лисовского по кличке Аркаша, и Сергея Евстафьева по кличке Лис. А теперь давайте посмотрим репортаж из ночной Москвы. Три часа ночи. Видите — улицы пусты! Медведи съели всех.

Я сел в машину и поехал в дом приемов к Березовскому, на Новокузнецкую. Там народу немного. Все те же и еще Немцов. Все возбужденные, веселые. Видно, что страшно, но отступать не собираются.

Дальше — неотчетливо. Вот я помню, что первым нервы не выдержали у Барсукова и он позвонил Чубайсу. А Чубайс говорит, что это он не выдержал и позвонил Барсукову. Так или иначе, но Чубайс орал... То, что Чубайс кричал, не имело никакого смысла — я тебя, козел, посажу... ты у меня до утра не доживешь... Пожалеешь, гад, что родился на свет... Если хоть один волос упадет с их головы, ты мне за все ответишь!

Стоящий рядом с Чубайсом Гусинский посмотрел на него, как на сумасшедшего: ни одной из перечисленных угроз Чубайс не мог реализовать даже в самых сокровенных мечтах. Посудите сами: человек с улицы, изгнанный из правительства чиновник, который «во всем виноват», прямо угрожает расправой директору ФСБ. Это уже тянет на приготовление к террористическому акту в отношении государственного деятеля.

Фактически с Чубайсом случилась форменная истерика. И то сказать — полгода в диком напряжении, все пашут, как кони, задвинули все свои амбиции, объявили «водяное перемирие», и тут эти «васильковые околыши» собираются посадить Аркашу с Сергеем, да, впрочем, и их всех. Присвоить себе результаты их труда. Опять паразитировать на Ельцине еще четыре года.

Тон Барсукова был примирительный. Да ладно тебе. Да успокойся. Да разберемся. Давай утром созвонимся. Ничего с ними не случится. Да я не знаю, о чем ты... Похоже, что он не ожидал такого напора.

Около трех ночи. Может, чуть больше. Татьяна Дьяченко с тревогой — папа позвонил. Он проснулся, смотрит телевизор. Плохо с сердцем. Вызвали врачей. Что делать будем?

Проходит еще полчаса. Звонок:

— Забирайте своего Евстафьева.

— А Лисовский?

— Чуть позже. Где-то через час и его отпустим.

— Где забирать-то?

— Подъезжайте к Белому дому.

Есть! По всему видно — струхнули. Не ожидали нашей атаки. А ведь не соврал Ротов. Там и держали. Не оформляли арест. Хотели торговаться. Не вышло!

Сажусь в машину, еду к Белому дому. Стою, жду. Ночь. Показался... Не через проходную, а через открытые автомобильные ворота, пешком, выходит ошалевший Аркадий. Люди, которые его сопровождают, остаются по ту сторону ворот. Я выхожу навстречу. Прямо как в фильме «Мертвый сезон». Яркие уличные фонари освещают въезд в Белый дом со стороны гостиницы «Мир». Все дальше кругом — темнота. Я его обнимаю, мы садимся в машину и едем обратно к Березовскому.

По дороге Аркаша звонит жене. Все в порядке. Нет, не пьяный, но сейчас буду. Нет, не жди. Все нормально. Да, Алик здесь. Вот рядом сидит. К Березовскому. Потом объясню. Все, спи. Пока.

Приезжаем. Мы с Аркашей и Немцовым накатили коньячку. «Хеннесси». Икс О. По стакану. Неплохо. Вожди смотрят на нас с брезгливостью. Да пошли они... Еще разочек. Хорошо.

— Борис Абрамыч, а пожрать у тебя есть чего?

— Позови официанта, он принесет меню. Не знаю, может, еще есть что-нибудь. Ночь на дворе.

— Жрать охота. Там меня не кормили целый день.

— Понимаю... Ну, бутербродов-то точно найдем. А скажи, Аркаш, о чем тебя спрашивали?

— Откуда деньги взял, что еще... Да больше ничего. Пугали. Говорили — посадят.

— А ты?

— А что я? Ничего. Какие деньги? Не знаю никаких денег. Они мне коробку показывают. Из-под «ксерокса». А я в отказку. Не знаю ничего, и все. Не мои, первый раз вижу.

— Ну?

— Чего ну? Так целый день. И вечер. Сказка про белого бычка. Потом у меня что-то давление поднялось... И я отказался отвечать на вопросы.

— Отлично! Молодец! Дайте, блин, ему бутербродов. Заслужил. Хи-хи. (Фирменный смешок Березовского.)

Привозят Лисовского. Тоже ошалевший. Березовский его уводит в другую комнату. Сразу видно, что Лиса допрашивали серьезнее, чем Аркашу. Иначе зачем его еще целый час держали? Может, у них на него материала больше? Не знаю, врать не буду.

Гусинский подходит к окну. Видно, что по крышам здания напротив бегают какие-то вооруженные люди. Гусь (как можно безмятежнее):

— О, скоро штурм начнется. Отойдите все от окон, а то, не дай бог, они стрелять начнут. Да, и имейте в виду, они все прослушивают.

Звонок.

— С Чубайсом хочет разговаривать Борис Николаевич.

— Ну так соединяйте.

— Нет, он хочет по спецсвязи.

— А здесь нет спецсвязи.

— Ну, так пусть Анатолий Борисович едет туда, где есть. В мэрию, в штаб. Через полчаса президент туда позвонит.

Всей толпой садимся по машинам. Аркаша с Лисом поехали домой. У них больше уже нет сил. По дороге спрашиваю у Чубайса:

— О чем он говорить собирается?

— Не знаю. Думаю, о том, что делать со всем этим.

— А ты?

— Расскажу все как есть. Пусть сам решает.

Вижу — Чубайс в форме. Не скис. Готов к бою. Что-то задумал. Приезжаем. Чубайс ушел в кабинет со спецсвязью. Быстро выходит обратно.

— Ну как?

— Вызывает к себе. Сказал, что через час будет в Кремле.

Гусинский говорит ключевую фразу, которая висела у всех на языке:

— Надо потребовать, чтобы он их всех уволил. Иначе у нас нет шансов. Они, если останутся, все равно со временем нас доедят. Если Ельцин откажет, какая разница, когда они нас доедят — сейчас или через полгода.

Спорить бессмысленно. Логика железная. Все соглашаются. Чубайс сидит с отсутствующим взглядом. Кивает головой в такт словам Гусинского. Через полчаса молча встает и уходит.

Минут сорок, а то и час он отсутствовал. Все сидели молча. Разговаривать особо не хотелось. Гусь с Березой ушли в офис «Моста», на другой этаж. Звонит Чубайс — еду, собирайтесь. Звучит бодренько, бодрее, чем мог бы в такой ситуации.

Все собрались:

— Борис Николаевич подписал указ об увольнении Сосковца, Коржакова и Барсукова!

— Ой, — вырвалось у кого-то.

И тут Гусинский сказал фразу, которая могла бы стать пророческой:

— Наконец-то у нас появился шанс построить нормальную страну!

Шанс был. Могла бы стать нормальной страной. Но не стала. К сожалению. Пока. Но это уже совсем другая история...

Потом мы выпили. И Чубайс, и Гусинский с Березовским тоже. Потом Чубайс «под шофе» поехал на пресс-конференцию, в гостиницу «Славянская-Рэдиссон». Пока ехали, все спрашивал меня — как я выгляжу? Ничего? Всю ночь не спавши и выпивши? У всех было хорошее настроение. Я его успокаивал — сойдет, мол, и так. Орел!

Потом, на пресс-конференции, Чубайс забивал «последний гвоздь в гроб коммунизма». А потом я забил на работу и уехал домой спать.

P.S. Еще раз подчеркну. Березовский, Гусинский и Чубайс обеспечили победу Ельцина в 1996 году.

К о х : Вот такая у меня была жизнь. И еще забавная история. Меня приятели соблазнили полететь в Турцию, в Мармарис. Летом, когда уже Борис Николаич победил. Посторонним-то стыдно признаваться, а тебе, как близкому человеку, скажу: мне нравится Турция. Франция, в смысле ее побережье, мне не нравится (в отличие от Прованса, Бургундии и долины Луары), а турецкое — нравится. Там море красивее и природа лучше.

— Я тебе скажу больше, вообще ужасную скажу вещь: мне и в Болга-рии нравится. Это уж ни в какие ворота не лезет. По секрету я тебе сказал, строго между нами.

— А я в Болгарии не был. Так вот, у меня в 96-м, как у чосчиновника, был синий загранпаспорт. Служебный. И меня наши пограничники во Внукове не выпускают из страны. Потому что без визы, мол, турки меня к себе не пустят. Да как же не пустят, визу в Турции в аэропорту ставят! Они отвечают, что это только с красным паспортом такой порядок, а с синим надо получать визу в посольстве в Москве. Я говорю — что за херня, синий паспорт круче, чем красный! Кру-че! Мне опять пограничник говорит: «Старик, то, что я тебе говорю, это правда, а что ты себе в голове нарисовал, это херня». Я ему: «А ну-ка выпускай меня, а то я сейчас буду звонить начальнику погранвойск Николаеву!» И набираю его приемную. Николаева нету, там сидел дежурный полковник. И я ему говорю: «С вами разговаривает первый зампред Госкомимущества». Да, слушаю вас! Вот тут твой боец меня, сука, не пускает. Даю трубку, боец рассказывает полковнику то

же, что и мне. Полковник мне пытается объяснить, что боец правду говорит.

— **Ну-ка, ну-ка, интересно, что дальше было!**

— Короче, они мне говорят — хрен с тобой, езжай. Только напиши бумагу, что ты к нашим погранвойскам претензий не имеешь. Если тебя в Турции скрутят. Пишу бумагу, отдаю бойцу, прилетаю в Турцию, даю десять долларов, мне уже начинают клеить марку — и тут вдруг видят, что паспорт синий. И ведут меня в тюрьму...

— **А, «Полночный экспресс»! Помнишь, там человек сидел в ту-**

Прогулка по воде

рецкой тюрьме, и к нему приехала девушка на свидание. И он ей говорит: «Ну хоть сиськи покажи!» Она показывает, он смотрит и аж сопит, и дрочит.

— Да, да.

— **У тебя тоже так?**

— Нет, не так радикально. Но все равно интересный экспириенс. Привели меня в камеру, в КПЗ.

— **Так у тебя, значит, одна ходка есть! Ты уже с полным правом можешь наколку делать — храм с одним куполом.**

— Да, да. Крест на святую Софию. Так вот я тебе рассказываю. Камера. Мне тут же пацаны купили выпивки, закуски в duty free, и турки это разрешили взять с собой. В камере я один — видно, в тот день таких мудаков, как я, больше не было. Такой был один человек — ваш покорный слуга.

— **С понтами, с синим крутым паспортом.**

— Да. И турецкий пограничник, сочувствуя моему положению, спрашивал — ну а какой-нибудь другой паспорт у тебя есть? Он бы мне и во внутренний советский паспорт готов был визу вклеить. Вклеил бы и поехал домой ночевать. А так ему меня, мудака, сторожить... Мои — туда, сюда, взятки предлагают. Нет!

— **Что, турки не берут взяток? Ты гонишь!**

— Нет! Не взяли в тот вечер!

— **Мир перевернулся.**

— Им говорят: «Это ж замминистра, такой скандал будет!» Нет, не

слушают. Я звоню в посольство. Там смеются: «Да пошел ты на хер, какой ты замминистра! Ты просто мудак какой-то. Замминистра не может в тюрьму попасть так глупо». И трубку бросают. Как обычно, наше посольство защищало интересы нашего гражданина за границей. Это к первому заместителю министра они так относились!

— **А ты вспомнил добрым словом нашего погранца, которого ты не послушался?**

— Да, да, да!

— **А думал ты: «Что это я сильно умный?»**

— Я где-то вычитал афоризм: «Чем больше я узнаю таможенников, тем больше мне нравятся гаишники». Вот я тогда чем больше узнавал мидовцев, тем больше мне нравились пограничники... Я тогда дозвонился до Казакова. Он пол-Москвы поднял — что у него зам в Турции в тюрьме сидит. А в Анкаре наши посольские отключили телефоны. Чтоб мы им спать не мешали. Короче, я понял, что мне там сидеть до первого рейса на Москву, то есть до утра. Ну, решил я осмотреть место, где нахожусь. Комната метров двенадцать квадратных, кондишн работал встроенный, стол и две лавки. Ни кровати, ни нар, ни шконки. Я коньячок выставил, нарезочка у меня, все порядке. Попросил стаканчик, мне принесли водички — мутной турецкой воды. Зашел ко мне какой-то пограничник, ему было скучно, я ему налил, махнули мы. Собутыльник мой ни по-английски, ни по-русски. Пришлось мне вспомнить свое казахстанское детство и какие-то тюркские слова. Он показывает на мой «Rolex» и говорит: «Если ты мне его отдашь, я тебя выпущу. Перед вылетом зайдешь обратно в камеру, и я тебя выведу к самолету. И верну тебе твой крутой синий паспорт». Я отказался. В 96-м году мне казалось, что пять штук за двухдневный отдых в Турции — это было бы неправильно. Слишком дорого.

— **А сейчас бы — и ничего.**

— Сейчас — да. Сейчас бы я ему сразу пять штук дал, чтоб он пошел в duty free и себе часы купил. А свой бы «Rolex» я не отдал.

— **Именной, наверно?**

— Мне его Олег Бойко подарил, давно-давно, я еще в Питере жил. И мне его жалко просто. А так, это же самый дешевый «Rolex» на свете, стальной. Тут даже числа нет. Я вот и сейчас в нем. И ладно, число я помню. И вот меня в сон клонит. Я прилег на стол, свернул курточку, под головку ее... И тут — клопы! Клопы! Я решил использовать стандартный способ, который применяется в армии, в стройотрядах, общагах и коммунальных квартирах. Зову солдатика, он мне при-

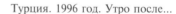

Турция. 1996 год. Утро после...

носит пластмассовые стаканчики, я туда наливаю воды, ножки стола ставлю в эти стаканчики, забираюсь на стол и засыпаю. Но умный турецкий клоп ползет по стене и с потолка на меня падает. Я понял, что сна уже не будет. Ну, думаю, надо допивать коньяк. Побухал — а меня чего-то не развозит. Короче, всю ночь я промаялся. С утра приехали пацаны, дали денег этим туркам. Те паспорт мой себе оставили. Я два дня отдохнул, субботу и воскресенье, а после мне отдали паспорт, мы сели в самолет и улетели.

— А почему ж сразу не решили вопрос? Почему с вечера не взяли они денег?

— Так нам турки еще с вечера рассказали: «У нас начальник смены конченый мудак. Вот он сменится с утра, приезжайте, будет нормальный чувак, и с ним договоритесь».

— А пятерку ты, значит, пожалел.

— Пятерку — пожалел. Мы за штуку решили вопрос. Друзья за меня заплатили.

— Ты посмотрел на это и подумал: «Вот она, демократия! Когда ж уже у нас такая будет!»

— Я увидел на самом деле этот вариант турецкой демократии: во всех кабинетах, а также у меня в камере висели портреты Кемаля Ататюрка. Кстати, он похож на Путина — внешне очень похож. Такие же брови надвинутые и в то же вре-

мя на лице улыбка. Я пытался изобразить эту мимику, у меня не получается. Нахмуренные брови — и одновременно улыбка на лице! Так могут только два человека: Ататюрк и Путин. Понимаешь? Нет, нет, у тебя тоже не получается: улыбка добрая должна быть, джокондовская.

— Ну-ка глянь! А теперь получается?

— Не, плохо. Вот у него такая улыбка на канонических портретах, где Кремль сзади.

— То есть у него такой вид: «Кому надо вломить, вломим, а кому не надо — тех не тронем. И все это одновременно».

— Да. В одно мгновение в одном лице человек разный. Ленин всегда добрый, Сталин тоже добрый, Брежнев такой охреневший немножко. Какие еще портреты были канонические?

— Андропов — загадочный.

— Не, Андропов — ботаник. Ботанистого типа. Черненко тоже охеревший. Горбачев — сытый. Сытое лицо. А у Путина одновременно две эмоции.

— Не исключено, что в этом проявляется его мудрость.

— Ну, конечно! Я вот иногда просыпаюсь и думаю: «Господи, как хорошо, что у нас есть Путин!» А если б не было его? Представляешь? Как слепые котята... Аж страшно...

— Кто б тогда шел на второй срок? Кому б народ изливал? А вот есть еще портрет Горбачева потрясающий, работы покойного Юры Боксера. Там Горбачев такой черно-белый на бледной фотокарточке, и она раскрашена анилиновыми красками, румянец такой кислотный у генсека, а на руках у него котята, такие полосатые, как бы с картинок, где дети-ангелочки, — такой кич послевоенный, в поездах продавали такие календарики... Ну ладно... Вернемся к Турции. Значит, в Турции какие ты получил уроки? Типа пора бы и нам построить демократию, чтоб все вопросы решались за бабки. Или как?

— Урок такой: «Мудак я, надо слушаться людей! Когда профессионалы говорят, что тебя не пустят, надо развернуться и уйти». Нет — в голове сидит, что визу всем в аэропорту ставят...

— Но, видно, мало тебя парили на киче, мало натравили на тебя турецких клопов! Ты так ни хера и не слушаешь по-прежнему никого.

— Да, все своим умом живу... Хорошая история?

— Просто ломовая. А ты после этого ездил в Турцию?

— Да. А мне не за что на них обижаться — посадили за дело. Я ведь даже расписку написал: не имею ни к кому претензий, если меня примут.

— Подольше б они тебя тогда помучили, ты б больше слушал специалистов.

— Смешно, да. А теперь ты расскажи про свое личное в 96-м году.

— Ну, у меня много было всего тогда. Во-первых, меня чуть кондратий не хватил. Давление, сердце, херня всякая. Один товарищ — мы с ним ехали куда-то в машине, а мне как-то херово, как бы с похмелья и даже хуже, говорит: «А давай мы тут заедем по пути к одному врачу знакомому, в больницу, так, на минутку, и он тебя глянет». Ну давай... И там они как смерили и тут же начинают меня на каталку укладывать и везти куда-то, типа в таком состоянии выпускать клиента — дело чуть ли не подсудное. Так что пришлось им бабок давать, чтоб выпустили (только не из тюрьмы, как тебя, а из безобидной больницы) и стерли файлы. Неохота было укладываться в палату, тем более так, с пол-оборота. Никуда я не лег и обследование прошел амбулаторно. Я какое-то время — аж два месяца — вообще не пил. Представляешь? Я даже, помню, на свадьбу съездил — и там не пил. И вот за эти два месяца, что я не пил, я сильно подутратил интерес к жизни. Я думал: «Ну, и на хер такая жизнь, не пимши? Что, теперь до самой смерти — кефир-клистир-сортир?» С грустью я размышлял об этом... Думал — на хер мне такая жизнь? Или — пусть будет хоть такая? И вот нашелся еще один врач, бывший муж одной знакомой. Доктор наук, серьезный человек. Посмотрел он меня и говорит: «Да посылай ты их всех куда подальше! У меня у самого ровно то же самое! Надо просто таблетки там какие-то принимать. И пей себе гуляй». Я так и сделал. Действительно, я какое-то время даже эти таблетки ел. А после их выкинул и стал жить как живется. Еще я в 96-м поменял вид деятельности. В 95-м я, как известно, руководил женским журналом «Домовой» и учил читательниц не только возиться на кухне и говорить про умное, но также и правильно рожать. А на рубеже годов я стал работать в холдинге, у Яковлева замом. Чем занимался? Например, набирал людей. Неловко даже говорить, кого — настолько это великие люди сегодня. Я тебе по секрету только. Это Мостовщиков, Колесников и даже сам Панюшкин. Была идея — сформировать такую когорту никем не победимых. Платить им денег, посылать в Париж, иномарок дать казенных, ну, в общем, чтоб ни в чем себе не отказывали.

— Золотые перья.

— Типа.

— Скажи честно: а вот если б ты в то время встретил меня — не вице-премьера, а просто Алика, и ты б посмотрел мои заметки, — ты бы меня взял на воспитание трудиться золотым пером?

— Понимаешь, дело ж не только в литературном таланте. Человек должен быть тертым, обтертым, отпетым... И технологично чтоб было. Не просто так — сядь и красиво напиши. А — через три часа вылетай туда-то, там немедленно найди все что надо, добудь реальную фактуру, какой ни у

кого не было и нет, и завтра в 18.00 будь добр продиктуй оттуда бессмертный репортаж. И никого не волнует — как ты кого найдешь, кому ты будешь взятки давать, как ты оттуда выберешься, будет у тебя вдохновение, не будет, с похмелья ты или как — плевать. Сделай — и все.

— Ты считаешь, что я к этому не способен?

— Я считаю, что это тебе было не нужно тогда и тем более не нужно сейчас. Там надо все-таки выкладываться. Ну вот как тебя под пули загнать за тысячу долларов или даже за пять? Нет в этом для тебя бизнес-задачи интересной. Должен быть путь: или — или. А не просто попробовать для общего развития. Тут так — patria o muerte. Дело принципа. А не бизнеса.

— А где они раньше работали, эти перья?

— Панюшкин — в журнале «Матадор». Костя Эрнст его издавал, еще когда был простым журналистом. А до этого он, в смысле Панюшкин, писал дисер во Флоренции (что-то по истории тамошнего искусства) и подрабатывал переводчиком. Я с ним в Венеции и познакомился. На карнавале. Мне нравились тогда его тексты... Мостовщиков же работал в «Известиях», где добился права публиковать свои не всем понятные сочинения в модном тогда жанре «поток сознания» — или подсознания. Чтоб ты понял, Мост много писал о необычных чувствах и странных мыслях персонажа, которого звали Василь Василич Захарько. Персонаж этот никому не был известен, а Мост и не брал себе труда объяснить, кто это такой и отчего мы должны им интересоваться. Однако было немало людей, которым это очень нравилось. После Мост еще во многих местах работал. В частности, на ТВ делал передачу «Депрессия». Я у него там даже выступал, но остался недоволен. И вот чем. В том сюжете на самом краю кадра подсобные рабочие непрерывно доили козу, и струя звенела об оцинкованное ведро. А когда все кончилось, ведро с козой убрали. Я Мосту сделал замечание, что он пошел против всех журналистских правил, не выпивши молочка из-под той козы. Ладно сам не стал пить, это пусть остается на его совести. Но мог бы мне налить по крайней мере! Нехорошо получилось. Против всех понятий. А ведь еще Чехов, большой журналист, учил нас этому! На примере ружья, которое должно стрельнуть в последних кадрах. А Колесников, например, работал в «Московских новостях». Ими еще не твой друг Женя Киселев руководил, а кто-то другой. После Егора Яковлева. Не помню, кстати, кто. И писал Андрей репортажи из Чечни. И вот я, почитав их, позвал его на работу, и он пошел. Я ему сделал предложение, от которого он не смог отказаться.

А писатель Кабаков из тех же самых «МН» ко мне не пошел. Я думаю, логика его была такая: «Московские новости» — незыблемая цитадель демократии, а в «Коммерсанте» непонятно что. Да, может, мне и не по рангу было звать такого матерого автора. После он таки пошел, и мы вместе поработали. Он говаривал, что лучше быть приличным человеком и херовым писателем, чем наоборот. Это очень тонко и симпатично. Кабак (так его иногда называют; а папаша его был военный, и ему не дали генерала, сочтя, что генерал Абрам Кабаков — это для Красной Армии уж слишком) мне дико нравится своим серьезным отношением к жизни. Вроде он и не против стеба, едкий такой шутник; но как доходит до серьезного, то у него идеалы там, принципы, то се — по полной, как положено. Снимаю шляпу, честно. Кроме Кабакова, еще один человек не пошел тогда ко мне работать, и тоже из идейных. Это Дима Быков, основатель школы куртуазных маньеристов, репортер, поэт, писатель, который привлекался к уголовной ответственности за сквернословие — в общем, достойный человек. Он не пошел в «Коммерсант», даром что сидел тогда на мели. Позиция его была такая: он не мог бросить своего главного редактора Пилипенко («Собеседник»), который его выручал в трудные минуты. Ну а что, красивый поступок. Я был растроган. Жалко, я с Пилипенко в «Собеседнике» разминулся. Приличный он, видно, человек.

Портрет Свинаренко работы Бориса Жутовского. 1995 год

Альфред КОХ, Игорь СВИНАРЕНКО

Комментарий ▓▓▓ **Свинаренко**

Вообще я дико люблю, когда люди совершают красивые поступки, я потом годами про них вспоминаю и всем рассказываю — вот как сейчас буквально. Для чего-то мне это нужно; мало что меня так радует, как такие вот поступки. Помню, в «Коммерсанте» было два друга, которые по жизни все делили пополам — все, что заработали. Такая у них была спарка. Один, к примеру, шел на новый проект, а второй оставался на хлебном месте и содержал две семьи — свою и друга. После тот, который ушел, поднимался, переходил на новый уровень денег — и начинал повышать благосостояние опять-таки двух семей. Я этим друзьям, откровенно говоря, завидовал, да и многие вокруг тоже. Это было из области красивых поступков, безусловно. Фамилий я тут не называю, поскольку кончилось это все печально. Друзья разругались. У меня такое чувство, что в какой-то момент один из них вышел на такой уровень по деньгам, что делиться пополам уже было выше его сил. После и второй тоже поднялся, можно было б делиться достойно, — но было уже поздно. Поезд ушел. Да чего уж там, много мы уже видели ситуаций, когда прекрасные отношения портились из-за денег... В первые годы новой жизни мы этому еще удивлялись, было в диковинку, а после стало общим местом. Я тут про это рассказываю потому только, что в середине девяностых этому можно было удивляться. Как в начале девяностых экзотикой были настоящие проститутки. Помню, один товарищ мне взахлеб рассказывал про первое в его жизни посещение публичного дома. Типа ему бандерша объясняла, что неплохо бы взять девушке советского шампанского, а он спрашивал, нельзя ли ей налить мартини, у него как раз с собой бутылка. И хотя приносить с собой и распивать было не положено, бандерша позволила, потому что мартини тогда — это было круто. В принципе это одна и та же тема — влияния товарно-денежных отношений на отношения межличностные: дружбу и секс.

Кстати, вспомнил: я тоже в 96-м в Турции был. С семьей. И я тогда примеривал ситуацию на себя, прицеливался — как будто коммунисты победили, опять 17-й год, и мы свалили. И вот мы на чужбине, в теплой стране... Море... Живем в неплохом отеле... И такая скучища сразу навалилась!

Я вспомнил, как Окуджава рассказывал, как он в Париже выходил на улицу и представлял себе, что вот он уже свалил, что он уже там. Так ему не нравилось. И Толстая рассказывала про суровость жизни в заграницах... Что скучно за границей жить и неинтересно. Я и сам понял, что это утомительно и как-то незачем... Что уезжая на постоянку за границу, ты настолько радикально уходишь из жизни — той, которой ты до сих пор всерьез жил, — что это легко и без особых натяжек можно сравнить с на-

220

стоящей физической смертью. То есть ты помнишь, что было, тебя кто-то помнит, можно в принципе созвониться, послать свой фотопортрет — но это уже вполне сравнимо с тем, что умерший кому-то приснился. Или показался в виде привидения. А если ты после передумаешь и вернешься из-за границы, так твоя ниша в этой (которая тут) жизни уже будет занята. За твоим столом уже работает и выпивает другой человек, у твоих знакомых новые друзья, живые. Если у тебя оставалась тут жена или подружка, так и она уже пристроена под кого-то. Бывает, что не только ниша занята кем-то — а что она вообще замурована. Такое случилось с Солженицыным, к примеру. Он вернулся — а ниши нет. Там стена теперь. Он вышел на палубу — палубы нет.

С в и н а р е н к о: Чем я еще занимался, кроме кадровой политики? Тогда из одного издания «Ъ» ушел руководитель. И это бы еще ладно. Но он увел всех людей и забрал все базы данных. А надо чтоб издание выходило без перерыва. И даже без опозданий. Ты, Алик, теперь, как издатель, это понимаешь. Но дальше у меня в работе возникло препятствие. Со стороны человека, от которого я наоборот должен был ожидать поддержки. Но я не ожидал и даже не удивился, не получив. Случилось же следующее. Яковлев, как хозяин всего этого бизнеса, запретил мне решить вопрос с этим парнем. Не лезь, говорит, это он не у тебя украл, а у меня. Не твое дело. Иди и работай в имеющихся условиях. А отлавливать человека, бегать за ним с паяльником, забирать дискеты и слайды — этого чтоб не было. Ну что делать, пришлось работать на коленке. Выпустили мы тогда номер... И сейчас это издание успешно выходит.

И вот я в том году командовал, командовал — и вдруг подумал:

«А что это я давно ничего не пишу? Ладно, допустим, мне некогда, мне не до того, я весь на нервах. Но в принципе любопытно: смогу ли я вообще что-то сочинить? Если захочу?» Стопроцентной уверенности у меня не было. А вдруг — нет? И что, я так и буду всю оставшуюся жизнь ходить командовать? Говорить другим, что делать, когда сам не умеешь ничего — совсем ничего! Это был натуральный ужас.

— Тебе стало страшно, что ты потерял профессию?

— Ну, у меня есть еще разные специальности. Каменщик, фотограф, переводчик, еще там что-то. Но это как-то из другой жизни. А в этой мне стало страшно, что теперь и я буду, как другие, держаться за место зубами, интриговать, втыкать нож в спину конкурентам... Многие так ведь делают, из тех, кто сам ничего не умеет, а полон решимости ухватить синекуру и любой ценой жить хорошо. Делить что-нибудь, перепродавать, пользуясь положением и инсайдерской информацией... Когда сам ничего не умеешь, приходится вот так... Никого не пошли на хер...

— Это верно, да...

— И сиди вот так и не гавкай. Шаг влево, шаг вправо — и на хер пойдешь, не умеешь ведь ничего. И все. Этот ужас я как сейчас помню. И я тогда подумал — ну, соберусь с силами, сосредоточусь, сяду. Вдруг получится! Я волновался страшно. Но — написал... И с таким облегчением вздохнул. А еще, как ты выше уже обозначил, выборы в 96-м прошли. У меня не было никаких вопросов: как проводить, за кого, какую занимать позицию. Я тогда это понимал однозначно: придавить коммунистов. Я спрашивал себя: «Ну, допустим, я имею доступ к подсчету голосов и все зависит от меня. Что б я сделал?»

— А, смухлевал бы ты или нет?

— Ну. Представим, что большинство проголосовало за коммунистов, вот таков, к примеру, выбор народа. Что бы я сделал? Демократ я или нет? И я сказал себе и даже прочим: «Я бы эти бюллетени выкинул и приказал бы заполнить правильные».

— Ты бы за народ сам выбрал.

— Да. Я не смог бы своими руками облить страну бензином и подпалить. И еще к тому же завалить новым дополнительным говном. В очередной раз. Оставаясь тем более внутри страны. Ладно б я уехал, тогда б следовало было признать за оставшимися право что угодно делать со страной. Так что никаких коммунистов, если кто меня спросит. Стень-

ка Разин, пьяные матросы, которые срут в библиотеке... Пролетарии, которые пинками гонят академиков подметать улицы... Я б сказал — извините, но тут мое уважение к демократии кончается.

— Ты четко узнал границы своего демократизма.

— Да. А вот Яковлев тогда, выступая перед сотрудниками, гнал, что его демократизм круче. Что если победят коммунисты, то пусть и победят, а мы, как честные люди, должны это схавать. Он говорил, что готов идти до конца. Типа он там, в самом конце, смело примет любой выбор народа. Раз он демократ. И еще он говорил, что Зюганов как политик может оказаться очень интересным и сказать новое слово. Но после Яковлев с этой позиции, насколько я понимаю, сошел. К счастью. Правда, вскоре он вообще отвалил в заграницы. Помню, я около того времени выпивал с каким-то американцем и сказал ему, что я демократию ни во что не ставлю. А у американцев волосы дыбом встают, когда им говоришь что-то в этом роде. Вот и у этого встали. Но, когда я ему изложил позицию насчет выборов, он с облегчением вздохнул и говорит: «Так в этом же и заключается натуральная демократия — чтоб коммунистов не пустить к власти! Тут любые средства хороши!» Ему полегчало — ну и мне тоже. И вот эти выборы... Нравится мне Борис Николаич, не нравится — для меня так вопрос не стоял. **Боб какой ни есть, а пусть будет.**

— А был же выбор. Явлинский хотел стать кандидатом. Он говорил, что у него 16 процентов рейтинг, а у Ельцина 5. Так что надо все ресурсы на поддержку Гриши бросить. А Береза знал, что Гусь любил Гришу, и понимал, что если Явлинский пойдет в гору, то сильно и непропорционально усилится влияние Гуся. Это было одной из причин, по которой Гриша не прошел. И мне Береза так говорил: «Трудно спорить с тем, что у Явлинского 16 процентов, а у Бориса Николаича 5. Но у Явлинского 16 как было, так и останется, хоть ты усрись. А у Бена — 5, но ему есть куда расти. Потому что есть электорат, который за Бена проголосует, а за Явлинского — никогда в жизни». Так и оказалось! Григорий Алексеич стал к лету не третьим даже, а четвертым — там же еще Лебедь вклинился.

— **Некоторые сегодня говорят, что в 96-м на выборах все было разыграно как по нотам, и все, кому положено, заранее знали, чем все кончится...**

— Не! Не-не-не.

— **Я тогда реально не исключал, что коммунисты возьмут-таки власть и в стране начнется херня.**

— Зюганов в Давосе раздавал авансы. Говорил — нет, мы не будем сильно давить предпринимателей. Но мы, конечно, обратим серьезное внимание на итоги приватизации. Зверствовать не будем —

рестораны мы в частном владении, конечно, оставим, и чебуречные тоже...

— **Помню, ближе к выборам прошел секретный пленум ЦК КПСС.**

— Опа. Так он же секретный. Откуда ты про него знаешь?

— **Ну, знал. Он был настолько секретный, что я сам туда даже не совался.**

— А чего? У тебя физиономия чисто коммунистическая.

— **Да? Спасибо. Так вот, я вызвал пять человек и каждому отдельно ставил задачу. Говорил: «Ты идешь один, на тебя вся надежда».**

— И все пять пролезли?

— **Нет. Сначала один в редакцию вернулся — не пустили его. Второй, третий... Их сразу засекли и выгнали. Потом пришел четвертый, который себя позиционировал как очень крутой репортер. Давай, говорит, бабок немерено, поскольку я полдня на твое задание убил. А где результат-то? Кассета есть с пленума? Нету! Но раз я не добыл результат, значит, это невозможно в принципе! Миссия типа impossible. Гм... И тут заходит пятый, новый сотрудник, возможностей которого я тогда еще не знал, — его я вообще для количества послал и для очистки совести. Зашел он, небрежно этак кинул кассету на стол и пошел пить пиво. Как ни в чем не бывало.**

— И не попросил бешеных бабок.

— **Ну. Слушаем кассету... А там — уникальная информация! Докладчик говорит: «Ребята, тут все свои, ни-**

кто из шпионов не проник, всех споймали. Так что можем откровенно обсуждать главный вопрос. А он такой. Вот мы обещаем, что сразу всем повысим пенсии и стипендии, и вклады начнем индексировать и выдавать замороженные, и пособия на детей такие назначим, что аж страшно. Это все мы правильно обещаем. Но должен вам сказать — тем, кто еще сам не сообразил, — что денег на это нету, и взять их неоткуда. Так что нам уже сейчас надо начать придумывать, как отбрехаться, если мы таки победим на выборах. Давайте сразу начнем искать аргументы — почему мы обещали заплатить, а не платим». Это мы с удовольствием опубликовали, по магнитозаписи. У меня была тогда еще мысль, что Зюганов с облегчением вздохнул, когда узнал, что не прошел в президенты. Он даже, может, сам подыграл ельцинской команде. Я тогда просчитывал: ну, допустим, он победил. И дальше вдруг какие-то пролетарии жгут усадьбу некоего олигарха. И тут наступает момент истины. Все ждут: какова же будет реакция коммунистического президента? Какой бы она ни была, ему кранты. Поддержит товарищей по классовой борьбе — так по всей стране начнут жечь. Бардак и ужас по новой. Разруха и все такое прочее. Войска НАТО усмиряют русских бунтовщиков. Ничего хорошего. А если Зюганов решит примерно наказать поджигателей, пошлет казаков с нагайками или вовсе ОМОН против собствен-

ного народа, против избирателей, которые отдали голоса верному партийцу, — что ему скажут красные? В общем, Зюганов что в одном варианте, что в другом очень быстро перестает быть президентом.

— Почему? Если он встанет во главе восставшего народа... Допрыгались, типа!

— **Да ладно тебе! Усадьбы горят, ничего себе.**

— Да в 96-м этих усадеб было раз-два и обчелся.

— **Ну пошли бы грабить винные погреба...**

— А вот здесь уже солдатиков.

— **В стране начался бы бардак, и пришлось бы жестко наводить порядок! В общем, испугался Зюганов.**

— Ну, может быть. Это чисто личная психомоторика. Может, и правда ему не хотелось грузиться этой темой. В оппозиции-то удобнее. Хотя — у них был позитивный сценарий! Они б все спихнули на воров-дерьмократов. «Банду Ельцина под суд!» И спокойно бы на этом прожировали один срок. А там 99-й год, в котором цены на нефть пошли вверх. И тогда коммунисты опять озолотили бы нацию, и все бы давно забыли, что был такой досадный эпизод — отступление от выбора отцов — от Великого Октября!

— **Если возвращаться к моей жизни, то я к осени 96-го бросил начальственную работу. Многое мне там показалось скучным. Не понравилось.**

С легкой лирической грустью я наблюдал за изменениями, которые происходят с людьми под воздействием власти и денег. Деньги — вещь серьезная, недаром же это всеобщий эквивалент (не всех, а только материальных ценностей, но это уже такая тонкость, о которой многим просто лень задумываться). Не то чтобы я прежде идеализировал своих знакомых и сослуживцев, нет. На работу же не дружить ходишь. Но смысл такой: если бизнес и ничего лишнего, то это хорошо бы с самого начала обозначать, на берегу договариваться. А когда вы раньше как-то иначе строили отношения и потом вдруг решительно стали переходить на новые рельсы — это некомфортно. Это даже в какой-то степени морально травматично. Самое смешное, что я критиковал Яковлева за его тогдашнюю манеру вести бизнес. Типа, мне не нравилось, я настаивал, чтоб было по гамбургскому, как он мне тогда виделся, счету. Там у меня был такой пафос. Иногда он какие-то решения принимал, видя, что это не по-бизнесовому, а просто потому, что ему так хочется. И при этом требовал, чтоб это выполнялось с таким рвением, будто от этого будет толк. Я в ответ предлагал ему нанять специальных людей, которые бы бегали и переливали из пустого в порожнее, развлекая руководителя. Этакий потешный полк. Казалось бы, мне какое дело? Работай себе, получай зарплату, и плевать на все. Оно, может, и так... Я так и думал поначалу. Я сперва пробовал выполнить все бездумно и беспрекословно, но это оборачивалось такой потерей энергии и таким падением интереса к жизни, что выходило себе дороже. Бывало, подготовишь решение серьезного кадрового вопроса, всех найдешь, со всеми договоришься, по его же поручению, — а он вдруг берет и ставит кого-то из своих. Моя претензия была не в том, что я хотел учить Яковлева бизнесу, куда мне. А в том, чтоб он предупреждал заранее, какие задачи мы будем всерьез решать, а где он будет дружить. Но, разумеется, он меня не слушал. Может, это вообще свойственно всем крупным начальникам и бизнесменам. Яковлев был первым большим капиталистом, которого я наблюдал с относительно близкого расстояния... Я ему тогда сказал в сердцах: «Уж лучше ты продай бизнес, пока есть что продавать, — а то с такой манерой вести дела далеко не уедешь». Он и продал. Но это позже, в 99-м. А тогда, в 96-м, я как бы поругался с Яковлевым. И не то что ушел из его замов — по нашему обоюдному согласию, — но и вообще собрал вещички, естественно: какая ж могла речь идти о дальнейшем сотрудничестве? Но он меня остановил и сперва предложил поработать у него привилегированным писателем, а после с глаз долой сослал в Америку. То есть подход трезвый, взрослый, ничего личного: видеть он меня, скорей всего, не хотел после всего, но отчего ж было не использовать опального репортера в корыстных целях, на благо его персонального издательского дома? И когда он придумал меня заслать в Штаты, я поехал в эту как бы ссылку с интересом.

В общем, благодаря тому, что я не разучился писать заметки, вернулся я к креативу.

Одно из самых интересных интервью, которые я сделал, было с Юрием Никулиным. Мощнейший человек! Почему у него не было звездной болезни? Почему он не думал, что он умней всех? Это так тонко. Что особенно ценно, Никулин мне в ходе интервью рассказал несколько анекдотов.

«Бог с двумя ангелами пролетают над Землей. Как раз в институтах готовятся к сессии. Летят над одним институтом — там студенты зубрят, шпаргалки делают. Ангелы спрашивают: «Боженька, эти сдадут сессию?» — «Не-е, не сдадут». Другой институт. Там профессоров слушают, конспектируют, не спят ночами... «Сдадут?» — «Нет, — отвечает бог. — Не сдадут». Третий институт. А там пьянка-гулянка, музыка играет, какие-то бабы пришли... «Ну, эти-то уж точно не сдадут?» — «Эти? Эти сдадут». — «А почему, боже?» — «Они ж только на меня надеются!»

Свинаренко берет интервью у Юрия Никулина. 1996 год. Фото Льва Шерстеникова

Он понарассказывал — и устно, и в книге — множество историй, которые его представляют не в лучшем свете. Таких дурацких историй у каждого полно! Но другие помалкивают... «Я про это писал, чтоб показать — я абсолютно такой же, как все, — объяснял мне Никулин. — Когда кто-то себя начинает показывать выгоднее, чем есть, мне стыдно становится, неловко и неудобно за него. Пускай про тебя другие говорят... Я, например, редко рассказываю про войну. Когда меня просят что-нибудь вспомнить, как я воевал, я рассказываю обыкновенно следующий анекдот. Демобилизованный солдат вернулся домой, созвал родню и три часа рассказывал про то, как воевал. А когда закончил, его маленький сын спрашивает: «Папа, а что на фронте делали остальные солдаты?»

Еще его анекдот из той же оперы. Внук спрашивает деда, воевал ли тот. Дед отвечает: «Ну». — «Что «ну»?» — «Ну, не воевал».

И награды Никулин редко надевал. Так, разве на День Победы — колодки. Вот еще великая фраза Никулина: «Клоун должен падать, или, как говорим мы в цирке, делать каскады... И все ради того, чтоб вызвать смех. ...Почему люди смеялись? Думаю, прежде всего потому, что я давал им возможность почувствовать свое превосходство надо мной. ...Окружающие понимали, что сами они на такое никогда не пошли бы».

Вот какой был человек — Никулин.

То мое интервью заканчивалось таким пассажем. Я вспомнил, что маэстро скоро 75 лет. Он моментально включился в тему: «А про возраст у меня любимый анекдот такой. Одесский. Две подруги встречаются, одна спрашивает: «Ну как поживаешь, старая блядь?» Вторая отвечает: «А при чем здесь возраст?» Вы же помните, анекдот надо рассказывать к слову... Ах да, вам же это публиковать... Как же быть? Вы знаете что... вместо «блядь» можете написать «курва»».

Я полез спорить:

— Юрий Владимирович, вы извините, но мне кажется, что «курва» — это обидней, по смыслу неточно, да и как-то менее празднично... (А как раз и юбилей надвигался, и Новый год.) Так что с вашего позволения оставим «блядь».

И мы с Никулиным блядь оставили.

С Зыкиной еще я тогда сделал интервью. Она меня вдохновила на такое размышление:

«Россия и Зыкина. Россия и березы и песни про Волгу. С чем это сравнить? Так американцы в ковбойских сапогах и джинсах слушают под банджо свои американские народные песни и пьют свое виски и соседнюю текилу. Но ведь разве не то же самое делаем и мы — в таких же джинсах, под тот же черный джаз, и виски у нас не хуже.

Другая картина, воображаемая: мы в армяках от Юдашкина и фирменных лаптях исполняем нечто под балалайку. Бывает такое? Нет... Мы для чего-то сильно полюбили чужое, настолько же заморское, как киношная баклажанная икра, при том, что настоящая русская икра выше. Отчего так? Нет ответа.

Возможно, тут дело вот в чем. Американцем стать и быть понятно как (получив гражданство США), а русским — непонятно. По крови? Но что намешано в крови, точно ж неизвестно. Может, люди стесняются, скромничают, думают: я вроде русский, а там кто его знает... Уж я на всякий случай от балалайки подальше, чтоб не случилось конфуза...

Представим себе двух китайцев, которые сменили гражданство. Один, допустим, получил паспорт США, а второй стал гражданином РФ. Когда первый объявляет, что он американец, — это не более чем констатация факта. Но если второй назовется русским, то это будет началом анекдота».

Зыкина рассказывала мне, как пела с «Битлами» где-то на Западе. И звала в гости на дачу. Но у нее тогда на даче был ремонт, а дальше нас жизнь раскидала.

Еще осенью 96-го я съездил в Нижний и там познакомился с Немцовым, модным политиком, подающим надежды. Он был еще простой губернатор, молодой такой, задорный, кудрявый, сразу на ты, сразу доверительно. Впервые меня видя. Молодец! Репортерская хватка. Вот так репортер должен работать: делать вид, что сто лет с тобой знаком. Вот так и надо работать с электоратом!

Я еще долго разговаривал с мамой Немцова — Диной Яковлевной. Она мне дико понравилась. Такие реакции на все естественные. Никакой рисовки. Жила она тогда, не знаю, как сейчас, в хрущевке на самой окраине, даром что сын губернатор... Рассказывала, как при советской власти занималась политической агитацией: ее Боря заставлял. Она его слушалась. Это чистейшей воды роман «Мать», автору которого Нижний был не чужой город, кстати.

Я тогда в заметке нагнал жути — что вот, ребята, ваш будущий президент. И еще уточнил, что страной нашей много кто покомандовал, она уже дозрела до президента-еврея. Немцов, кстати, в то еще время, предвосхищая Путина, летал на каких-то истребителях. И там был хороший ресторан «У Витальича». На пешеходной улице типа нашего Арбата. У них такие были вышколенные официанты и свежая рыба, каких в Москве тогда не было.

Свинаренко: К концу 96-го начался новый проект — журнал «Столица».

— Да помню я. По-моему неудачный был проект.

— Как денег не приносит, так сразу — неудачный? Что вы за народ такой — бизнесмены! Все бы вам бабками мерить! А масса людей до сих пор полагает, что «Столица» — это

Свинаренко путешествует по американским городам с названием MOSCOW, а их там 22. 1996 год. Фото Игоря Метелицына

был прорыв. (При том, что я свое мнение оставлю при себе.)

— Журнал был с претензией на некую новую эстетику. Охлобыстин там писал... Я помню. Это была смесь литературы с журналистикой. А ты что, ушел в эту «Столицу»?

— Не ушел, это был все один издательский дом. А в «Столице» я был собкором в Америке. В городе Москва, что в штате Пенсильвания. Яковлев предложил мне туда уехать, пожить там, поработать, пописать для журнала — и после из этого сделать книжку. Что я и сделал.

— Ты год ведь там прожил.

— Год, но я так часто летал в Москву (state Россия), что не выпал из этой жизни. Это был великолепный график.

— Сколько раз в год ты был в русской Москве?

— Месяц там — месяц тут. Я успевал жить две жизни. Если б не уезжал из России, не сочинил бы заметок в «Домовой» больше, чем я их реально написал. С другой стороны, если б я безвылазно сидел в Америке, то написал ту же самую книжку, не более того. А так я сделал две работы. Пятилетку в четыре года. В три смены двумя руками за одну зарплату. По-хорошему, вообще только так и надо жить. Две недели в месяц делать одну работу, а две — совсем другую. Причем лучше в другом городе, если не в другой стране. Уезжая отсюда, я оставлял одни ключи, документы, блокноты — и брал все

другое. И жил после месяц в другой стране, в другом доме, ездил на другой машине по другим дорогам, говорил на другом языке и видел других людей. Валюта, правда, была все та же.

— Можно было и вторую семью завести.

— Не, ну это уж на хер.

— А что ты там делал, в Пенсильвании?

— Жил. Писал заметки и слал в Москву. Встречался с местными, разговаривал с ними. Население 3000 человек... Ну, всех поголовно я не знал, но что касается адвокатов, журналистов, ментов, врачей, бизнесменов, библиотекарей, пожарников — то с ними со всеми я регулярно выпивал. Я написал про все, что представляло мало-мальский интерес.

— Я читал.

— Да? Ну я тебе просто концепцию рассказываю. Не все, правда, получилось. К примеру, не удалось мне взять интервью у местной знаменитости — карлицы ростом 1 метр 10 сантиметров: она в возрасте 99 лет умерла сразу после моего приезда. Но моими персонажами стали охотник на медведей, девелопер, мисс Москва, хозяин стриптиз-клуба, ветеран Вьетнама и прочие достойные люди. Там Москв много ведь, в Штатах. Двадцать с чем-то. А ту я выбрал по такому признаку: она была ближе всех к цивилизации. До Washington bridge, а это уже въезд на Манхэттен, было от моего дома 111 миль — строго на восток по 80-му фривею. Полтора часа езды, если без пробок. И я туда все время ездил. Чуть не каждые выходные. Заезжаешь, значит, с моста на, чтоб не соврать, 176-ю улицу, и вниз, то есть направо. Там вскоре черный негритянский Гарлем, с чисто советским антуражем: пыль, какие-то ошметки кругом валяются, грязные ржавые машины, потерянные глаза у прохожих, одеты они кое-как, подозрительные типы роются в мусорных контейнерах, идут и едут на красный свет... Чем ниже по Манхэттену, тем больше цивилизации.

— А ты к Роме Каплану на Манхэттен ехал, в ресторан «Русский самовар»?

— В том числе. Хороший кабак у него. Потом еще Брайтон... Пельменная «Капуччино». Кафе «Париж». Ресторан «Континенталь». Ну, да это все тебе известно. Может, комментарий про это написать?

— Да ты уж книжку написал.

— Ну да. Долго, кстати, я ее писал... Два года. Правда, без отрыва от производства.

Комментарий █████ **Свинаренко**

Я тут коротко процитирую предисловие к той книжке; я в нем объяснял, что за смысл был в той затее. Зачем я в Америку поехал и почему из нее вернулся. Сегодня и самому забавно это перечитывать. Тогда, в 96-м, жизнь была другая — простая какая-то, наивная.

«Долго я мотался по американским дорогам и проселкам. Порой, руля долгими осенними вечерами по пустынным степным трассам, я начинал задумываться о бессмысленности затеи, а на ночном привале в очередном обшарпанном мотеле вблизи нищей индейской деревушки — она и вовсе стала представляться безумной. Лежишь в кровати, пьешь пиво, смотришь телевизор, за окном ветер воет... Казалось, что ничего не выйдет, что напуганные со времен «холодной войны» провинциалы будут сдавать меня в ЦРУ как советского шпиона и уж точно уклоняться от дачи показаний мне — потенциальному противнику, вражескому заокеанскому журналисту, очень подозрительно заброшенному в глубокий тыл сверхдержавы — оплота НАТО.

Но, как это ни странно, ни одного привода в ЦРУ у меня не было.

Ну вот, объехал я пол-Америки, насмотрелся этих Москв, выбрал себе одну и засел, зажил в ней...

Жил, жил — и вдруг вижу: американцы в целом милые и симпатичные люди! Мне было очень уютно в их тихой провинции. Вообще страна у них приятная, терпимая, теплая, почти родная, считай, и не заграница вовсе, — вот уж где себя не чувствуешь чужим. Наверное, я даже попросился бы к ним жить. Если б за время своей экспедиции не осознал некоторых важных вещей... Я, к примеру, казался себе там дворовым хулиганом, что пришел пообщаться с профессорскими детьми, — те умеют на скрипочке... Да, поначалу любопытно, все чистенькое, кругом обхождение с манерами, то-се. Однако погостил и хватит, ведь, грубо говоря, своих хулиганских дел куча — прогуливать школу, курить в туалете, отливать кастеты, драться после шестого урока, грязно домогаться отличниц, учиться свистеть и пробовать портвейн... Ведь жалко себя, зачем же вымучивать политически корректное поведение, пить помалу и вечно улыбаться? Зачем же так скучно проводить жизнь, которая и без того коротка? Я вернулся и долго — неделю! — со странной извращенной жадностью рассматривал лица граждан России — насупленные, как у обиженных детей, с азиатскими родными скулами, со следами отдельных излишеств, без импортной political correctness и без вежливых улыбок, — простые, честные, какие есть. И у вас есть, и у меня...

Автор этой книжки в процессе ее написания получил вполне уникальный опыт. Да, толпы народу знают про Америку больше, чем я! Но! Они оттуда не возвращаются, чтоб рассказать своим. Да и скучно им было бы писать для чужих, а вам — читать, что чужие пишут про чужое. Они заполучают это свое большее знание тогда, когда уж поздно: точка невозвращения пройдена, человек уже приступил к прощанию с прошлой здешней жизнью, он в душе уже почти совсем новый американец. Еще не чужой, но уже и не свой — как пациент на операционном столе, когда хирург меняет ему пол.

Разумеется, у нас мало кого интересуют чаяния и заботы как природных американцев, так и эмигрантов, — это узкоспециальные области чьего-то сугубо корыстного интереса. Но не могут нас не взволновать странные истории, которые случились с человеком, лишь на время заехавшим пожить в американский город под названием Москва. Она, эта Москва, только и оправдывает в наших глазах внимание, уделенное текущей вокруг нее американской жизни.

Уехать — это всегда немного умереть. А уехать далеко и надолго, да и тем более в такую культовую страну, как Америка, — это значит достаточно сильно умереть. Так что мои записки — это как будто мемуары про клиническую смерть, причем не одноразовую, а периодическую (наподобие СМИ), такую, когда туда-сюда, туда-сюда, когда то и дело меняешь точку зрения, когда не успеваешь потерять интерес к нашей земной жизни в России... Я непременно раз в месяц перелетал через океан, чтоб не оторваться необратимо, чтоб навеки не поддаться наркотическому воздействию американской жизни, чтоб оставить путь к возвращению...»

Что я сегодня могу добавить к написанному тогда? Про Америку? Что сегодня мне вспоминается? Вот что. Мысль про то, что удался и сработал их мощный пиар, что якобы вся Америка — это сплошь вариации на тему Манхэттена и богатых вилл Калифорнии. Я же чаще думаю про ухабистые американские проселки, пыльные дешевые бары в глухой провинции, поселки, населенные обкуренными полусонными индейцами и медлительными неграми, мотели с белым густым ковролином, толстенные туповатые дальнобойщики за пластиковыми столами в diner, аналоге нашей советской столовой, русских эмигрантов, которые хвастают Америкой так, будто это они ее открыли или построили — а не приехали на все готовое... Еще меня мучит мысль о том, что мы вот уничтожили свою природу вокруг больших городов, а они все сохранили. Какой там город ни возьми, ну кроме уж совсем мегаполисов, так в получасе езды непременно найдется настоящий лес, полный диких зверей. Люди чуть поработают, от сих до сих, а после подхватываются, садятся в джипы, в которых к полу приварены длинные железные ящики для хранения винтовок, — и едут себе охотиться. С тем чтобы к вечеру приехать домой с тушей какой-нибудь косули... А утром — снова на работу. На охоту они ездят так, как у нас выходят во двор поиграть в домино...

И вот такая была тема: языковой барьер. Я приехал в Штаты собкором, а язык знал... ну как все. То есть мог понимать что-то из написанного и кое-как объясниться. И все. А когда говорили что-то мне, я очень редко понимал, чего от меня хотят. Переспрашиваешь, люди повторяют, а толку нет... А мне ж надо там с людьми разговаривать — и просто по жизни, и интервью брать. Хотелось буквально биться головой об стенку, казалось, что вот побьюсь — и будет мне счастье. Оттого, что так я с предельной точностью выражу свое отношение к ситуации. Я думал: а может, все бросить и вернуться в Москву? От полной крезы и отчаяния меня уберегало такое соображение. Дело в том, что английский, строго говоря, мне никто никогда не преподавал; в самом деле, не считать же учебой уроки английского в школе в шахтерском поселке, затерянном в степях. Лингафонные курсы, репетиторы, спецшколы — такого у меня в жизни и близко не было. И знать английский я вообще не обязан. А как же я в таком случае сдал экзамены в университет? Отвечу: в результате чтения самоучителя Бонка-Котия и адаптированных детективов при помощи словаря. А в МГУ иностранным у меня был немецкий. Понимаю, это было некорректно — с такой слабой подготовкой идти в собкоры, но уж так получилось.

И что же, спросите вы, было дальше? А то, что я освежил в памяти свой опыт изучения немецкого. Когда я осенью 79-го приехал учиться в Лейпцигский университет, язык я знал на уровне чтения маленьких заметок из убийственно скучной газеты Neues Deutschland — про какую-нибудь классовую борьбу. Передо мной же стояла задача — не только работать в библиотеке, что еще ладно бы, но и вести беседы с профессорами и даже слушать лекции. Мне надо было срочно выучить немецкий. И вот я взялся решать вопрос: принялся каждый день ходить в пивную, подсаживался к носителям языка и, выпив, вел беседы за жизнь. В таком же каждодневном режиме я смотрел ТВ и ходил в кино. Даже при скудной изначальной подготовке через месяц врубаешься. Как показала практика. И вот этот опыт я повторно задействовал в Штатах. В которых у меня и ресурс был побогаче. Прежде всего я, выбрав себе для жизни город Moscow в штате Пенсильвания, обратился к хозяину центрального московского заведения под названием Hard Rock Cafe с такой речью: «Старик, твоя задача — найти мне квартиру в пределах пешей досягаемости от твоего заведения. Пешей — чтоб меня, пьяного, не отлавливали ваши гаишники. Если ты сделаешь это, я к тебе буду ходить, как на работу. Даже без «как». Я тут буду у тебя фильтровать публику, как кит через усы, и допрашивать всех, кто этого заслуживает»... Надо ли говорить, что Джим Кеноски — так звали хозяина — лично кинулся искать мне квартиру. И нашел в трехдневный срок.

Это первое, что я сделал. Вторым этапом была покупка телевизора. Может, кто не знает, но в Америке в ходу услуга «cc», то есть caption closed. Это когда все фильмы и большинство передач снабжаются субтитрами. Для глухих, к которым начинающие иностранцы весьма близки. Но вот когда все, что ты слышишь, дублируется письменным вариантом — это сильно прочищает мозги. Ты с огромным удивлением осознаешь, что эта вот устная американская неразборчивая каша на самом деле поддается расшифровке! Что это человеческий понятный язык!

Этап третий. Посещение отделов аудиокниг в книжных магазинах. Практически все, что выбрасывается на книжный рынок, выходит в двух вариантах: на бумаге и на кассетах (или дисках). Это уже не только и не столько для глухих, сколько для водителей. Концы там длинные, дороги хорошие, пробки серьезные. И вот люди в машине слушают детективы, классику, а чаще всякие пособия — типа как похудеть, разбогатеть, научиться писать книги, перестать волноваться и прочее. Сперва покупаешь оба варианта, кассетный и бумажный, и сличаешь их. Но после наступает один прекрасный день, когда ты с удивлением осознаешь, что понимаешь американский устный! Это такая точка невозвращения — осознаешь, что жить типа можно. Ну а дальше уже можно все пустить на самотек. Факультативно почитывать всякие книжки — про то, как научиться говорить по-американски правильно и красиво. Это отдельная тема. Я про это уже пол-учебника разговорного американского написал. Надо б собраться с силами и добить его. Это будет бестселлер. Не, ну если вы знаете, как по-английски будет, к примеру, «сопли» — то вы и без моей помощи обойдетесь...

И в итоге вышло так, что британский акцент мне теперь кажется деревенским каким-то, лоховским, торопливым и сбивчивым. Ко-кококо, ко-кококо. Насчет торопливости — это голая статистика: британцы лопочут в среднем в полтора раза быстрей американов (220 слов в минуту против 160). Быстрей англичан разве только французы (350), японцы (310) и немцы (250). Мы же, если вам интересно, говорим со скоростью приблизительно американской: 180. Темп зависит, замечу тут вскользь, может, не только от уровня развития народа (полинезийским туземцам хватает 50 слов в минуту). Но и вот еще от чего: когда нация близка к моноэтничности, она может себе позволить высокую скорость обмена информацией между мельчайшими частями системы. И это опять-таки с развитием связано, что б вы ни говорили.

Забавно, что в результате таких лингвистических упражнений у меня сформировалась страсть — разговаривать на языках, которые я едва знаю. И чем хуже знаю, тем мне интересней. Испанский и итальянский, на каждом из которых я знаю слов по двести или триста, идеально для этого подходят. Неплохи также португальский язык и сицилийский диалект, которые я знаю еще хуже, слов по сто. (Тут отмечу, что романские языки на слух усваиваются легче в силу их мелодичности. Германские тоже разборчивы почти все — кроме английского, который, увы, как раз и нужен больше всего. Английский, будучи языком формально германским, сильно видоизменился под влиянием французского. И размылся: в нем нет ни немецкой ясности, ни итальянской музыкальности. Ни туда, ни сюда — оттого с ним столько проблем. Что же до европейцев, которые по-английски лопочут куда исправней наших, это оттого, что для нас этот язык страшно чужой, а им — родственный. Как нам белорусский.) В чем причина этого явления? Видимо, подсознание ожидает, что с этими языками я поступлю так же решительно, как с их предшественниками: поселюсь в новой стране и буду там путешествовать, ходить по кабакам, смотреть ТВ, знакомиться с интересными людьми и подолгу болтать с ними о разном... Но — пока не видно, чтоб мне что-то подобное снова засветило.

Свинаренко: А что ты, Алик, думаешь про Дудаева? Точно его убили в 96-м или он скрывается где-то?

— Думаю, он таки убит.

— А Лебедь? Ты с ним работал?

— Нет. Я с ним почти не был знаком.

— Мой однокурсник Шура Бархатов работал у него пресс-секретарем.

— Чубайс с ним плотно работал. Чубайс же тогда выдержал очень тяжелый период — после победы Ельцина, когда того Акчурин оперировал. Так вот несколько месяцев практически страной управлял Чубайс. Он же стал после выборов главой Администрации. Сперва Ельцина готовили к операции, потом он выходил из нее. Как раз тогда Ельцин подарил Чубайсу свой портрет с надписью «Снова вместе».

— Да... Что еще у нас в 96-м? Взрыв жилого дома в Каспийске. Чуть ли не первая ласточка... И на Котляковском кладбище в Москве тоже взрыв. А еще — получение Россией от МВФ кредита в 10,2 млрд. долларов.

— О-па. Это чтоб дырки залатать после выборов! Все-таки Запад нам помог. Когда приперло.

— А еще в 96-м Примакова назначили министром иностранных дел.

— Это мне всегда было непонятно. Ну как так?

— Что значит — как? Все-таки он чекист, разведчик.

— Почему он чекист? Объясните мне, дураку! Он же всю жизнь в Академии наук проработал! В институте мировой экономики! Он же не вылезал из 9-й студии — Валентин Зорин там, Замятин и так далее... «Пускай эти господа за океаном знают...»

— «Откуда исходит угроза миру»?

— Совершенно верно. И вдруг раз — Горбачев его делает председателем президиума Верховного Совета СССР. Потом Примаков исчезает, и после, уже когда уходит Гайдар, становится директором СВР. Потом в МИД; это еще ладно, дипломат. А потом раз — и «мы чекисты, мы чекисты»... Откуда ты взялся такой? В каком ты звании? Ты что, подснежником был в АН СССР? Как ты тогда до академика дослужился? Ты в кадровом резерве, что ли? Потом Примаков говорит: «Саддам Хусейн — мой друг, я поеду договорюсь». Поехал — его послали на хер. Потом вторая война. Опять: «Хусейн мой друг, поеду договорюсь с ним». Опять послали. Может, он врет, что он чекист?

— «И третий раз кинул старик невод». Надо чтоб и третий раз послали его в Ирак.

— Мне кажется, старых кагэбэшников уже нету, а новые — они не старше подполковника. Новые — Патрушев, Заостровцев — при андроповской дисциплине старше полковника быть никак не могли. Это теперь они себе наприсваивали генералов. Так, может, Примаков делает вид, что он сильно законспирированный чекист? Поди проверь...

— Насчет зашифрованных чекистов смешная история. Есть у меня знакомый — бывший замминистра печати. В далеком прошлом простой журналист. И вот однажды он вдруг приходит на какую-то тусовку, а на нем — генеральский мундир. КГБ. Это что за маскарад? Никакой не маскарад. Оказывается, он настоящий генерал комитета. И давно ли ты в органах? — интересуемся мы. Да вот со вчерашнего дня. Он нам давал такую легенду, что пришел в КГБ и тут же ему дали генерала. И типа никогда он не был простым опером. Или нештатником. И когда мы травили политические анекдоты, он якобы был простым штатским смертным. Этого человека зовут Андрей Черненко. Кроме печати, он еще в МВД был замом. Ну и сейчас вроде где-то служит.

А! Еще В 96-м съездил в Чечню. Заметку там писал. И вот я отчетливо помню, как туда добирался. Прилетел, значит, в Слепцовск, нанял частника и на нем добираюсь до Грозного. Заезжаем в город, и шофер спрашивает: «Адрес какой, куда везти?» («Это что за остановка, Бологое иль Поповка? А с платформы говорят: Это город Грозный, билят»). А у меня всякие были явки еще в Москве заготовлены. В Ханкале, в штабе группировки, — полковник такой-то, который обеспечит койко-местом и поставит на довольствие. Еще у меня был адрес какого-то Махмуда, это на улице Гагарина — тот держал постоялый двор для приезжих репортеров. Переночевать на раскладушке в сакле — это стоило у него сто долларов. Решения я не принимал заранее. Думал, на месте разберусь, по ситуа-

ции. По наитию. Шофер меня торопит, потому что мы подъезжаем к решающему перекрестку. Я включаю подсознание... И понимаю, что надо ехать к своим, — а куда же еще! Понимаешь? Русская армия, солдатики из Рязанской области откуда-то... При том, что журналисты тогда любили врать насчет доблестных чеченских рыцарей Робин Гудов, бородатых красавцев, романтиков. И я говорю: «А ну давай-ка ты на Ханкалу заворачивай». И вот я поселился в казарме. Молодые бойцы мне радостно так рассказывали, что в Чечне кормят лучше, чем в учебке, и им типа повезло, что они туда попали. У них там разборки были в умывальнике, я их усовещал там между делом и разгонял. А был еще один капитан с плакатным русским лицом — голубые глаза, светло-русые волосы. Мы с ним выпивали — я туда набрал виски duty free-шного в пластиковых бутылках, очень удобно в дороге. И вот он мне там по пьянке раскрыл душу. Расстегнул выгоревший китель и из бокового кармана, у сердца, где раньше заставляли носить партбилет, достал сложенный кусок газетки и развернул, а там — портрет Геннадия Андреича. Ну, Саша, говорю, ты даешь! (Я был восхищен дешевой литературностью этого фальшивого сюжета.) Человек шел умирать за Родину, за Зюганова. И Саша этот мне еще говорил: «Удивляюсь я на вас. Ну вы же умные люди, вы сами понимаете, что Зюганов — чистый и светлый человек, он один у нас такой. Какое страшное насилие вы над собой делаете, когда ругаете Геннадия Андреича, святого человека! Как вот вы решаетесь на такое ужасное богохульство? Не, говорит, я не ругаю вас, не злюсь, не проклинаю. Я просто хочу для себя понять, какой механизм позволяет вам терять человеческий облик до такой степени, чтоб уж коммунистов не любить. А все деньги! Если б не они, если бы ты от души голосовал, то точно б отдал голоса за Геннадия Андреича».

В Чечне я с Шамановым еще вел беседы. Мы с ним летали в Шали на вертолете. Низко так летели, чтоб не сбили с земли. Если низко, то вертолет поздно замечают и нет времени поточней прицелиться. В Шали тогда убили какого-то местного тинейджера — нечаянно или как. И местных стариков собрали поговорить с Шамановым. А туда заранее подтянули войска, к нашему прилету. Подвезли солдатиков, и они немного окружили Шали. Шаманов очень грамотно выступал. Как переговорщик и оратор, он мне показался очень и очень. Не ожидал я такого от вояки, от генерала. И еще поехали мы со знакомыми офицерами проверять блок-посты. Ночью. По пути БМП наша заглохла. И вот мы стоим в степи... А давайте по рации вызовем подмогу! Нельзя, там батарейки сели. Ну, все как мы любим. И тут вдруг откуда-то случайно подъехала другая БМП, и мы ее уго-

ворили дотянуть нас до Ханкалы на тросе.

— И я в 96-м в Чечню съездил. Дело было в сентябре. Приходит ко мне Березовский, зампред Совета безопасности, и говорит: «Слушай, у нас поездка в рамках развития Хасавюртовского процесса, в рамках налаживания диалога с новым правительством Чечни. Давай поедем». Я говорю: «Боря, мне так в лом ехать в эту Чечню! Да и очко у меня не железное. С этими зверями...» Нет, говорит, поехали, мне одному скучно! Ну, хрен с тобой. Поехали. Взял я с собой своего зама, Сергея Моложавого, — он у нас тоже полковник. Правда, Красной армии, а не КГБ. И поехали мы в Чечню... Тогда повестка была такая: во главе с председателем Совета Безопасности, который только-только пришел на смену Лебедю, — а это не кто иной, как Иван Петров Рыбкин, в Чечню полетели Береза, я, Сережка Логинов из Администрации президента и еще пара каких-то чиновников. Сели мы в самолет «Ту-134», прилетели соответственно на аэродром Северный. Его чечены аэропортом имени шейха Мансура называли. Был у них такой герой в XVIII веке. Соответственно, мы там потусовались, а после погрузились в машины и поехали в Грозный. У нас был смешанный кортеж — чечены с автоматами и наш спецназ. Через некоторое время въезжаем в Грозный. Он весь разбитый, разрушенный — как Сталинград!

— **Вот, вот! Я именно там понял, что означает термин — «мерзость запустения».**

— И вот мне по дороге офицеры, которые к нам подсели, рассказывают: «Мы за время войны — а война к тому времени уж полтора года — раза три его брали! Чуть мы его возьмем, отстроимся, более-менее отремонтируем чего-нибудь — и вдруг приказ: выводить войска. Вывели — чечены зашли. Потом команда: штурмовать! Опять мы его штурмуем. То, что понастроили, повосстанавливали — все к такой-то матери опять... Нам опять — восстанавливать! Уже деньги на восстановление берем, но восстанавливаем только в полруки. После опять — выводить части. Вывели...» И так три раза за полтора года они штурмовали Грозный. Не считая первого штурма.

— **Видимо, есть в этом какой-то смысл, какой-то механизм. Не просто так ведь, не сдуру же...**

— Вот Сталинград один раз брали, а Грозный — три! Плюс еще первый штурм. И плюс штурм Грозного в путинской войне. То есть итого Грозный брали пять раз! Представь, огневая мощь батальона по сравнению с Великой Отечественной войной выросла в пять раз. Выходит, что, пятью пять, Грозный разрушали в двадцать пять раз сильнее, чем Сталинград. Единственное, что здесь не было воздуш-

ных бомбардировок. Хотя, может, и были, с вертолетов...

— **По недоразумению чисто.**

— Да, стратегическая авиация, конечно, Грозный не утюжила. В память генерала Дудаева, видимо, — он же был этим, командиром полка стратегической авиации.

— **Эстонского.**

— Да. Ну, неважно. И вот приехали мы в какую-то школу. Чечены вели себя как обычные чечены, ничего особо нового мы от них не услышали — искренности ноль, в сентябре жарко, они в шапках норковых, папахах, понты... Сильное впечатление произвело вот еще что. Огромная толпа матерей с фотокарточками сыновей бежит за нашей делегацией, за этими чеченами... И матери спрашивают: «Где наши дети? Может, кто-нибудь из вас видел? Если в плену — отпустите Христа ради!» Они на собственные деньги приехали в Грозный, живут кое-как.

— **Ох, я их много видел в Ханкале.**

— А они прямо в Грозном — не в Ханкале, а в Грозном. Сука, какая же жизнь у этих женщин... И они пошли к этой школе, стоят, галдят, их автоматчики выгоняют. И мне Логинов говорит: «Я знаю, парень, которого вот эта женщина ищет, — он точно в подвале, в доме сидит у Мовлади Удугова. А сам Мовлади уже в двадцать пятый раз ей говорит: «Я не знаю, где он». Какой-то офицер произнес: «Ну выпусти пацана, мать одна, без мужа, единственный сын». Говорят, Мовлади пришел вечером домой и застрелил этого парня. Правда, не правда — кто его знает... И потом сказал: «Нету, я искал везде. Ничего не могу сделать, клянусь». Вот такую историю мне рассказали.

— **Тогда еще Яндарбиев был на коне.**

— Да, исполняющий обязанности.

— **Он публиковал стихи какие-то.**

— Ну, он поэт. Еще в застойные годы писал про самость чеченского этноса.

— **Я, помню, одно тогда прочел. Там были какие-то пацифистские ноты. Типа, «Знаешь, вот если бы каждый человек сделал одно доброе дело, то кагалом получилось бы чýдно».**

— Ну, Расул Гамзатов, только в худшем исполнении.

— **Да. А кто же убил у нас Яндарбиева? Чекисты?**

— Кто его знает. Самый гуманный суд в мире — катарский — выяснит, кто кого убил... А потом мы поехали обратно в Северный. Сели в вертолеты вперемешку с чеченами.

У них главный был — Басаев. Все чечены да и наши друг друга так подсирали чуточку, в глазки друг дружке заглядывали, а Басаев вел себя иначе... Почти ничего не говорил и смотрел в пол... И полетели мы к Руслану Аушеву в Магас.

Там одна резиденция президента и была отстроена. А по размерам эта резиденция с хороший большой дом на Рублевке. Это просто дом со спальнями и столовой. И вот в этом доме — чеченцы с автоматами, грязные, немытые. Мы тоже не первой свежести — уже целый день на ногах. Расселили нас по комнатам... Жрать нам принесли, водки. Часть народа сидела в гостиной, вела переговоры, а остальные по комнатам бухали. Я сидел с мужиками, но меня периодически дергали, чтоб я консультацию дал — как имущество делить между Россией и Чечней.

— **А бухали поврозь все?**

— Бухали поврозь. А потом был заключительный ужин, такой, для избранных. Меня позвали. И там, что интересно, Басаев и Удугов водку не пили демонстративно, они ж все из себя религиозные. А остальные — Иван Петрович, Береза, я — все бухали. И Закаев с нами пил. Потом Закаев плясал. С гиканьем. Закаев, он такой... светский, что ли. По нему было видно, что артист. А никакой не вояка. Ему так нравилось, что вот все закончилось, что амнистия, что опять можно в Москву на блядки съездить. Такое вот у него было выражение лица... Потом опять пили. За дружбу, за великий русский народ, за великий чеченский народ. Сука, еще месяц назад они убивали наших, мы — их. А сейчас, типа, рассказываем про нерушимую дружбу чеченов и русских. Ну, знаешь, это такая очень кавказская история.

— Это как тост «За немецко-фашистских товарищей».

— За немецко-фашистских товарищей. «Давай выпьем за нашего друга — извини, дорогой, как твоя фамилия?» Мне слово дали. Я сказал, что в Казахстане с чеченами рос и более-менее нормально мы жили, давайте, типа, дальше так жить. Нам, русским немцам, тоже на русских можно обижаться, но если так, то никогда мы с этим не разберемся. Надо точку ставить. Что-то в таком духе.

— Вот ты заметил тоже, что все там разрушено и имело очень неприглядный вид.

— Ужасный. И вот еще такая интересная особенность. Разруха, Грозный, кишлаки, аулы какие-то непонятные, все эти Ведено, Шали. И тут чечены приехали к Руслану в приличный дом, там горячая вода, унитазы работают, смывают... Они пошли душ приняли, стол им накрыли, горячая еда, не консервы. А завтра — снова грязь, камуфляж, разруха... И зачем это все нужно? Как Гелаев шоколадку ел и кофе сухой, растворимый, жевал...

— Да, ломовая история. Как ему руку отстрелили. Насмерть.

— Смерть Хаджи-Мурата помнишь как описана? Как он из халата ватного вырывал клочья, затыкал себе раны, — помнишь? А Ге-

лаев шестьдесят четвертого года рождения, ему и сорока не было.

— А ты заметил, что в Грозном не только разрушали? Там еще и полно было новеньких домов в три этажа, из красного кирпича. Они немало там и построили, между прочим, на этой войне. Похоже, с применением рабского труда — как они любят.

— Я вполне допускал, что они могли быть построены и до войны. Чечены с ингушами — они же самые шабашники были в советское время. Свинарники строили по всей России.

— Помню, как мы с фотографом выехали из Грозного, на «чайнике» — и вперед. И как только пересекли условную границу и въехали в Ингушетию, я — раз! — заметил резкую перемену своего состояния. Расслабляешься и начинаешь смотреть по сторонам — облака, деревья... А приехали в Пятигорск, там и вовсе прекрасная тихая мирная жизнь.

— Да, и вот въезжаешь уже в Пятигорск...

— Ну, это совсем уже расслабуха. Все кругом штатские, никого в форме, ни одного ствола не видно. Ну и сразу в кабак. Я вообще журналист не военный, в такие точки редко вырываюсь. А вот некоторые мои знакомые как начали ездить на войны, как втянулись — просто подсели на это дело. Как на настоящий наркотик. Понятно, что это обостряет чувства. Возвращаясь с войны, очень отчетливо сознаешь, что ты жив. И что если ты жив, то это уже само по себе хорошо, этого уже достаточно. Это прекрасное чувство! Поди его испытай в простой жизни! Не делая особых капвложений! Почему люди и ездят в горячие точки. Правда, многие там начинают бухать всерьез, по-взрослому. Кто-то после этого подшивается, кто-то спивается. Я понимал, как это затягивает, и пытался особенно не увлекаться. Удалось вроде.

— А ты Мишку Леонтьева там встречал? Он утверждает, что в Чечне дневал и ночевал, когда война была.

— Я же не специалист по Чечне. Кого я там встречал, так это Александра Сладкова — он в Чечне сидел, по-моему, безвылазно и снял там множество сюжетов для РТР. Он там был свой человек, его все знали, привечали, пускали везде. Сладков ходил по Чечне как-то вразвалочку — такой небритый, в майке, в тренировочных штанах и в шлепанцах, как у себя дома... А вот где я встречал Леонтьева, так это в Чили. В Сантьяго.

— Во времена штурма дворца La Moneda?

— Ты про 73-й год, когда я только в десятый класс пошел? Нет, несколько позже. После штурма. В 2000 году. В ночном клубе «Lucas» мы там встретились. Это в районе Авениды имени 11 сентября. (Но речь не про настоящее 11 сентября,

а про то, которое в 1973 году, — когда военные свергли Альенде.) Про все эти военные репортерские дела неплохо написала Асламова, которая «дрянная девчонка», — как это затягивает. Наверное, есть в этом глубинный кайф. Я могу только строить предположения, сам-то я только по краю этого прошел, стороной, потому что мне не хотелось посвящать жизнь одной теме — поездкам на войны. Но у меня осталось это ощущение вязкости той военной жизни. Вроде едет человек написать заметку про важное, про интересное, да к тому ж получить новый опыт. Адреналина хоть отбавляй — и просто смена обстановки, и экзотика (войны же либо в красивых бандитских горах, либо в солнечной Грузии, либо вовсе в дальнем зарубежье), мысль о том, что вдруг завтра помрешь, так отчего б напоследок не выпить и не склеить девицу из местных... Наблюдательные путешественники подметили, что чуть начинается в регионе стрельба, чуть забрезжило внимание прессы — так тут же девицы вздувают цены в три-пять раз... И вот из такой увлекательной жизни, заполненной вечными темами литературы, война, любовь и смерть там в одном флаконе, — человек вдруг возвращается в унылую цивилизацию. Он должен утром рано вставать, вынужден бриться, ходить на работу как заведенный... Никаких суточных... Никакой халявы... Организовать загул с девками — это уже целая история;

само собой это дело, как оно случается на фронте, не сложится. Тоска, короче. К тому же так ли, иначе, но почти неизбежно всплывает такая тема, что пора подшиваться. Как-то это связано. И еще один аспект: некоторые еще к тому же начинают откровенно воевать.

— По-настоящему.

— Ну да. Вопреки женевским конвенциям. И тут тоже можно людей понять. В какие-то моменты действительно очень хочется взять автомат... Такие ситуации легко себе представить. И в итоге человек думает: «Что случилось? Вот раньше я был чисто журналист. А теперь вроде тоже что-то пишу, но в основном бегаю по горам, ночую в пещере, на мне камуфляж, вот мой автомат, из которого я убиваю чужих людей, — но при этом я не военный. Семья в Москве, ей шлют из редакции деньги. А мне тут ничего не нужно, и тушенка, и патроны — все казенное. И кто же я в итоге получаюсь такой? Это один вопрос. А есть же еще и второй: как теперь, после всего этого, жить дальше? Чем заниматься? А вдруг эта война кончится, что тогда?»

— Тогда Береза на меня, кстати, очень сильное впечатление произвел. Он все-таки смелый парень. Он был фактически руководителем делегации, Иван Петрович декоративную роль играл, как мне показалось, — хотя, может, это было и не так. Но он как обещал мне, что будет меня там опекать, — так и

сделал. Все время меня с собой в машину брал, в вертолет... Потому что он знал, что такое Чечня, что там потеряться — это, типа, жопа. А я там в первый раз, и поэтому он специально за мной следил, не терял из виду, хотя большая была делегация. Он все время народ считал, знаешь, как воспитательница в детском саду.

— То есть тебе там понравился Береза?

— Береза вел себя очень хорошо, по-мужски.

— А Иван Петрович? Ты удивился его приключениям в Киеве, после того как с ним поездил по Чечне?

— На меня Иван Петрович производил впечатление приличного, немолодого, абсолютно нормального советского человека. Этот подвиг его киевский, содержание которого никому неизвестно, только со слов самого Иван Петровича... Какая-то грязная оргия, снятая на кассету... Причем его никто за язык не тянул, никто не стремится показывать эту оргию по телевизору. Вот я ближе — хотя, конечно, не очень глубоко — знал Скуратова. Скуратов тоже производил на меня впечатление вполне приличного и порядочного человека советского типа, но тем не менее какая-то чертовщинка в нем была. В футбольчик резался с азартом, в баньке любил попариться... А вот Иван Петрович ну совсем советский был.

— Советский — в плохом смысле слова?

— Нет. Вот такой, как надо — хороший семьянин. Такое у меня впечатление, чисто субъективное. И потому случившемуся со Скуратовым я не очень удивился, тем более что вокруг него лица кавказской нацио-нальности крутились. А этот-то! Кстати, я вывел формулировку краткую всей избирательной кампании Иван Петровича: Рыбк-in — Рыбк-out.

— **Неплохо. По этой схеме позже, когда Леню выгнали из НТВ, появилась формула Парфен-off.**

ПРИЛОЖЕНИЕ

Вокруг «ЯЩИКА ВОДКИ»

ЧЕГО БОИТСЯ АЛИК-АЛКАШ

Возможно, именно пьяные откровения Коха
сыграли роковую роль в избирательной кампании
Союза правых сил

Юрий Нерсесов

1 ЯНВАРЯ 2004 ГОДА

Перед началом нынешних парламентских выборов на книжных развалах страны появились три новинки. Елена Трегубова, Алик Кох и Андрей Колесников — три «писателя», приближенных к Чубайсу, попытались обгадить в своих произведениях всех, кроме блистательного «Толика».

Авторы внушали почтеннейшей публике идею о мерзости всех российских политиков, окромя вожаков СПС. Не изменяя себе, читающая Россия отдала предпочтение женской прозе: стенания опущенной злыми чекистами кремлевской корреспонденточки Леночки Трегубовой раскупаются куда лучше опуса господина Коха под интригующим заглавием «Ящик водки».

Старый подельник Чубайса Кох решил, видимо, что светлый образ правого вождя не нуждается в услугах наемных пиарщиков. Альфред Рейнгольдович порадовал народ изданием своих пьяных базаров, часть из которых вышла отдельной книгой, а прочие были напечатаны в СПС-овских предвыборных газетах. Результат оказался просто потрясающий! Вздумай Кох разложить перед дверьми избирателей свои носки — он и то вряд ли достиг бы большего эффекта.

Выяснилось, что известное интервью Коха насчет отсутствия у России будущего, ее неминуемого превращения в сырьевой придаток и последующего распада совсем не случайность. Оказалось, он эту страну таки всерьез ненавидит и постоянно рассказывает о ней всякие гадости. Демонстрируя при этом главным образом собственную дремучесть в вопросах общих и исторических.

По Коху выходит, что это не Германия объявила 1 августа 1914 года войну России, а «мы сами напали» на тихого и миролюбивого кайзера Вильгельма «из-за каких-то сраных сербов». А те сами нарвались, поскольку убивец наследника австрийского престола Гаврила Принцип «свинтил, спрятался в Сербии», откуда его не хотели выдавать (всемирно известная фотография ареста террориста сразу же после убийства, видимо, коммунарская фальшивка). И вообще, эти русские свиньи вечно на всех нападают. Вот Суворов-мерзавец: «типичный генерал агрессивной империи», поскольку «громил турок, завоевывая турецкие и татарские земли», которыми Россия никогда не владела. А то, что даже на школьных картах территория между Бугом и Днепром отнесена к территории Киевской Руси — наверное, тоже подлая большевистская фальсификация.

Само собой, жить среди такого народа Коху неудобно и неприятно. Его все больше «к евреям тянет». За СПС и «Яблоко» в Израиле почти две трети проголосовало, а российские аборигены все равно обе демтусовки цинично на историческую свалку отправили. Возмущен Альфред Рейнгольдович и говорит, что, будь его воля, «список всяких гавриков, которые голосуют за Жирика и коммуняк», он бы попросту «признавал ограниченно дееспособными и лишал избирательных прав». Иначе может случиться русский бунт, которого Кох страшно боится.

Впрочем, не очень любит Рейнгольдыч и Штаты. За то, что «в холокост американцы приняли что-то типа закона о запрете въезда в страну евреев», а негров, наоборот, слишком распустили. Например, в фильме «Игры разума» изобразили негра профессором математики. А «чернож..ый» профессором, ясное дело, стать в принципе не может.

В который раз встает вопрос, чего же герр Кох забыл в России и почему он до сих пор отсюда не свалил? Может быть, потому, что на цивилизованном Западе «бизнесменов» типа него просто сажают, как сел в Израиле тамошний начальник предвыборного штаба Ельцина Гриша Лернер, а в США — бывший украинский премьер Лазаренко? Или потому, что человек, которому питерский литературовед Виктор Топоров, который и сам не дурак выпить, присвоил кличку Алик-алкаш, просто сознательно решил утопить в своей пьяной блевотине возглавляемый им СПС? Например, по заданию тех же «питерских чекистов»? Ведь после того, как избранный в Совет Федерации от Ленобласти Кох внезапно сложил с себя полномочия, складывается впечатление, что органов он боится ничуть не меньше русского бунта.

ТОТАЛЬНАЯ ДЕМОБИЛИЗАЦИЯ[1]

...два умных человека сидели за бутылкой хорошего вина.

Александр Аронов

Бывший вице-премьер российского правительства Альфред Кох и известный журналист Игорь Свинаренко написали одну книгу на двоих. То есть, если верить соавторам, не написали, а наболтали, наговорили на магнитофон в промежутках между выпивкой и закуской. Но в любом случае вышло здорово.

Хотя сделан «Ящик водки» очень просто. Сидят два приятеля, занимаются тем самым, о чем говорится в названии. Естественно, вспоминают молодость: кто где работал, кто что читал, кто с кем спал, кто как пил. Попутно на всякие исторические события отвлекаются — ну, там, похороны Брежнева, приход Андропова, взлет Горбачева. Дальше Горбачева процесс пока не зашел — перед нами только первый том, охватывающий промежуток с 1982 по 1986 годы. Нетрудно рассчитать, что если соавторы и дальше намерены продвигаться такими темпами, меньше чем в четыре тома они никак не уложатся. Не исключено, что через некоторое время дети в школе будут изучать эту «Войну и мир» как учебное пособие по отечественной истории — повседневная жизнь советского человека, нечто в духе «Анналов».

Хотя нет, к школьникам Коха и его подельника, пожалуй, не пустят. Потому что матерятся много и многоженство проповедуют. Ну и название опять же. А жаль. Потому что получилось очень смешно. Видно, что людям в кайф было друг с другом трепаться, и своя порция удовольствия от текста перепала и читателям.

Цитировать «Ящик водки» — занятие трудное и неблагодарное. Каждый эпизод соавторы обсуждают подолгу, со вкусом, смакуя детали. Это именно тот случай, когда нарезка не дает адекватного представления о целом — атмосфера теряется.

Свинаренко: Еще я вспомнил важное событие 85-го года: одна девушка мне не дала. Это случилось 10 июля.

Кох: Что, такое с тобой в первый раз случилось? Ты даже дату запомнил...

С.: Да нет, не в первый, конечно. А дату совершенно случайно запом-

---

[1] Альфред Кох, Игорь Свинаренко. Ящик водки. Т. 1. М., ЭКСМО, 2003.

нил, так вышло. И еще, может, потому, что сделала она это с особым цинизмом. После прошли годы, и эта девушка мне звонит.

К.: Ой, батюшки!

С.: Звонит — хочет устроиться на работу! Приходит...

К.: А ты ей говоришь: «Помнишь, ты мне не дала?»

С.: Нет, я сказал: «Какие ж вы, бабы, корыстные люди! Только материальной выгоды для! А когда я был молодым, подающим надежды, бедным...» Не взял я ее на работу. И еще пристыдил.

К.: «И всю тебя мне тоже не надо».

С.: Не надо. А что, значит, еще у нас было в 85-м?

К.: Да больше и ничего.

Для разнообразия все это разбавляется вставными новеллами, анекдотами, публицистическими эссе, лирическими и философскими отступлениями. Которые основному тексту — тому, где про баб и водку, — практически ни в чем не уступают. События, изменившие ход российской истории, интерпретируются в простых и доступных массовому сознанию образах.

С.: Я, кстати, сейчас понял, что такое капитализм и приватизация. Вот смотри: у нас с тобой были две рыбки, маленькая и большая. Ты мне сразу сказал, что маленькая — круче. Я стал ее есть, думая еще кусок большой у тебя отъесть. Но ты большую сожрал быстрей, чем я маленькую.

К.: Нет.

С.: Я уж вижу.

К.: Вот кушай еще. (Кох достал из-под газетки еще одну маленькую рыбку.) Вот кушай. Две маленьких — это почти одна большая.

С.: А, то есть ты хочешь сказать, что приватизацию ты провел честно... Ну-ну...

Не хочет. Вовсе не хочет Кох сказать, что провел приватизацию честно. Он вообще на эту тему говорить не особо хочет, и не потому, что боится или сказать нечего, а просто потому, что неохота. Неинтересно. В том-то и секрет обаяния этой книги, что ее авторам-героям ничего не надо. Политическая карьера Коха после бездарно проваленной предвыборной кампании СПС, видимо, закончена. Бизнесом, по его словам, заниматься ему тоже надоело. Свинаренко — ну, тот вообще достиг практически всего, о чем только может мечтать репортер. Вот люди и говорят то, что думают, тем языком, каким обычно беседуют в присутствии водки и воблы.

И когда Кох бросает: «Мне плевать, что про меня пишут... Мне интересно мнение обо мне очень ограниченного числа близких людей», — веришь, что это «не рисовка, не поза». Как веришь, что он упоминает о своих детских занятиях дзюдо не для того, чтобы примазаться сами знаете к кому. Тем более что и о первом лице государства Кох-которому-ничего-не-надо и его собеседник позволяют себе рассуждать все в той же водочно-вобельной манере:

С.: Смысл 1983 года такой: это был первый приход чекиста во власть.

К.: Да... Это был как бы Иоанн Креститель.

С.: Я хотел сказать «Креститель», но смолчал. А ты не подумавши ляпнул.

К.: Почему не подумавши?

С.: Ну какой из чекиста креститель?

К.: Ну не будешь же ты отрицать, что В.В.Путин — это Христос русской земли? Или ты против? В глаза, в глаза смотреть!

С.: Эк вас, ссыльных, колбасит...

К.: Просто, типа, спаситель...

С.: Ты, может быть, сравнивая Путина с Христом, хочешь сказать, что оба непонятно чем занимались большую часть жизни?

К.: А потом сразу — оп, и вход в Иерусалим.

С.: Допустим... А кто у нас тогда сыграл роль осла, на котором произошел въезд?

К.: Паша Бородин! Ха-ха-ха!..

И дальше, развивая все то же сравнение генсека и президента:

К.: Гораздо хуже и опаснее для нации в целом, особенно для такой незаконопослушной нации, как русские, когда твердая рука не является твердой. И в глубине души, сам перед собой, человек это понимает.

С.: Это ты про Андропова?

К.: Я сейчас говорю о другом человеке.

С.: А, есть такой человек, и вы его знаете.

К.: Да-да. И наверняка он в глубине души понимает, что никакая он не твердая рука. Что это свита играет твердую руку. А свитою он не управляет.

С.: Твердая рука — типа рукопожатие твердое, как никогда.

К.: А в свите есть твердые люди. Пускай они не шибко умные, но твердые... И тогда, чтобы не упасть лицом в грязь перед свитой, нетвердая рука начинает играть твердую руку. И обычно переигрывает. Как тот прокурор у Войновича, который боялся, что все узнают, что он добрый, — и, чтоб не узнали, всем выносил смертные приговоры. А сильный человек, который точно знает, что он сильный, — ему не нужно казаться сильным. Понимаешь?

С.: Это как пидорас, который демонстративно ходит по блядям.

К.: Ну, это латентный пидорас. А настоящие пидорасы не скрывают, что они пидорасы.

Размявшись на Путине и спецслужбах, собеседники добираются до вопросов религиозных. Взгляды православного Коха на эти проблемы настолько неортодоксальны, что спорить начинает даже атеист (*Я вообще-то не атеист. — И.С.*) Свинаренко:

С.: Чревоугодие — смертный грех!

К.: Где это написано? Это монахи написали! Господь об этом не говорил.

С.: Да ладно! Тебя послушать, Господь вообще только имел в виду, чтоб ты пил, курил, по бабам бегал и вообще ни в чем себе не отказывал.

К.: Про курение он точно нигде ничего не говорил.

С.: Ну да, вот, по-твоему, так делай что хочешь, стой на голове...

К.: ...только люби людей — и все. И Господа своего не забывай. И все!

С.: Ну-ну...

Дальше в списке мишеней — политкорректная Америка, вороватая Россия, Голливуд с неграми-ковбоями, поклонники Чумака, которых Кох предлагает ограничивать в избирательных правах, и т.д. Пробежавшись по всему скорбному перечню, понимаешь еще одну особенность этой книги: «Ящик водки» — это диалог нормальных людей. Они различают черное и белое, знают, что такое хорошо и что такое плохо, понимают разницу между совком и свободой. Короче говоря, не спорят о тех вещах, с которыми все и так ясно, — редкое, надо сказать, качество, особенно в последнее время.

Не случайно в беседе Коха и Свинаренко в конце концов всплывает имя персонажа, который в русской литературе XX века как раз и выступает олицетворением понятия нормы, в том числе и бытовой:

К.: Стол, за которым я написал свою кандидатскую, представлял из себя промежуток между книжным шкафом и подоконником — я заполнил его дном от детской кроватки и великолепно себя там чувствовал! Клееночка лежит, бумажки разложены, печатная машинка стоит, лампочка светит...

С.: После того как мы узнали, что Набоков писал свои бессмертные сочинения, сидя на биде в совмещенном санузле (мне его сын Дмитрий рассказывал), — какое ж мы право имеем жаловаться на наши бытовые трудности?

К.: А в коммунальной квартире нельзя последовать примеру Набокова по двум причинам: во-первых, там не бывает биде.

С.: Ага. «Не стреляли, потому что, во-первых, не было снарядов».

К.: Но есть и другая причина, и она тоже веская: соседи могли пиз...лей отвесить. За то, что санузел занял на всю ночь.

С.: А сейчас у тебя сколько тут на даче биде?

К.: Здесь у меня биде два. Так что одно биде я, как писатель, могу смело занимать. А могу и на унитазе сидеть.

С.: Унитазов в настоящий момент сколько у тебя?

К.: Сейчас я посчитаю... Раз, два, три... Четыре, пять, шесть...

С.: Но пишешь ты не на них, а на кухне.

К.: Нет, должен тебя разочаровать: я в кабинете пишу. Я, знаешь ли, пишу в кабинете, оперирую в операционной, а обедаю в столовой.

С.: Ха-ха-ха. Чисто профессор, б..., Преображенский!

К.: Да, я вернулся к этому идеалу, к этой вот примитивной старомодной схеме. Велосипед я не изобрел и изобретать не желаю. Срать стараюсь на унитазе, спать в спальне, тренироваться в спортзале, а плавать в бассейне.

С.: Вот только у профессора Преображенского, в отличие от тебя, не было своего бассейна...

Кох и Свинаренко — эталонные правые либералы. Главная проблема российского либерализма в том, что его адепты не умеют говорить своим языком: то ли стесняются, то ли боятся, что народ не поймет. Отсюда их любовь — у кого по обязанности, а у кого и искренняя — к разного рода монструозным погремушкам: «социальная справедливость», «почетный долг», «сильное государство». В этом отношении «Ящик водки» — пример адекватности. Книга задает язык для самоопределения либералов, очерчивая границы и обнажая структуру либерального дискурса применительно к сегодняшней российской действительности.

Для того чтобы убедиться в этом, достаточно прочитать заключающее книгу эссе Альфреда Коха «Демобилизация», забавно рифмующееся с циклом «юнгерианских» размышлений известного «консервативного» публициста Егора Холмогорова «Тотальная мобилизация». Тут вся разница между государственниками и либералами как на ладони, и она, оказывается, предельно проста, не надо ни умных слов, ни сложных теорий.

Одни считают, что все люди с рождения находятся в их безраздельном распоряжении и только и ждут, как бы их кто-нибудь построил в стройные ряды и послал на сборный пункт. «Для самопрояснения России следовало бы выдумать войну», — меланхолически роняет Холмогоров. Простая мысль, что у меня могут быть несколько иные планы на будущее, в которые война за рожденные воспаленным воображением кухонного спецназовца фантомы не вписывается, просто не приходит мыслителю в голову.

Вторые... «Вы никому ничего не должны», — твердит Кох. Вас обманывали, вам лгали, расходитесь по домам, самостоятельно, по своему личному проекту стройте будущее для себя и своих детей.

Не расходятся. Не строят. По-прежнему топчутся на призывных пунктах, выдумывая себе все новых и новых врагов и шаря по сторонам глазами в поисках дота, на который можно упасть.

Лучшее описание этой ситуации было дано еще в 60-е годы писателем Борисом Балтером, автором замечательной повести «До свидания, мальчики!»: «В армии мне часто приходилось приносить личные желания в жертву требованиям службы. Это постепенно вошло в привычку. Мне со временем стало нравиться подчинять свою жизнь присяге и долгу: каждый раз при этом я острее чувствовал свою нужность и значительность. Когда через много лет я был уволен из армии и спросил полковника, в чье распоряжение меня отправляют, полковник ответил: «В ваше собственное». Ничего страшнее этих слов я не слышал».

Холмогоров утверждает, что «Россия остается вот уже почти 10 лет воюющим государством». Увы, это и впрямь так. В стране идет холодная гражданская война между теми, кто смотрит на людей, как на оловянных солдатиков, и теми, кто говорит им: «Проснитесь. Вы свободны. Свободны, свободны, свободны наконец». Между теми, кто кричит «Да, смерть!», и теми, кто, приходя с работы, ставит компакт: «На хрена нам война, пошла она на! — Дома жена и бутылка вина...»

Книга Коха и Свинаренко — рассказ о людях, научившихся жить без войны. О нашем будущем?

P.S.

Представляя Коха читателям, Свинаренко пишет:

«Пока говорили, я все волновался: вдруг сорвусь и скажу ему все, что стал о нем думать весной 2001-го — когда давили НТВ. Я не сорвался. На все мои вопросы про тот скандал он ответил исчерпывающе. Он эти мои вопросы, как это ни странно, снял».

А мои нет. Тем более что вопрос, собственно говоря, и тогда, и сейчас у меня к Альфреду Рейнгольдовичу всего один. Тот самый, что, согласно легенде, задал Владимир Кара-Мурза Олегу Добродееву той ночью в останкинском коридоре: «Скажи, ты хоть понимаешь, что ты на козлов работаешь?» Не знаю, был ли такой эпизод на самом деле. Но Коха мне хочется спросить именно об этом.

ЯЩИК ВОДКИ

Второе же алкогольное событие собственно, с «Ящиком водки» было связано исключительно на духовном уровне. Никакого употребления, излияния и тому подобных безобразий. Потому как «Ящик водки» — это название новой книги Альфреда Коха (того самого, что НТВ закрывал) и Игоря Свинаренко (бывшее первое перо «Коммерсанта»).

Формат книги — беседа. Это даже не интервью, на которое порой по привычке сбивается Свинаренко, это именно беседа. Причем беседа в нетрезвом виде.

Авторы смело, без стеснения рубят «правду-матку», не подбирая выражений и не редактируют последующие тексты. Из-за такого подхода при чтении ты действительно чувствуешь, что присутствуешь на пьянке (именно на пьянке, а не на интеллигентном банкете, фуршете и т.д.) двух закадычных друзей, которые друг друга не стесняются и отвечают на любые вопросы.

Заявленной темой беседы является недавняя история нашей страны. Авторы проходятся по годам застоя, когда прошла их молодость, доходят до «горбачевского потепления». Кох и Свинаренко смело кроют матом как прошлых, так и нынешних руководителей страны, больших и малых начальников и вообще всех тех, кто им не нравится. Периодически, как это часто бывает при таком «неформальном» подходе, мысль часто уходит в другую сторону — перепрыгивая то на женщин, то на старых друзей, то опять-таки на водку. Разговор идет легко и непринужденно. Читать весело и забавно.

По возрасту я намного младше авторов, но при чтении стали вспоминаться такие «призраки коммунизма», типа универсамов, пива в трехлитровых банках и политинформации. Так что книжка полезная. Порою интересно узнать, что же такого обсуждают в застольях «герои нашего времени».

ПИСЬМО АВТОРАМ

Уважаемые Альфред Кох и Игорь Свинаренко, спасибо вам обоим за замечательную книгу ЯЩИК ВОДКИ, 1 том, которую я смогла взять у знакомой женщины и прочитать, вернув обратно. К большому огорчению, я не могу позволить себе сама сделать такую покупку. Честное-пречестное слово, живу за чертой бедности. По поводу этого унизительного положения я уж и не комплексую. Бессильна что-либо сделать или изменить. За богатство считаю комплекс чувств, открытое большое сердце и свет души. Остальное все приложится.

Своей книгой вы помогли мне снять розовые очки, а стекла поменять на прозрачный естественный цвет. Многое из того, о чем читала раньше, скинула с пьедестала. Ужас! Какой был сплошной обман! А ведь мы жили и сейчас живем лживой информацией. Кошмар!

Не смогла удержаться от диалога и написала свой отзыв в стихах. Правда, словесники мне говорят, что мой стиль изложения — это туфта, наутина, халтура, которую никогда и никто не напечатает. Да я и не лезу никуда. Каждый высказывается как может. Я начала писать стихи в 60 лет. Сейчас мне 68. Куда мне лезть и о чем мечтать?!

Я рассуждаю так:

* * *

Не осуждайте стиль, размер,
Я на это не училась,
Вложила смысл, дала пример,
И вот что получилось.

Обидно за Россию-Мать,
Почему легко сдалась,
Неужели сильных духом нет?
Дай, Альфред, на все ответ!

* * *

ИГОРЮ СВИНАРЕНКО

Свинью ты власти подложил,
На лопатки разложил,
Ты воспитан ею был,
Жил, взрослел и водку пил.
А кто тебе ее давал,
Пить подростком разрешал,

Чтобы ум твой не трезвел,
Искать Правду не сумел.
Но ты до Правды докопался,
Негодовал и возмущался,
Кто Русью торговал — узнал,
Об этом в книге написал.
В том, в ком совесть нечиста,
Пусть узнают про себя,
Что народ их не любил,
За глаза всех материл.

* * *

АЛЬФРЕДУ КОХУ

Ты привлекательный мужчина,
Если бы не матерщина,
Хитер, умен, порой подлец, (употребление мата)
Ну, а в общем, молодец!
Религиозные суждения верны,
Совпадают и мои,
А вот пророчествам не быть,
Православье не сгубить,
В этой вере доброта,
Ее славят все века,
Зло само себя сожжет,
Воплощенья не найдет.
Не зря войны на Востоке,
Законы мусульман жестоки,
Но к господству не прийти,
Себе рабов им не найти.
Количеством они нас задавили,
Но о качестве забыли,
Природа все расставит по местам,
Уравновесит тут и там.
Открыл глаза нам, дуракам,
Вбивая по мозгам,
Теперь понятно почему
На чьем СМИ стоит посту.
Быть политиком не просто,
Власть заедает, как короста,
На все плюнуть нет уж сил,

Азарт волчий захватил.
Всем известно: волк не царь
Ни сегодня и не встарь,
Власть проявляет к мелкому зверью,
Не уступит никому.
И среди нас матерые живут,
Удобного момента ждут,
Казнить, помиловать, оставить,
На колени всех поставить.
Но есть КОХи и среди нас,
С ним и просветленья час,
Говори, Альфред, смелей,
Образумь нас поскорей!
В какой же мы стране живем,
Что мы пьем и что жуем,
Гниль информации глотаем,
Живет в стихах моя душа,
А она полна огня,
Не сбивайте, не мешайте,
Не хотите — не читайте!

> Не нужно много таланта, чтобы увидеть
> то, что перед самым носом; гораздо сложнее
> узнать, в какую сторону свой нос повернуть.
>
> *Уистен Хью Оден. Англ. поэт XX в.*

После вашей книги ничего читать не хочу, за исключением самых дорогих мне авторов: Сергея Алексеева (Русский проект) и Вл. Н. Мегре (серия книг «Звенящие кедры России»). Остальные подаются просеянной галиматьей. Тот, кто просеивает, считает нас всех быдлом. Что подали, то и жрите! Больно, обидно, досадно!

Есть еще у меня стихи, посвященные России и некоторым известным людям, в т. ч. и инициаторам войны в Чечне, где мальчиков учили убивать, а потом в гробах встречать.

Альфред и Игорь, скажите, пожалуйста, что мне теперь делать, ведь ваши книги не дают мне уже покоя?

С уважением к вам.

Екатерина Адамовна ЛАПИЦКАЯ
Белоруссия, Брестская обл., гор. Кобрин, 2004.

Виктор Юрьевич Некрутенко

* * *

Товарищ, пред тобою — Кох,
Настолько Кох, в натуре, плох,
И прямо скажем нехорош,
Что всех вокруг бросает в дрожь
При имени одном его.
Я уж молчу про самого.

Сначала он в года лихие
Цинично продавал Россию,
Потом за бабки (в СКВ)
Душил свободу в НТВ.
Но делал это бестолково,
Поскольку менеджер х...овый.

Душил он как-то без души.
Другим пришлось уж додушить.
А Кох внедрился в СПС
И доконал его, балбес...

Тепер, вдвоем с хохлом небритым,
Косматым и космополитом,
Безродным, в общем-то, хохлом
Кох вспоминает о былом,
Нажравшись водки, матерясь,
И над святынями глумясь.

Чубайса злобного подельник,
На все готов он ради денег
И всех продаст — хоть по рублю.
А я, мой друг, тебя люблю!

28.02.04

выросли крылья. Ругая Горбачева, соавторы плюют в колодец, из которого сами же берут воду для изготовления водки. Похоже на наивность.

Зато трудно назвать наивностью выпады против Прибалтики и особенно Латвии. Я не знаю, что там личного, что безличного, но, если утверждать, что Россия — непредсказуемая страна, то надо благословить всех, кто смог вырваться из ее орбиты. Бегство Прибалтики понятно на все 100 процентов. Лесные братья или участие Латвии в дивизии СС — часть общей европейской истории, а не герметический акт антирусской неблагодарности. Еще более интересна позиция Коха относительно Крыма и Калининграда. Виртуальный обмен этих территорий при молчаливой поддержке Европы, захват Крыма с помощью российских войск на территории полуострова — это фантазм не только в духе блока «Родина», но и подспудное продолжение действия пакта Молотов — Риббентроп. Вот до чего иногда можно допиться, вспоминая события недавней истории. Свинаренко любит ГДР. Там продавали пиво и американские джинсы. Там в кинотеатрах Путин смотрел, наверное, классику европейского кино. Но любовь бывшего молодого человека к ГДР — это частный вопрос на фоне, может быть, самого лицемерного государства послевоенной Европы. Я там тоже был, мед-пиво пил, по усам текло, а в рот не попало. И не жалко.

Мне нравится, что наши соавторы свободны, успешны и неполиткорректны. Один — бабник, другой делает вид, что нет. Второй — опытный журналист, который грамотно выстраивает интервью и в качестве комментариев печатает свои старые статьи, доказывая свою же мысль, что журналистские статьи живут один день. Первый обижен на Собчака за то, что тот его уволил, хотя, если мир плох, на кого тогда обижаться? Соавторы — цвет нашей постсоветской действительности, востребованные люди. Это у них не получилась Перестройка и демократия, это у них началось состояние постнадежды, как у женщин наступает состояние климакса. В этом состоянии можно жить, даже трахаться. Но страной управляют другие люди. Они тоже когда-нибудь купят свой ящик водки и расскажут о своем добродушном цинизме, получится все та же кривая коза, на которой к решению русских проблем не подъедешь. А других коз нет и, наверное, уже не будет.

«Московские новости»

Аркадий Арканов

ЯЩИК ВОДКИ

(ПОЭМА)

Раз решили два соседа
Диалог вести короткий
И купили для беседы
Ящик водки, ящик водки.

С кайфом, с чувством, со здоровьем,
В настроении хорошем!..
Был один хохлом по крови,
А другой — с немецким прошлым.

Не пиаром с компроматом
Говорили без усилий,
Если надо, то — и матом,
О житье-бытье в России.

Кодекс чести, кодекс правил
Соблюдать решили четко,
Откровенностью разбавив
Ящик водки, ящик водки.

Богу одному известно,
Кто кем станет, кто кем будет...
Кто подлец, а кто, как Герцен
«Колоколом» всех разбудит.

Где легко, а где опасность?
Где тюрьма, а где свобода?
И нужна ли, кстати, гласность
Для российского народа?

Хочешь жить — трудись и майся.
Не получишь ты задаром
Даже ваучер Чубайса
Иль монетаризм Гайдара.

Был Андропов, был Черненко,
Был сухой закон на водку...
Солженицын, диссиденты —
Все раскачивали лодку...

Кто работал, кто учился,
Кто — пожиже, кто — погуще...
Но Союз наш развалился
В Беловежской этой Пуще...

Начался подъем Китая,
Ельцин влез на самоходку...
Год за годом... Лишь не таял
Ящик водки, ящик водки.

Все приходят, все проходят...
Лифшиц, Бурбулис и Алкснис,
Кто теряет, кто находит
НТВ, программу «Алчность».

Гусь в Америке укрылся,
А Платон осел в Европе,
Кто с властями поделился,
Кто сидит в «Матросской»... жопе...

Кто пророк, а кто мессия?
Кто в Кремле, а кто — в колодках?..
Но у каждого в России
Есть заветный ящик водки!

Душит жаба, жмет интрига,
Но народ наш твердо знает:
Водка — это та же книга —
Проглотил, и полегчает.

Так не прячь в кармане фигу!
Не стреляй прямой наводкой!
Прочитай-ка лучше книгу
«Ящик водки», «Ящик водки»!

12 апреля 2004 г.

Роман Арбитман

ВВЕРХ ПО МАТУШКЕ ПО ВОДКЕ[1]

«Пить надо меньше! Пить меньше надо!» — уговаривал себя известный персонаж «Иронии судьбы», приплясывая на декабрьском морозе в своей одежке не по сезону. Между тем мораль этой новогодней рязановской истории сводилась к прямо противоположному: пить надо больше. Ибо только вмешательство Ее Сорокаградусности в скучную жизнь затюканного врача Лукашина позволило последнему резко изменить судьбу к лучшему... Нет, удивительное все-таки дело! История литературы пестрит поучительными примерами, когда тот или иной отважный замысел с размахом накрывался медным тазом из-за роковой диверсии злодейки-с-наклейкой. И, напротив, политкорректности ради замалчиваются сюжеты, когда она, проклятая, способствовала появлению на свет какой-нибудь незаурядной книги («Москва — Петушки» Венички Ерофеева тут выглядит исключением; да и первая легальная публикация этого знакового текста состоялась, не позабудем, в санпросветовском журнале «Трезвость и культура»). Потому-то, наверное, замысел любопытной книги Коха и Свинаренко сам по себе уже выглядит убедительным прорывом. Ибо водка здесь — не тема и не объект поругания (равно как и восхваления), но важнейший инструмент постижения нашей реальности.

Идея книги проста, как маринованный огурчик. Встретились за хорошей водкой два башковитых мужика за сорок. Бизнесмен и журналист. Встретились не с целью тупо напиться, а для того, чтобы вдумчиво потрепаться под диктофон: вспомнить и последнее двадцатилетие СССР (России), и самих себя в предлагаемых временных координатах. Этапы большого пути, так сказать. Один год — один вечер — одна бутылка — одна большая порция разговора. На другой день и на трезвую голову диктофонная запись будет расшифрована, пополнена специально выделенными комментариями обоих участников беседы, а также цитатами из классиков, от Ильфа — Петрова и Михаила Булгакова до маркиза Де Кюстина и Аристотеля, — тоже отдельными врезками курсивом. Ибо авторы ничуть не притворяются великими всезнайками, не корчат из себя (задним числом) выдающихся краснобаев. Они не скрывают, что по пьяному делу могут и не припомнить точно удачную цитату и что «хорошая мысля» в тему нередко приходит в голову уже постфактум. Таким образом, читателей подкупает атмосфера дружеского задушевного трепа, когда люди могут и подначить друг друга, и глупость брякнуть, и поправиться, и от главной

[1] Альфред Кох. Игорь Свинаренко. Ящик водки. Том первый. М.: Эксмо, 2003. 208 с.

темы ускакать далеко вперед или вбок, и матерком пройтись — не по злобе, а по необходимости. Потому как одним лишь умом, без крепкого словца вдогонку, Россию не мог понять даже поэт Тютчев — где уж нам, многогрешным!

Выбор точки отсчета для разговора кажется абсолютно логичным. 1982 год. Смерть Брежнева, приход Андропова, начало конца застоя и какие-то смутные едва-едва ощущаемые подвижки внутри мощной тектонической платформы Союза Нерушимого. Перемены, впрочем, еще впереди, а пока наличествуют дефицит, самиздат, два сорта пива (бутылочное и разливное), АГБ, Афганистан, фарцовка, граница-на-замке, радиоголоса, «Слава КПСС!», запретный доллар по шестьдесят четыре копейки и разрешенная колбаса по два двадцать. В общем, полный набор тогдашних прелестей и гадостей — с преобладанием последних.

Теперь чуть подробнее об авторах-собутыль... в смысле, собеседниках. Первый, русский немец Альфред Кох, за прошедшие десятилетия достигнет немалых высот — вплоть до вице-премьерского поста и должности управляющего имуществом Всея Руси. Потом будет автором книги о приватизации, будет низвергнут, объявлен чуть ли не врагом народа и кандидатом на нары, потом будет официально назначен «Газпромом» на роль главного погубителя НТВ (умеют же наши власти сталкивать лбами умных людей и, потирая ладошки, равноудаленно наблюдать за драчкой!). После НТВ герой опять займется бизнесом, потом будет призван на должность политического пиарщика... Однако не станем заглядывать в грядущее. Первая водка только-только разлита. В год кончины дорогого товарища Леонида Ильича наш герой завершает образование в Ленинградском финансово-экономическом институте, а по совместительству калымит дворником. Но не простым, а вечерним. «Вечерний дворник, — педантично уточняет Кох, — работает только тогда, когда в течение дня что-нибудь такое навалило, что никак нельзя терпеть до утра. Обычный дворник не выйдет — у него смена закончилась. Вечерний дворник — человек аврала. Зарплата у него меньше, чем у обычного. Рублей так девяносто — сто двадцать. И работает он меньше. Зато случайно и по вечерам. Самая хорошая работа для студента или аспиранта. Такая работа передавалась «по наследству». От старших товарищей младшим. Мне она досталась на четвертом курсе. Проработал я пять лет. С 1982 года по 1987 год. Уже кандидатом наук был, а все работал». Кстати! Если бы кто-то составил частотный словарь «Ящика водки», то слова с корнем «работ» получили бы приличный рейтинг. Не из бездельников наши визави, очень даже не.

Однако пора уже представлять второго из собеседников, русского украинца Игоря Свинаренко. Соавтор-два тоже с течением украсит свою биографию солидными журналистскими достижениями: будет золотым пе-

266

ром «Коммерсанта», собкором в Америке, главным редактором глянцевого журнала «Домовой», лауреатом премии «Репортер года», автором нескольких книг (и издателем журнала «Медведь». — *Прим. ред.*). Но в год, когда «хрюкнул Ильич» (выражение Альфреда), Игорь работает в калужской молодежке, в отделе коммунистического воспитания и рабочей молодежи. Надо ли говорить, что извещение о кончине бровастого генсека приходит с телетайпа аккурат в вечер дежурства молодого журналиста по номеру? «И сидел я долго, — вспоминает Свинаренко, — потому что никто не знал, как хоронить Брежнева — и как об этом извещать народ. Обком комсомола затребовал инструкции в обкоме партии, те — в ЦК. А там говорят: мы тоже не знаем, перезвоните нам часа в два ночи. Так они подняли архивы «Правды» за 53-й год — это был последний случай похорон действующего главы СССР — и оттуда слизали весь макет. Значит, рамка черная во всю полосу и отклики трудящихся, что они скорбят и поэтому перевыполнят план, а партия еще теснее сплотится вокруг ленинского ЦК. Идиотизм, в общем, такой, что сегодня в это трудно поверить...»

О чем трындят наши авторы? Да обо всем: малом и великом, грубо приземленном и сугубо философском. На протяжении двухсот с лишним страниц они успеют коснуться разнообразнейших тем (Чернобыля и геополитики, полигамии и великой русской литературы, «Норд-Оста» и «Сибирского цирюльника», еврейского, немецкого и китайского вопросов и др.). Примечательно, однако, что тема массового или ритуального идиотизма, добровольного или вынужденного, с роковой неизбежностью всплывет еще неоднократно. Будет это в разговоре о давно канувших временах и о временах новейших, к которым собеседников-собутыльников вновь и вновь приведет причудливая цепочка ассоциаций. Порою авторы-спорщики посыпают главы пеплом: мол, дураки мы были сами — не лучше прочих. Порою откровенность друг перед другом (и перед читателем) доходит до цинизма, однако покаяния в собственной глупости — как это ни парадоксально! — еще больше располагают читателя к собеседникам. Кох, к примеру, честно повествует о том, как его, молодого, накрывала волна верноподданнической любви к генсеку-реформатору Горбачеву (и удивительно к месту приводит цитату из «Войны и мира» — про восторг Петеньки Ростова при виде государя). А Свинаренко так рассказывает о своей реботе журналиста-агрария: «Бывало, приезжаешь в колхоз на «козле», чтобы сочинить бессмертный текст типа: «Вместе с тем оставляют желать лучшего темпы кормозаготовок. На голову КРС заготовлено по 13 ц условных кормовых единиц, в то время как...». Помните этот незабвенный стилек? Не Свинаренко его придумал, а сама эпоха одобрямса подбирала словечки и ставила каждое лыко в строку...

Авторы книги стараются быть честными по отношению к самим себе.

Это позволяет Коху и Свинаренко давать и нелицеприятные оценки окружающим людям и явлениям. Иногда сарказм зашкаливает, но в точности горьких высказываний собеседникам трудно отказать. Глобальный их замысел исполнен пока лишь на четверть: освоено пять бутылок, охвачено пять лет (том завершается 1986 годом), и впереди еще есть о чем вспомнить.

Судя по замелькавшим газетным и «тонкожурнальным» отзывам, читатель встретил первый «Ящик водки» и последующий второй с этузиазмом. Не в пользу книге только одно, зато важное привходящее обстоятельство — из области политики. Дело в том, что Альфред Кох между выходом первого тома и написанием второго был призван Союзом правых сил руководить предвыборной кампанией; означенную кампанию он начисто запорол. Правда, нет худа без добра: название книги Коха и Свинаренко стало индульгенцией для СПС, поскольку причину поражения правых на декабрьских выборах можно теперь свести к пьянству отдельно взятого Альфреда Рейнгольдовича. А пьянство — причина на Руси уважительная, вековая, почтенная. И Кох едва ли возразит против очевидного, и репутация русского либерализма на данном этапе будет спасена.

Журнал «Знамя»

ВЫБОР «Кᵒ». ВЕРСИЯ ДЛЯ ПЕЧАТИ

ЮНОСТЬ КАПИТАЛИСТА (13.10.2003)

Иван ПРОСВЕТОВ

Если бы не имя автора, книга, наверное, не заслуживала бы особого внимания. Так, обычный застольный треп двух интеллектуалов (отсюда и название — «Ящик водки») с довольно циничными рассуждениями о правде жизни и судьбах родины. Но один из собутыльников — Альфред Кох — почти что герой новейшей российской истории: сначала зампред, а затем председатель Госкомимущества в 1993—1997 годах, во времена второго этапа приватизации и залоговых аукционов, когда формировались отечественные финансово-промышленные империи.

Кох и сейчас, хотя в гораздо меньших масштабах, продолжает влиять на судьбы бизнеса — его компания «Montes Auri» специализируется на так называемых враждебных поглощениях. Помимо личного любопытства есть еще один повод просмотреть книгу. Альфред Кох — показательный пример рафинированного капиталиста, препарированный опытным журналистом Свинаренко. Знать образ мысли и мотивацию таких людей, несомненно, полезно: «Я приношу пользу экономике. Для нее лучше, когда бизнес переходит от слабых к сильным». Настоящему капиталисту не чужда сентиментальность, но он четко разделяет чувства и дело: «Нельзя обижать слабых, согласен, но только в том случае, если слабые не садятся тебе на голову».

У «Ящика водки» будет продолжение. Пока издан первый том, в котором Кох-миллионер вспоминает Коха-дворника-аспиранта и переломные для страны 1982—1986 годы. У книги один минус — обилие откровений о личной жизни. Чем-то напоминает скандальный кинофильм «В постели с Мадонной», снятый самой героиней с целью рассказать «всю правду о себе».

Содержание

Альфред Кох
Игорь Свинаренко

ЯЩИК ВОДКИ

Ответственный редактор *М. Яновская*
Художественный редактор *С. Лях*
Технический редактор *Н. Носова*
Компьютерная верстка *О. Шувалова*
Корректор *И. Анина*

ООО «Издательство «Эксмо»
127299, Москва, ул. Клары Цеткин, д. 18, корп. 5. Тел.: 411-68-86, 956-39-21.
Home page: www.eksmo.ru   E-mail: info@eksmo.ru

Подписано в печать с готовых диапозитивов 25.07.2004.
Формат 70 x 100$^1/_{16}$. Гарнитура «Таймс». Печать офсетная.
Бум. офс. Усл. печ. л. 21,93.
Тираж 7000 экз. Заказ 772

ОАО "Тверской полиграфический комбинат"
170024, г. Тверь, пр-т Ленина, 5. Телефон: (0822) 44-42-15
Интернет/Home page - www.tverpk.ru Электронная почта (E-mail) -sales@tverpk.ru